La melodía oscura

Christine Feehan

La melodía oscura

Titania Editores
ARGENTINA - CHILE - COLOMBIA - ESPAÑA
ESTADOS UNIDOS - MÉXICO - URUGUAY - VENEZUELA

Título original: *Dark Melody*
Editor original: Dorchester Publishing Co., Inc., Nueva York
Traducción: Armando Puertas Solano

© Copyright 2003 *by* Christine Feehan
All Rights Reserved
Los derechos de publicación de la presente obra fueron negociados
a través de Rights Unlimited Inc., Nueva York
y Ute Körner Literary Agent, S.L., Barcelona
© 2008 de la traducción *by* Armando Puertas Solano
© 2008 *by* Ediciones Urano, S.A.
Aribau, 142, pral. - 08036 Barcelona
www.titania.org
atencion@titania.org

ISBN: 978-84-96711-46-4
Depósito legal: B -41.136- 2008

Fotocomposición: A.P.G. Estudi Gràfic, S.L.
Torrent de l'Olla, 16-18 - 08012 Barcelona
Impreso por Romanyà Valls, S.A. - Verdaguer, 1 - 08786 Capellades
(Barcelona)

Impreso en España - *Printed in Spain*

A mi hija, Denise Feehan, y a Cody Tucker,
dos personas que comparten su amor por la música,
entre muchas otras cosas

Capítulo 1

El deseo reptaba por su cuerpo y hacía resonar un ritmo en su cabeza. La música bullía y rugía, llenaba el enorme bar, una melodía briosa e irresistible tan oscura y vibrante como él mismo. Las notas nacían en lo más profundo de su alma, se transmitían a través de sus dedos a la guitarra que sostenía como quien abrazaría a una mujer. La música era una de las pocas cosas que le recordaban que estaba vivo y que no pertenecía al mundo de las criaturas inertes.

Sentía las miradas clavadas en él, aunque él nunca alzaba su propia mirada. Oía la respiración del público, el aire que transitaba por los pulmones como el paso de un tren de carga. Sentía el flujo de la sangre yendo y viniendo por las venas, llamándolo como una dulce seducción, encendiéndole los sentidos hasta que su anhelo se convirtió en una obsesión oscura e implacable como la sombra de su alma.

Susurraban. Cientos de conversaciones. De secretos. Frases hechas para flirtear, cosas que se susurran en los bares al amparo de la música y la oscuridad. Él oía cada una de las palabras con nitidez mientras seguía tocando con el grupo de jóvenes y entusiastas músicos. También oía los susurros de las mujeres que hablaban de él. Dayan. Primer guitarrista de los Trovadores Oscuros. Querían meterse en la cama con él, y siempre por motivos equivocados. Él también las quería, pero sus motivos las habrían aterrorizado.

El tema llegó a su fin, la muchedumbre rugió, pateó, aplaudió y gritó su entusiasmo. Dayan divisó al hombre que esperaba en la barra. Cullen Tucker alzó un vaso de agua en su dirección, frunciendo el ceño.

—¿*Qué hacemos aquí*? —Dayan entendió perfectamente la expresión, leyó en la mente del hombre. ¿Qué hacían ahí? ¿Qué lo había llevado a entrar en ese bar, coger su guitarra y empezar a tocar para esa multitud? Su actuación no haría más que despertar un interés que no les convenía. No era un lugar seguro. Dayan sabía que los perseguían y, sin embargo, no tenía alternativa. Lo había embargado una *necesidad* acuciante de permanecer en ese bar. Como si esperara algo…, o a alguien.

Los dedos de Dayan ya empezaban a coger un nuevo ritmo. Una melodía oscura, de humor cambiante, se apoderó de él, como si exigiera ser liberada. Su voz llamó a la multitud, la sedujo, se volvió tentadora. La llamaba a ella. Le ordenaba. A su amante. Su compañera eterna. Su otra mitad. La llamaba para que ella lo completara. Para que le devolviera las emociones que se habían desvanecido de su vida tras dejarlo convertido en una cáscara vacía, cada vez más oscura. Una criatura que vivía en las sombras, vulnerable a las bestias que acechaban. *Sálvame. Ven a mí.* Aquellas palabras dejaron al público suspendido, sin aliento, y a las mujeres los ojos se les llenaron de lágrimas.

Se acercaron al escenario, sin darse cuenta de lo que hacían. Sin darse cuenta del poder de atracción de su voz, ni de su mirada. Dayan las hipnotizaba. Las seducía. Las hacía suyas. Y entonces lanzó un hechizo, como un predador peligroso entre presas fáciles. *Sálvame. Por favor, sálvame.* Su voz se apoderó del público, penetró en ellos por los poros de la piel y empapó los cerebros hasta que todos lo contemplaron totalmente cautivados. Despertó el hambre como respuesta a la agudización de sus sentidos. Dayan mantuvo los ojos cerrados, eliminando así la visión de la multitud, perdiéndose en la canción que le dedicaba. A su compañera eterna. A la única mujer que podía salvarle. ¿Dónde estaba?

Se abrió una puerta y la brisa de la noche penetró en la sala, disipando el olor de demasiados cuerpos apiñados en un espacio demasiado pequeño. El ruido de los latidos de un corazón le hizo alzar la cabeza. El corazón era débil e irregular y latía demasiado rápido, funcionaba con dificultad. Dayan levantó la cabeza y se quedó literalmente sin aliento. Ahí estaba ella. Como si nada. Los pulmones le quemaron al buscar el aire y sus dedos perdieron su ritmo de toda una eternidad. Su corazón comenzó a acompasarse con el curioso ritmo de ella.

Dayan se obligó a respirar una bocanada de aire. Primero una, luego otra. Los otros músicos lo miraron con incertidumbre. Dayan inició una melodía que nunca antes había tocado, una melodía que siempre había estado ahí, encerrada en su corazón. Se dio cuenta vagamente de que los músicos le habían encontrado la clave y ahora lo seguían, pero él no prestaba atención a los demás. No podía apartar la mirada de ella, ni dejar de observarla mientras su acompañante, una chica de pelo rubio, hablaba con algunos conocidos.

¿Qué le pasaba a su corazón?

Su mirada oscura la escrutó con gesto posesivo, como marcándola, o reclamándola. Era una mujer pequeña, curvilínea, de pelo oscuro y espeso y ojos enormes. Dayan la observó moverse, se fijó en el balanceo de sus caderas, y le pareció increíblemente bella. Además, era humana. Sabía que era posible para uno de su estirpe, un carpatiano, tener a una compañera humana, pero jamás había imaginado que su otra mitad lo sería.

Ella hizo una breve pausa para mirarlo y clavó en él una mirada de asombro, porque, por un instante de lo más breve, se había cruzado con la suya. En su boca perfecta se dibujó una «O», redonda y perfecta, al fijarse en él. Giró la cabeza hacia la rubia alta que la acompañaba. La otra mujer rió y la abrazó, y luego la condujo entre la multitud hasta un reservado en un rincón oscuro de la sala. Él oyó el murmullo suave de su voz, y su mundo cambió de inmediato. Ahí donde antes la sala para él sólo era visible en matices de gris, ahora todo se volvió brillante y vivo, lleno de colores fuertes y deslumbrantes.

Las emociones empezaron a apoderarse de él a toda velocidad, y eran tantas que no le daba tiempo a asimilarlas. Sólo atinó a quedarse ahí sentado mientras sus dedos volaban por las cuerdas de su querida guitarra. Así lo sentía. Su guitarra. Constató, asombrado, que las lágrimas le quemaban los ojos. Estaba casi paralizado por el bombardeo de tal diversidad de estímulos. La música. El deseo. Los colores. La lujuria. Era como un volcán a punto de fundirse que se sumaba a esa sensación de crispación suya. Y también sintió celos, oscuros y peligrosos. Se dio cuenta de que no le agradaba ver a los hombres arremolinados en torno al reservado, inclinándose para entablar conversación con ella.

De pronto, aquel pensamiento liberó a la bestia que había en él, y tuvo que reprimirla. En ese estado, era un ser peligroso. La música fluía desde su interior, a través de él. Aquellas emociones salvajes casi lo ahogaban, y lo cegaba aquella miríada de colores. Respiró profunda y pausadamente, se obligó a controlarse y lo consiguió. *¿Qué pasaba con su corazón?*

Mantuvo la cabeza inclinada sobre la guitarra, pero sus ojos vacíos y oscuros estaban fijos en su presa, en la única mujer que le importaba. Tocó para ella, vació su corazón para ella, dejó que la belleza de su música le hablara. Deseaba que ella viera al poeta en él, no al predador. Ni la oscuridad. Mientras tocaba, escuchaba la conversación que ella sostenía, buscando el eco de su voz.

—No puedo creer que sea él en persona, Lisa. Es Dayan, de los Trovadores Oscuros. Es casi un dios entre los músicos. Jamás he oído a nadie que toque como él. Me pregunto qué estará haciendo aquí, con este grupo. —Era su voz, suave y femenina. Hablaba con cierto tono reverencial, mientras tamborileaba un ritmo sobre la mesa, siguiendo el compás de la guitarra.

Lisa se inclinó sobre el reservado para hacerse oír por encima del ruido que llenaba el ambiente del bar.

—He oído que está de vacaciones por aquí cerca. Supongo que esta noche sólo ha venido a improvisar un par de temas. Sé cuánto te gusta la música, Corinne, y quería darte una sorpresa.

Así se llamaba. *Corinne.* Incluso su nombre encajaba con la música en la cabeza de Dayan. Sin un ápice de vergüenza aguzó el oído para enterarse de lo que pudiera. Ella escuchaba su música, y todo su cuerpo respondía naturalmente, aunque no lo miraba con la admiración con que lo miraban todas las demás mujeres. No como a él le habría gustado.

—Pero ¿cómo lo sabías? No se trata de un cualquiera, Lisa. Es un genio cuando toca. ¿Cómo sabías que vendría esta noche?

—Bruce… ¿Te acuerdas de Bruce? Trabaja para mi fotógrafo. Bruce sabe que eres una gran amante de la música. Hoy se dejó caer para tomar una copa y me llamó para decirme que un integrante de los Trovadores Oscuros vendría esta noche a improvisar. Bruce dijo que hay un tío en la barra que, por lo visto, es amigo del primer guitarrista y viaja con los Trovadores Oscuros —dijo Lisa, y señaló a Cullen—. Todos esperan que eso sea un indicio de que los Trovadores andan buscando nuevos locales donde tocar.

—Es verdad que prefieren actuar en las salas más pequeñas y de ambiente más íntimo, pero ¿a quién se le habría ocurrido que querrían hacerlo aquí? —dijo Corinne. Su mirada se desvió hacia Dayan, se encontró con la de él y se giró, rápida.

Aquello lo sacudió. Sus dedos casi perdieron el ritmo. El estómago se le retorció de una manera rara y Dayan sintió como un batacazo en los pulmones que le quitó el aire.

—¿De verdad es tan famoso? —preguntó Lisa, que miraba sonriendo a Corinne.

—Es muy, muy famoso, no seas ignorante. —La risa de Corinne era afectuosa y provocadora—. Su grupo no tiene contrato con ningún sello. Algunas personas intentan grabar su música cuando van a los conciertos. Son cintas que valen una fortuna.

—Tú tienes un disco viejo y varias cintas, ¿no? —preguntó Lisa.

Corinne se sonrojó.

—¡Shh! ¡Dios me libre, Lisa, esas cintas las he comprado en el mercado negro! ¿Y si alguien te oye? —preguntó. Se notaba que se sentía culpable—. Este grupo viaja y la mayoría de las veces toca en lugares pequeños, como lo hacían los antiguos trovadores. Es probable que por eso hayan adoptado ese nombre.

Lisa apoyó el mentón en una mano.

—Está mirando hacia aquí. Te lo juro, Rina, creo que se ha fijado en nosotras.

—Es estupendo. No tenía ni idea. —Corinne nunca había sido de aquellas mujeres que iban detrás de los famosos, ya fueran actores, músicos o atletas. No era su estilo. Ella vivía con los pies demasiado plantados en la tierra. Sin embargo, Dayan tenía el aspecto de un dios griego. Era alto y fibroso, y daba la impresión de poseer una tremenda fuerza sin ser ostentosamente musculoso. Tenía el pelo muy largo pero bien cuidado, brillante como el ala de un cuervo, recogido en la nuca y atado con una tira de cuero. Sin embargo, fue su rostro lo que llamó la atención a Corinne, y que luego la cautivó, un rostro que podría haber sido esculpido en mármol, el rostro de un hombre capaz de una gran sensualidad, o de una gran crueldad. Corinne no podía sustraerse a cierta sensación de peligro al mirarlo.

Su boca era bella, como lo era la forma de su mandíbula, con la leve sombra azulina de la barba no afeitada (a ella siempre le había gustado ese detalle en los hombres), si bien fueron los ojos los que la atraparon. Cometió el error de mirarlo directamente. Eran unos ojos bellos, con la forma característica de los felinos, oscuros y misteriosos, vacíos y, aún así, llenos de mil secretos. Corinne se creyó casi impulsada hacia esa mirada, capturada para toda la vida. No podía apartar la vista, hipnotizada. La palabra le vino desde la nada. Se sentía decididamente hipnotizada por él. Dayan tenía la cabeza inclinada hacia la guitarra, pero su mirada parecía fija en ella. Con su figura deslumbrante, Lisa se convertía fácilmente en el centro de atracción y estaba acostumbrada a las miradas. Corinne apenas podía respirar mientras él mantuviera los ojos clavados en ella.

Apretó las manos con fuerza, hasta hincarse profundamente las uñas afiladas en la palma de las manos. El corazón le latía como si fuera a dar un osado salto mortal y ya no le quedara aire en los pulmones.

—Jamás he escuchado a nadie que tocara tan bien. —Tenía la boca tan seca que casi no pudo pronunciar esas pocas palabras.

—Por mí, puede sentarse en mi habitación y tocar hasta que me duerma todas las noches —dijo Lisa.

Corinne sintió que volvía a sonrojarse ante la idea de encontrarse con ese hombre en su habitación. Verlo tocar la guitarra no era lo que ella tenía en mente. La imagen que le vino a la cabeza era insólita. Jamás había pensado en nadie de esa manera. Ni siquiera en John. No sólo le parecía estar cometiendo una especie de infidelidad sino, además, era muy raro en ella. De pronto, tuvo mucho miedo. Tuvo ganas de echar a correr como una niña y encontrar un lugar donde esconderse de esa mirada hipnótica y del extraño efecto que parecía surtir en ella. Aquel hombre la asustaba, la asustaba de verdad. Quizá fuera su música, tan intensa, tan *deseosa*, como su mirada.

—¡Corinne! —Lisa dijo su nombre bruscamente, rompiendo el encanto—. ¿Te encuentras bien? ¿Necesitas tu medicación? La has traído, ¿no? —Lisa ya había cogido el bolso de Corinne y empezaba a hurgar nerviosamente en el interior. En su voz se adivinaba un dejo de temor.

—Estoy bien, Lisa —dijo Corinne—. Creo que mi héroe me ha robado el aliento por un instante. Es potente. Me gustaría que volviera a cantar —dijo, y se obligó a soltar una risa.

—Ya lo creo —dijo Lisa, soñadora—. Tiene una voz muy *sexy*.

—Cálmate, corazón mío —dijo Corinne, en son de broma, cogiéndose el pecho con gesto dramático. Aquello hizo reír a Lisa, y borró el miedo repentino de sus ojos, tal como Corinne sabía que ocurriría.

Con su poderoso sentido del oído, Dayan recogía hasta la última palabra de lo que hablaban. Sus frases se colaban por entre las demás conversaciones, que él eliminaba de su mente, pero no la suya. *Corinne*. La otra mujer la había llamado Corinne. Aunque se alegraba de saber que le había robado el aliento, ahora tenía que evaluar la situación. *¿Medicación? ¿Qué medicación? ¿Qué le ocurría a su corazón?* Era importante averiguarlo lo más pronto posible.

Dayan dirigió su atención hacia Cullen.

—*Ve al reservado del fondo y conversa con aquellas dos mujeres*—. Lo dijo imperativamente; sus palabras eran una orden. No le agradaba usar a Cullen (no estaba en su naturaleza utilizar a alguien que apreciaba), y ahora que volvía a sentir emociones, se daba cuenta de la amistad que había tejido con aquel macho humano. Sin embargo, necesitaba un emisario, alguien que se moviera con rapidez antes de que Corinne se marchara. Percibía su miedo con toda claridad, y no podía permitir que huyera de él.

Cullen se giró y vio a la rubia guapa. Para su asombro, la reconoció. Era Lisa Wentworth, una modelo que aparecía a menudo en las portadas de las revistas de moda. Normalmente, no tendría las agallas de dirigirle la palabra, pero, por algún motivo, se vio a sí mismo zanjando la distancia que mediaba entre ellos. Cullen se había enamorado una vez en su vida, pero había perdido a su novia. Desde entonces, nunca se detenía a mirar dos veces a una mujer. Pero esta vez no pudo evitar fijarse en Lisa Wentworth. No era sólo una mujer bella, era algo que brillaba desde muy profundo en su interior.

—Sería un honor convidaros a una copa de lo que sea que estéis tomando —dijo, para saludar—. Me llamo Cullen Tucker. —Habría querido tener una frase para ligar que lo hiciera destacar de todos los demás hombres que la miraban, pero hacía años que no intentaba seducir a una mujer.

—Lisa Wentworth. —Lisa le tendió la mano y lo saludó con una sonrisa destellante, mientras Corinne parecía hundirse en las sombras, con el rostro ligeramente girado y el pelo cayéndole como un escudo de seda—. Ella es Corinne. Corinne Wentworth.

Cullen frunció una ceja con gesto de pregunta. No se parecían en nada, aunque, en su opinión, las dos eran bellas.

—¿Qué queréis beber?

—Estamos bebiendo sólo agua —explicó Lisa con una sonrisa coqueta que le curvó los suaves labios—. Dejaré que nos traigas una botella si nos prometes sentarte con nosotras.

—Vuelvo enseguida —dijo Cullen, más bien contento con el hecho de que Lisa no mirara a Dayan de esa manera que advertía en tantas mujeres. Viajando con el grupo, había aprendido que a los fans les importaba poco qué tipo de personas fueran los miembros del grupo, sólo que eran famosos y tocaban en un grupo.

—¿Qué haces, Lisa? —preguntó Corinne, con un silbido de voz—. ¿Estás loca? Tú nunca ligas. ¿En qué estás pensando? Dime que no pretendes usarlo para conocer al guitarrista.

—Claro que no. No lo sé… Encuentro que tiene algo. Es simpático. No me mira como si fuera algo que se pone alrededor del brazo para fardar. Una se cansa de eso. ¿Tanto te importa si sólo se sienta a conversar con nosotras? Puedes seguir mirando a Dayan mientras toca. —Lisa dijo aquello último como deseando que ocurriera.

Corinne respiró hondo y espiró lentamente. No era nada justa con Lisa. Su amiga necesitaba divertirse. Hacía meses que se ocupaba de ella. Con cuidado, Corinne escondió en su regazo la mano temblorosa y se obligó a encogerse de hombros, como mostrando indiferencia.

—Supongo que sí, que puedo escucharlo. Pero no pienso volver a mirarlo. Sólo escucharlo tocar es impresionante. Es casi demasiado bueno.

Lisa tenía los ojos puestos en el hombre en la barra, y lo estudiaba con interés. Tenía los hombros cuadrados y se mantenía bien erguido. Le gustó su manera de mirarla directamente a los ojos. Había algo más, algo que le llegó al corazón. No podía definirlo ni explicárselo a Corinne, pero parecía un hombre que cargaba con el peso del mundo sobre los hombros y que no tenía a nadie que lo aliviara de su fardo. La verdad, lisa y llanamente, era que le gustaba su aspecto.

—Yo me quedaré con Cullen —dijo Lisa, mitad en broma—, y tú puedes quedarte con el guitarrista.

Corinne le lanzó una sonrisa generosa.

—Es demasiado bueno para ser verdad. Los hombres como él rompen corazones ahí por donde pasen. Tienen ese elemento de peligro porque, en realidad, son chicos malos. Las mujeres creen que pueden cambiarlos, pero la verdad es que son malos y no hay nada que hacer para remediarlo. Si eres una mujer inteligente, como yo, te limitas a mirarlos y a fantasear. Ni te acercas a ellos ni te quemas los dedos. Con sólo escucharlo tocar, me sentiré muy feliz.

Cullen se abrió camino a través de la sala repleta de gente hasta el reservado donde estaban sentadas las dos mujeres. No tenía ni idea de lo que les diría. La rubia le había infundido un verdadero pánico. Le era imposible prestar demasiada atención a una mujer cuando una pandilla de asesinos le seguía los pasos con la intención de liquidarlo. Con gesto cuidadoso, dejó una botella de agua delante de cada una de ellas.

Lisa le sonrió y se desplazó para dejarle espacio a Cullen, que se sentó a su lado. La sala estaba llena y había mucho ruido. Lisa quería oír cada palabra que dijera aquel hombre. Corinne se movió ligeramente con la intención de dejarle a Lisa un poco más de intimidad para desplegar su encanto. Se merecía encontrar un hombre bueno. A alguien. Necesitaría a alguien muy pronto.

La música siguió, pero Corinne se dio cuenta en cuanto Dayan dejó de tocar. La belleza y la claridad desaparecieron de la música, y sólo quedó un grupo aceptable que compensaba con mucho entusiasmo su falta de genialidad. Corinne no pudo evitarlo. Le lanzó una fugaz mirada por debajo de sus largas pestañas. Él se había puesto de pie, un movimiento cualquiera, casi perezoso, que a Corinne le hizo pensar en un enorme felino de la selva estirándose. Cogió su guitarra con cuidado, la dejó apoyada en la pared trasera, lejos del alcance de admiradores o alborotadores. Por un instante breve, miró hacia los jóvenes del público, la mayoría de los cuales lo observaban como en un rapto de adoración. Por su rostro, cruzó fugazmente una expresión que quizá delataba una especie de impaciencia.

Giró la cabeza y la miró directamente. Ella sintió enseguida el peso de su mirada. Una mirada intensa y hambrienta. Corinne notó que el corazón dejaba de latirle. Él la miraba a ella, no a su amigo ni a Lisa, sino a ella, directamente. Las miradas se encontraron en un punto intermedio de la sala y ella experimentó enseguida esa atracción que la hipnotizaba. Un encanto, un hechizo. Dayan se inclinó y le dijo algo al guitarrista del grupo y, acto seguido, bajó del escenario. Por encima de la multitud, sus ojos negros la mantuvieron cautiva, porque Corinne no podía apartar la mirada.

El corazón se le había desbocado, y el aire se negaba a penetrar en sus pulmones. Sólo atinaba a mirarlo, impotente, a observarlo mientras él cruzaba la sala hasta llegar a su lado. Era curioso, pero nadie, ni una sola mujer, le dirigió la palabra. Todos se apartaban rápidamente de su camino, de modo que se acercó a ella sin encontrar resistencia. Llegó junto al reservado, y fue como si su oscura mirada sólo la viera a ella. De cerca, su figura inspiraba aún más temor que en el escenario. Se percibía su fuerza como una segunda piel. Y más que atractivo, era oscuramente sensual. Aterradoramente sensual.

El grupo comenzó un tema lento y suave, y Dayan se inclinó y le cogió la mano.

—Tengo que bailar contigo. —Lo dijo sin más, abiertamente, sin adornos, sin preocuparse de su vulnerabilidad. *Necesitaba* tocarla, estrecharla en sus brazos. *Necesitaba* saber que era real y no un producto de su imaginación.

Corinne no podría haberse resistido bajo ningún concepto. Dejó que se apoderara de ella, y él la cogió con exquisita suavidad cuando se incorporó, y la atrajo hacia sus brazos y hacia todo su cuerpo. Ella apoyó la palma de la mano sobre su corazón poderoso. Enseguida sintió el calor, su contextura musculosa y sólida. El corazón se le aceleró y aquello le provocó una sensación de extrañeza. Estaba en otro mundo, un mundo de ensueño. Flotando. Él era bastante más alto y, sin embargo, ella se le acoplaba perfectamente, como si estuviera hecha para él.

Dayan inclinó su cabeza oscura hacia ella.

—Respira. —Fue un susurro de palabra contra su piel, y Corinne sintió que toda ella revivía. Así, sin más. Hasta la última terminación nerviosa, hasta la última célula. Su aliento era cálido y sus brazos increíblemente fuertes, aunque a ella la sostenía casi con ternura. Era una especie de magia, y Corinne supo enseguida que él sentía lo mismo.

Por un instante, cerró los ojos y se dejó llevar. Sus cuerpos se movían a un ritmo perfectamente sincronizado, como si hubieran bailado como pareja toda la vida. Como si estuvieran haciendo el amor. Corinne se mordió el labio. Era el gesto más íntimo que había compartido en su vida, a pesar de haber estado casada. Él parecía estar por todas partes, rodeándola, y su cuerpo era duro, aunque sus manos parecían suaves. Empezó a ocurrir algo curioso. Su corazón, que solía latir de forma errática, se esforzaba por acompasarse con el latido más rítmico de él. Corinne se dio cuenta de ello porque cada detalle era muy importante. Quería conservar el recuerdo de ese momento el resto de su vida.

La música se movía por Dayan hasta que él mismo era la música. La mujer en sus brazos ya era una parte de él. Él lo sabía en lo más profundo del alma. Ella era la elegida, la única. Dayan era sensible al esfuerzo con que latía su corazón, así como sentía su cuerpo delicado y femenino acoplándose a su armazón masculino. Sin embargo, la situación era más compleja de lo que había pensado al principio. Ella era la única mujer para él y, aun así, había un tercer latido. Ahora lo oía perfectamente, con su ritmo galopante, cuando la estrechó más cerca. Sintió la vida en ella, la leve hinchazón del vientre por debajo de la ropa suelta que llevaba.

Le cogió la mano y se la acercó a su barbilla, y la estrechó aún más mientras analizaba ese descubrimiento. Corinne portaba una criatura. La criatura de otro hombre. Una criatura humana. Por un momento, su mente fue un caos, una mezcla salvaje de celos, rabia y miedo, sensaciones nunca experimentadas. Respirar le aliviaba, y se concentró en lo más importante. Si le daba su sangre, era probable que pudiera curar la dolencia de su corazón, pero ¿qué consecuencias tendría ese cambio en una criatura aún por nacer? Dayan presentía su temor y su tristeza. Siguió moviéndose con ella, todo él bajo el influjo de una punzada dura y urgente, con la cabeza hecha un batiburrillo de ideas, pero sintiendo que por primera vez en su existencia su alma y su corazón estaban en paz, aún cuando su cerebro siguiera buscando la solución a un problema tan singular.

La canción acabó y, muy a su pesar, Dayan dejó que ella se apartara de sus brazos, aunque todavía la tenía cogida la mano, por si quisiera huir.

—Me llamo Dayan.

Corinne asintió con un gesto de la cabeza, casi demasiado inhibida para hablar. Él la llevó de vuelta a la seguridad del reservado. Se movía fácilmente entre la multitud, manteniéndola protegida con sus anchos hombros. Dayan le daba la sensación de seguridad, y cuidaba de que nadie topara con ella.

—¿Piensas decirme cómo te llamas? —Fue una pregunta delicada, dicha con una voz tan seductora que parecía de terciopelo.

Con sólo oír el sonido de esa voz, a Corinne le dieron ganas de volver a escucharlo cantar.

—Corinne. Corinne Wentworth. —Lo dijo sin mirarlo. Le costó, porque él era tan atractivo. Y sensual. Esa sensualidad oscura y peligrosa con la que ella no quería nada. Estaban cerca del reservado, de la seguridad. Corinne se permitió volver a respirar.

—¿Para cuándo esperas tu bebé, Corinne? —preguntó él, y su voz era una fino hilo de suavidad. Ella nunca había oído una voz parecida a la suya, tan hipnotizante. Una voz de alcoba. Como un susurro sobre la piel, un susurro intenso que la quemó.

Su pregunta la hizo detenerse en seco, y le dirigió una mirada rápida y cargada de culpa a Lisa, temiendo que pudiera haberle oído. Por un momento, se sintió desesperar. Lisa tenía la cabeza inclinada hacia Cullen Tucker, y reía por algo que éste le estaba contando. Dayan se inclinó y la protegió con todo el cuerpo, aislándola de la ruidosa multitud. Corinne veía en Dayan a una especie de celebridad, y creía que todo el mundo se pelearía por acercársele, por disputarse al menos un autógrafo suyo y, sin embargo, nadie lo molestaba. Ni siquiera las mujeres.

—Corinne. —Algo hacía con su nombre, lo pronunciaba como algo exótico con su extraño acento—. Estás muy pálida. ¿Quieres que vaya a buscar a tu amiga y salgamos un momento a respirar el aire? Hay demasiada gente aquí dentro.

—Ella no lo sabe. —De golpe, dijo la verdad y enseguida se horrorizó por haberlo dicho. ¿Qué había en ese hombre? Había bailado con un perfecto desconocido, fundiéndose con él con tal intimidad que parecían dos amantes. Normalmente, Corinne era una persona retraída, pero ahora sentía el impulso de contarle a aquel individuo los detalles más íntimos de su vida.

Dayan cambió enseguida de dirección, y abriéndose paso una vez más entre la multitud, se dirigió a la puerta, acompañándola a paso tranquilo. *Ella quería ir adonde él fuera.* Corinne no entendía ese impulso irracional. El aire frío debería haberle despejado la cabeza, pero él se acercó hasta quedar muy cerca de ella, haciendo añicos la poca compostura que le quedaba. No podía pensar con claridad teniéndolo a él tan cerca.

Dayan la llevó hacia las sombras. Todo en él se preparaba a reclamarla como suya. La deseaba. La necesitaba, y sentía que estaba a punto de inflamarse de la cabeza a los pies. Ella se quedó ahí mirándolo con sus enormes ojos verdes, y él se sintió perdido. Supo que estaría perdido para toda la eternidad.

—Bien. Empiezas a recuperar el color. Por lo visto, tu amiga se preocupa mucho por ti. No puedo imaginar que no se alegre con la noticia del bebé.

Corinne levantó una mano para apartarse la espesa cabellera.

—No debería haberte dado una impresión equivocada. Lisa se pondrá muy contenta con lo del bebé por varios motivos. Sólo que ahora estoy… —dijo, y calló. Sentía cierto reparo en revelarle detalles de su vida personal. Él la miraba desde su altura y sus ojos estaban tan… *hambrientos. Solitarios.* Corinne no sabía qué era, pero le resultaba imposible resistirse a esa mirada.

Dayan la hacía sentirse como acorralada por un gran felino de la selva. Sus ojos no parpadeaban, sólo la miraban. Totalmente concentrados en ella. Por un instante, Corinne habría jurado que vio el destello de una flama roja en la profundidad de esa mirada.

—Tienes que dejar de mirarme de esa manera. —Las palabras salieron de sus labios antes de que pudiera censurarlas, y entonces rió. Era una mujer adulta y, normalmente, se portaba como una persona muy razonable. Sin duda, él se estaba formando una impresión de ella que no correspondía a la realidad.

Él sonrió, lenta y sensualmente. Aquello le volvió a acelerar el corazón a Corinne. Sintió algo en la boca del estómago, como una quemazón.

—¿Te estaba mirando? —preguntó él, con una voz que le rozó la piel y la hizo arder, una voz tentadora.

Corinne inclinó la cabeza a un lado y observó sus perfectos rasgos masculinos.

—Sabes muy bien que sí. Tienes esa mirada de macho engreído pintada en la cara. No puedo pensar con claridad mientras me miras de esa manera.

—¿Cómo te miro? —Fue una pregunta hecha con voz suave y delicada, con una nota de ternura. A Corinne le dio un vuelco el corazón.

Como un leopardo a punto de dar el salto. Fue una idea que le vino sin pensar. Vio que en la boca de Dayan asomaba una sonrisa, como si le leyera el pensamiento, y la idea la hizo sonrojarse.

—No importa. Sólo te pido que pares —dijo, estirando la mano como si pudiera mantenerlo a distancia.

—Ibas a hablarme del bebé. *Y del padre del bebé. No queremos dejarlo a él fuera de la conversación. Quieres contármelo.* Dayan la «empujaba» descaradamente, tenía que saberlo. El hombre había muerto. Dayan lo intuía, lo veía en la tristeza que había dejado en la mirada de Corinne. Había querido lo bastante a un hombre como para traer su hijo al mundo. ¿Quién era ese hombre?

Le cogió la mano que ella había puesto por delante, su mano izquierda, y encontró el anillo de oro, el símbolo de la unión matrimonial entre los humanos, la marca que proclamaba que pertenecía a otro hombre.

Aquel pensamiento activó la peligrosa agresividad que caracterizaba a su especie, y luchó contra la bestia que nacía en él. No quería correr el riesgo de atemorizarla. Con el pulgar, frotó el anillo con gesto casi inconsciente, arriba y abajo, como una lenta y persistente caricia. Como una insistente caricia. Se llevó la punta de sus dedos a los labios. Durante ese rato, mantuvo su oscura mirada fija en ella, clavada directamente en sus ojos.

Era una mirada hipnótica. Estimulante, de alguna extraña manera. Corinne se quedó sin aliento cuando sus dientes le rozaron los dedos y sintió su boca cálida y húmeda, y luego experimentó ese cosquilleo en el estómago. Con los dientes, Dayan tiró ligeramente del anillo de oro. Era una sensación muy erótica, y Corinne se estremeció. Se lo quedó mirando un buen rato, totalmente fascinada, antes de responder al reflejo de retirar la mano.

—Cuéntame lo de tu bebé, querida —le ordenó él, con voz grave, casi ronroneante.

Le tocó ligeramente la conciencia, con extremo cuidado. Ella se resistía al impulso de contarle lo que él quería saber, pero ella era humana y él era un antiguo, descendiente de un linaje de machos dominantes. Era demasiado fuerte para que ella se le pudiera resistir.

Corinne se llevó una mano al vientre con gesto protector. El viento barría la calle y soplaba sobre las hojas y el polvo hasta formar remolinos. Sin darse cuenta, se acercó más al abrigo que le brindaba Dayan con su cuerpo.

—Crecí con Lisa y su hermano, John —dijo, y paró bruscamente de hablar, como si la garganta se le hubiera cerrado al pronunciar el nombre.

John. El nombre fue para él como una puñalada. Su manera de decirlo, el dolor que se reflejaba en sus ojos, aquello le decía cuánto significaba aquel hombre para ella. *John*. A Dayan nunca le había gustado ese nombre. Y no quería saber más. No quería oír su voz cuando pronunciara ese nombre que detestaba.

Corinne hizo girar el anillo de bodas con gesto nervioso.

—Los tres tuvimos una infancia difícil, así que supongo que nuestros lazos eran más estrechos que los de la mayoría de las personas. John y yo éramos... diferentes. —Corinne le lanzó una mirada fugaz por debajo de sus frondosas pestañas. No quería explicarle qué significaba esa palabra. Ella no lo conocía, no entendía por qué confiaba en él, aunque se tratara de un perfecto desconocido. No sabía por qué tenía la sensación de que su cuerpo lo conocía. *Lo deseaba*. Corinne apartó aquellos pensamientos erráticos, y se concentró del todo en aquello que podía contarle... o no contarle.

Dayan se adentró en su mente, deseoso de tener una explicación de lo que significaba «diferente». Tuvo una visión de una imagen rápidamente censurada. Telequinesia. Corinne podía mover objetos con la mente. Desde luego, poseía capacidades psíquicas. Si de verdad era su compañera eterna, tenía que poseerlas. Dayan no sabía cómo explicarle qué era una compañera eterna. Cómo iba a revelarle que él pertenecía a otra especie. O que había vivido mil años en este mundo, y que necesitaba sangre para sobrevivir.

Dayan la observaba mientras Corinne hacía girar el anillo de oro. Cada vez que lo tocaba, o lo rozaba, él sentía que se añadía un nudo a su estómago. Intentó obligarse a mirarla a los ojos, pero ese leve movimiento con que ella se delataba lo tenía fascinado.

Corinne se encogió de hombros.

—Para resumir, John y yo nos casamos, pero a él lo asesinaron hace unos meses. Yo ni siquiera sabía que estaba embarazada. No le he dicho nada a Lisa porque... —dijo, vacilando, buscando las palabras adecuadas.

Aquello hizo que él volviera a mirarla a la cara. Ella sintió el impacto de su mirada fija hasta los huesos. Él le envolvió las manos con las suyas y logró calmar el nervioso ir y venir de sus dedos sobre el anillo. A ella, el corazón le latió con fuerza, una curiosa sensación que la alarmó.

Él no apartó los ojos oscuros de su cara. En ningún momento. Y todavía no había parpadeado. Corinne se sentía casi como si cayera en las profundidades de esos ojos extraños e hipnóticos. ¿Qué importaba si Dayan pensaba que estaba chalada? Ella no le había pedido su amistad, ni tampoco la quería. Ella no le contaba aquella historia por simpatía. Pensándolo bien, ¿por qué le contaba su historia? Alzó el mentón, le lanzó una mirada desafiante y dijo:

—Tengo un problema de corazón. —Si él echara a correr como un conejo, ella estaría de lo más contenta. Aquel tipo era una complicación, una fantasía, el peor «chico malo» que podía encontrar, y ella no quería tener nada que ver con él.

Dayan penetró suavemente en sus pensamientos. Captó imágenes de hospitales, máquinas, análisis interminables. Imágenes de ella preguntando por una lista de espera para un transplante. De médicos y más médicos que sacudían la cabeza. Corinne sufría de varias alergias. Sangraba fácilmente, demasiado. Los especialistas estaban asombrados de que hubiera vivido tanto. Dayan se frotó pensativamente el puente de la nariz, con los ojos intensamente fijos en ella.

—Eso quiere decir que el bebé representa un peligro, y eso a Lisa no le gustaría.

Corinne dejó escapar un suspiro. Era casi un alivio haberlo contado.

—No, a Lisa no le gustará nada. Se asustará demasiado.

Corinne había esperado a contárselo a Lisa hasta que fuera demasiado tarde para que ella intentara convencerla de que no debía tener el bebé. Ella quería ese bebé. Su pequeña niña. Mucho después de su muerte, y después de haber muerto John, su hija viviría y respiraría, correría y jugaría y, era de esperar, llevaría una vida del todo normal. Corinne tenía una fe ciega en que Lisa cuidaría de la niña y la amaría. Retiró las manos, que él sostenía entre las suyas, para ponerlas con gesto protector sobre el vientre donde descansaba el feto.

—Eres muy pequeña. ¿De cuántos meses estás? —En cuanto las palabras salieron de sus labios, él se quedó maravillado de haberlas pronunciado. Entre todas las cosas que había imaginado, jamás había pensado en hacer ese tipo de preguntas. Era una calidez que florecía y se agrandaba. Un sentido de pertenencia. Era curioso, pero Dayan se sentía como si ya tuviera una familia.

—Los médicos están un poco preocupados, pero en general tiene buen aspecto. Está creciendo bien. Me han dicho que es una niña. Estoy de seis meses.

Aquella noticia lo dejó un momento sin aliento. Corinne era diminuta.

—¿A los médicos también les preocupa tu problema cardiaco? ¿Creen que se trata de un embarazo de riesgo? ¿Quizás, incluso, muy peligroso? —Seguía hablando con voz suave, pero tenía un efecto en ella del que al parecer Corinne no podía librarse. Casi sonaba como si, de alguna manera, la estuviera riñendo, como si reflexionara sobre cómo abordaría la situación.

Corinne se sintió obligada a responderle, aunque no era lo que quería.

—A mi corazón ya le cuesta funcionar sólo para mí, sin hablar del bebé —concedió, a pesar suyo. Sus dedos volvieron a encontrar el anillo y a hacerlo girar en el dedo, un gesto nervioso que volvía a delatar su aflicción interior.

Dayan asintió con la cabeza, a pesar de que se tensó con la pregunta que iba a hacerle.

—¿Y tu marido? —Se obligó a preguntar, a pesar de que las palabras se le quedaban como pegadas en la garganta—. ¿Por qué lo asesinaron? —Sin que pudiera evitarlo, avanzó la mano y le cogió la suya, se la llevó al pecho con la palma abierta, justo sobre el corazón, con lo cual consiguió que dejara de manosear el anillo.

Corinne alzó la mirada hacia él. Se produjo un arco eléctrico entre los dos y el aire chisporroteó, cargado de electricidad. A ella le costaba pensar mientras él la mirara con esos ojos hipnóticos y mientras la tocara, turbando así sus sentidos. Hablar del asesinato de su marido debería haberle parecido imposible, pero se dio cuenta de que las palabras salían solas.

—La policía no ha encontrado un motivo. Los asesinos ni siquiera le robaron la cartera.

—Pero tú tienes una idea. —Dayan lo dijo como una afirmación.

Corinne volvió a sentir esas ganas de hablar de los detalles. Normalmente, sólo se confiaba a Lisa y, sin embargo, no le había dicho ni una palabra acerca del bebé ni de sus sospechas sobre la muerte de

John. *¿Cómo diablos se explicaba que le contara hasta los más recónditos secretos a un perfecto desconocido?*

—John hacía cosas que no eran normales. Hace más o menos un año, acudió a la universidad para hablar con alguien acerca de sus dones. De ahí lo derivaron a un centro donde analizaron sus capacidades psíquicas, el Centro Morrison de Investigación de Fenómenos Psíquicos. John creía que quizá podía ayudar a las personas utilizando su don único. Casi enseguida después de su visita al centro me dijo que pensaba que lo seguían —dijo, y retiró la mano—. No creo que tengas ganas de saber qué ocurrió.

—Al contrario. Me interesa mucho. Todo lo que tenga que ver contigo me interesa.

Capítulo 2

¡Corinne! —Lisa salió a toda prisa de la sala con Cullen siguiéndole los pasos. Era evidente que estaba molesta, y en su bello rostro se adivinaba la ansiedad—. Rina, ¿te encuentras mal? Lo siento mucho, tendría que haber prestado más atención. —Tenía el bolso de Corinne fuertemente sujeto bajo el brazo.

—Estoy perfectamente, Lisa —respondió Corinne enseguida. Se apartó un paso de Dayan pero, de alguna manera, éste también se desplazó hasta cubrirla del viento que se levantaba. Corinne lo miró, observó esos rasgos suyos, como esculpidos a cincel, y volvió a sentir el corazón en la garganta. ¿Qué era eso que tenía que le quitaba tan fácilmente el aliento y la cordura con sólo un intercambio de miradas? ¿Con un movimiento?

—Sólo queríamos hablar lejos del ruido —dijo Dayan con voz pausada, y, sonriendo perezosamente, dejó ver sus dientes blancos en la oscuridad. Se pasó la mano por la brillante cabellera color ébano y se la despeinó aún más. Sobre la frente le cayeron unos mechones hirsutos, aunque ahora parecía más atractivo que nunca.

Las dos mujeres intercambiaron una mirada rápida y entornaron los ojos al unísono, como si coincidieran por completo, mientras Corinne ahogaba un gruñido. ¿Cómo era posible que un hombre fuera real y tuviera ese aspecto y actuara como Dayan? Corinne pronunció con los labios «chico malo», y Lisa rió. Después, se acercó a ella para murmurarle al oído.

—Sólo tú podrías mirar a un hombre demasiado *sexy* para ser de este planeta y reducir su increíble belleza a un nombre como «chico malo».

Corinne se vio a sí misma como una falsa. Lisa pensaba que ella no era en absoluto sensible a la oscura sensualidad de Dayan. Sin embargo, era más que sensible. Estaba auténticamente cautivada, como si hubiera caído bajo un hechizo. Incluso llegó a preguntarse si, de alguna manera, sus canciones o su voz la habían hipnotizado.

Dayan estiró el brazo y cogió tranquilamente el bolso de manos de Lisa y se lo entregó a Corinne. Se habría divertido leyendo sus pensamientos si el corazón no hubiera vuelto a fallarle a ella, un titubeo que lo inquietaba enormemente. ¿Cómo podría repararlo sin hacerle daño a su bebé? Paseó una mirada posesiva por su rostro cuando la vio sacar un frasco pequeño de su bolso y tragarse una pequeña gragea. Con la fuerza tranquila que lo caracterizaba, cogió a Corinne por una muñeca y se la levantó para mirarla.

—¿Por qué no llevas una pulsera médica? En una emergencia, podría alertar a otras personas para que te presten ayuda.

Lisa sacudió su rubia cabeza.

—¡Por fin alguien con un poco de sensatez! A diferencia de Rina. Nunca le hace caso a nadie.

Una sonrisa ligera y sensual asomó en la boca seria de Dayan. Se inclinó muy cerca de Corinne, tan cerca que su aliento le hizo estremecerse los bucles cerca de la sien.

—¿No les haces caso a los demás?

—Soy perfectamente capaz de tomar mis propias decisiones —le informó Corinne, con una voz que tenía algo de suficiencia. En realidad, lo único que deseaba era tocarle a Dayan los labios con la punta de los dedos. Así, tan cerca, él le robaba el aliento. La despojaba del sentido común.

—Hasta ahora —corrigió Dayan, con una delicadeza infinita. Su voz era muy suave, como el terciopelo, le susurraba sensualmente cerca de la piel y la hacía estremecerse. Dayan le cogió una mano y se la llevó hasta su boca de formas perfectas y le rozó las yemas de los dedos con los labios.

Corinne sintió que su corazón trastabillaba. Un cosquilleo se apoderó de su vientre. Por un momento, sólo atinó a mirarlo, perdida en su magia. Apartó su mirada de él, retiró la mano y apretó los puños para guardar esa calidez suya.

Cullen miraba a Dayan absolutamente escandalizado. Durante la gira de los Trovadores Oscuros, Cullen había compartido campamento con su líder durante varias semanas, pero nunca había visto a Dayan demostrar el menor interés por una mujer. Ahora, con su lenguaje corporal, gritaba a los cuatro vientos su afán protector, incluso posesivo, con Corinne. Y había otra cosa, algo en la mirada de él que nunca antes se había manifestado. Era como el leve destello de algo peligroso. Cullen le había asegurado a Lisa que su hermana estaba perfectamente a salvo con Dayan, pero ahora no estaba tan seguro.

—Quizá fuera mejor proteger a las damas del viento —sugirió Dayan—. Cullen, acompañémoslas hasta el coche y luego iré a buscar mi guitarra. —Sus palabras volvieron a acariciarle la piel a Corinne como si fueran dedos.

Ella reaccionó con un estremecimiento. Él la acogió enseguida en el refugio de sus brazos.

—Debería haber pensado que aquí afuera haría demasiado frío para ti —dijo, suavemente, como disculpándose, dejándole a Corinne su cálido aliento en el cuello. Dayan tenía el cuerpo caliente y endurecido contra la suavidad satinada de la piel fresca de Corinne—. Me he portado como un egoísta al querer guardarte sólo para mí.

Miró a Lisa y ésta se dio cuenta de que, sin proponérselo, ahora conducía a los dos hombres hacia su coche deportivo, preguntándose por qué de pronto era tan importante para ella proteger a Corinne del frío. Dayan, que seguía mostrándose igual de posesivo con Corinne, la ayudó a instalarse en el asiento delantero.

—¿Adónde podemos ir para hablar en un ambiente más tranquilo? —preguntó, con voz suave, con la mirada de pronto clavada en Lisa.

Ésta parpadeó y le dio su dirección sin vacilar, algo que normalmente nunca haría. Corinne la miró, horrorizada. Lisa se tapó la boca con gesto de culpabilidad y observó que Dayan se inclinaba sobre Corinne para abrocharle el cinturón de seguridad.

Aquel cuerpo duro y de músculos bien definidos, apenas rozó a Corinne. Dayan olía a especias y a madera, un aroma muy masculino. A su lado, el coche parecía diminuto. Con el mentón le rozó el pelo a Corinne.

—No soy un asesino en serie, aunque es reconfortante saber que tienes cierto instinto de supervivencia.

Cerró la puerta, dejándola con su expresión de incredulidad, mientras miraba con una sonrisa de chico malo muy marcada.

Lisa apoyó la frente en el volante.

—No lo digas, Corinne. No sé en qué estaba pensando cuando le he dado nuestra dirección, sin más. Es un hombre... no lo sé, demasiado. No pude pensar claro por un momento, mientras él me miraba como si pudiera leer mis pensamientos. Lo siento. No creerás que es una especie de loco, ¿no?

—Creo que las locas somos nosotras. —Era un alivio alejarse de la poderosa compañía de Dayan. Corinne se sentía como si hubiera perdido el control y ahora girara como una peonza. Se sentía salvaje. Y sensual. Deseosa. Y Dayan les había advertido que no era un asesino en serie. Era una noticia alentadora, a menos que los asesinos en serie normalmente hicieran ese tipo de advertencia a mujeres desconocidas.

Las dos mujeres se echaron a reír, con lo cual rompieron la tensión que reinaba dentro del coche. Corinne se dio cuenta de que volvía a respirar, y a pensar, cuando Lisa puso el coche en marcha y, con un bocinazo, se introdujo temerariamente en el flujo de tráfico.

—¿Y tú te miras a Cullen? Porque él, sin duda, te mira a ti. —Corinne se frotó los brazos justo ahí donde la había sujetado Dayan. Era curioso, pero todavía lo sentía cerca. Olía su aroma en ella, y aquello le pareció extraño pero reconfortante.

—Creo de verdad que Cullen es un tipo estupendo —reconoció Lisa—. Ya sabes que detesto ser la muñeca decorativa del brazo del gran famoso. Él no ha hecho que me sienta así, para nada, en ningún momento. Es un tipo agradable, Rina, muy agradable. Y cuando me di cuenta de que no estabas, se portó muy bien, y me aseguró que Dayan no era un playboy al acecho de las mujeres. La verdad es que me entró el pánico. No me siento tranquila cuando desapareces de mi vista. —Le lanzó una sonrisa pícara a Corinne y luego se pasó tres señales de STOP y estuvo a punto de subirse a una acera—. Hablo como si tuviera dos años y tuviera miedo de separarme de mi mamá. Cullen es simpático, pero no tiene nada de superficial —dijo, y le tiró de la manga a Corinne—. ¿Y ahora, cuéntame, qué ha sido *eso*?

—¿Qué ha sido qué? —Corinne intentó hacerse la inocente, aunque el rubor ya le subía por el cuello hasta la cara.

—Sabes perfectamente a qué me refiero —dijo Lisa, acusadora, riendo con los ojos—. A ese baile.

—Ah, eso. —Corinne se echó hacia atrás con ambas manos su brillante melena y se la levantó por encima del cuello, con un gesto extrañamente sensual en ella—. Ha sido abrasador.

—¿Abrasador? —dijo Lisa, dejando escapar un silbido—. ¿No fue sólo caliente?

Corinne sacudió la cabeza con ademán solemne.

—Total y absolutamente abrasador. Ese hombre es letal y no se le debería permitir acercarse a la población femenina.

—Te creo. Tú siempre has sido inmune a los hombres. Si ése es capaz de abrasarte, es evidente que tendría que estar encerrado en sitio seguro.

—En algún sitio donde podamos seguir mirándolo —sugirió Corinne, con una leve sonrisa que le curvó la suave boca. Por un instante, apareció un hoyuelo, que enseguida se desvaneció, dejando perpleja a Lisa, que no sabía adónde se había ido.

—Te gusta. —No fue una pregunta sino una afirmación. Lisa sabía que se mostraba demasiado protectora con Corinne, pero ésta era terriblemente vulnerable. A un hombre como Dayan no le costaría nada hacerla soñar. Cualquiera que lo viera podía darse cuenta de que era un hombre peligroso. Una estrella de rock, un músico. La mitad de las mujeres le corrían detrás. Sin embargo, había algo en su manera de mirar a Corinne.

—¿Qué *me gusta*? —Corinne se repitió esas mismas palabras—. No creo que sea el tipo de hombre que inspire una palabra tan insípida como *gustar*. Me siento segura a su lado y, sin embargo, también me siento amenazada. No tiene sentido. He hecho y dicho cosas que no coinciden con mi manera de ser. Lo verdaderamente curioso, Lisa, es que me siento como si lo hubiera conocido toda mi vida, como si tuviera que estar con él.— Después de coger rápidamente aliento, le hizo una confesión a toda prisa—: Y no puedo mirarlo sin que me den ganas de meterme con él en la cama. Al principio, creía que era porque adoro su música. Desde que ese viejo elepé cayó en mis manos, he procurado coleccionar todo lo que he podido de los Trovadores Oscuros. Ya sabes, la trampa de la adoración del ídolo en que de vez en cuando caen las mujeres, cuando el músico es una criatura divina. Pero me da más bien la sensación de que él es una llama y que yo soy la polilla que vuela demasiado cerca. Se llama química. Una química natural, pero explosiva.

—¿Ah, sí? —Había verdadero interés en la voz de Lisa, que alzó una ceja inquisidora—. Cuéntamelo todo, Corinne. ¿Estamos hablando de sexo?

—Tú ya lo has visto. Ese hombre rezuma sexualidad. Jamás he conocido a nadie que se le parezca ni remotamente. Sólo que yo siempre he pensado que de *sexy* no tengo nada. ¿Recuerdas que hemos hablado de ello?

Lisa asintió con gesto solemne, mientras cruzaba a toda velocidad otra esquina y por poco le da a un coche aparcado. Corinne estaba tan acostumbrada a la manera de conducir de Lisa que ni pestañeaba. Sonó un claxon estridente y ella respondió con una ancha sonrisa, saludando alegremente al cerrarle el paso al otro coche para girar y seguir.

—Creía que era porque se trataba de tu primera vez —respondió Lisa, con tacto—, lo de la principiante, con John. Tu experiencia fue difícil.— Corinne siempre le había hablado a Lisa con franqueza de su vida con John. Todo había ido bien entre ellos, excepto su relación en la habitación conyugal. Corinne se culpaba a sí misma, y acabó creyendo que sencillamente carecía de impulsos sexuales poderosos.

—Es más probable que haya sido cuestión de química porque, te lo aseguro, entre este hombre y yo hay una atracción. No estoy segura de confiar en mí misma estando sola en una habitación con él —musitó Corinne en voz alta, impresionada por la inconfundible reacción de su cuerpo—. Puede que tú te hayas encontrado con tipos como él en tus círculos, Lisa, pero, para mí, se trata de una primera experiencia muy incómoda. Ese hombre podría hacer que una mujer se desmayara a treinta metros. —Corinne suspiró y volvió a sacudir su cabellera—. Me hace sentirme culpable con John —dijo, como si confesara algo íntimo.

Lisa frunció el ceño con gesto de reproche.

—No seas absurda, Rina. John detestaría oírte decir algo así. Él te amaba hasta la locura, pero las dos sabemos que tú no lo amabas de la misma manera. Tú lo hacías feliz, sabes que sí, y eso te lo agradezco desde el fondo de mi corazón. Tú siempre estuviste ahí, presente, para los dos.

—Amaba a John, es verdad. Y lo añoro terriblemente.

—Sé que lo amabas. No lo decía en ese sentido. Él ya no volverá y habría querido que tú fueras feliz. Tú lo sabes. —Lisa detuvo el coche en la entrada de la casa. Gracias a su belleza poco habitual, a su elegancia y a su aspecto exótico, había reunido dinero suficiente para comprar una bella casa en un barrio acomodado. Las dos mujeres a veces disfrutaban con sólo contemplar su vivienda—. Desde luego, no sé si aprobaría al señor Atractivo Sexual. ¿De qué hablabais todo el rato? A solas. En la oscuridad —dijo Lisa, provocadora.

—De bebés —le contestó Corinne, sin pensárselo dos veces, porque quería confesarlo todo. ¿Cómo era posible que se lo hubiera contado a un perfecto desconocido antes de a su propia cuñada?

Algo en el tono de voz de Corinne le dijo a Lisa que no se trataba de una broma. Se quedó muy quieta y una mano cogió con fuerza las llaves del coche mientras con la otra apretaba el volante.

—Perdón, me ha parecido oír que decías bebés. ¿Por qué habrías de hablar de bebés con él? Espero que le hayas dicho que los bebés quedan fuera de toda consideración. —En la voz de Lisa había una especie de desafío. Enseguida le lanzó una mirada a Corinne y a su perfil, sus vaqueros y su camiseta holgada.

Corinne desvió la mirada de la acusación que percibía en los ojos de Lisa.

—No lo sabía, Lisa. Te juro que no lo sabía. La mañana que mataron a John, hicimos el amor. Después de que lo asesinaron, todo era tan terrible que ni siquiera pensé en ello durante unos meses. y entonces, me di cuenta de que me sentía anormalmente cansada. Siempre tenía pérdidas, así que ni se me pasó por la cabeza que estuviera embarazada. Pero luego, cuando me sentí tan enferma, fui al médico. ¿Recuerdas que tuve que guardar cama unos días?

—¿Estás embarazada? ¿Ahora mismo estás embarazada? —Lisa le levantó la blusa por encima del vientre de Corinne para echar una mirada—. Tendrías que estar de seis meses y no se te nota. —Era una acusación. Era una plegaria. Sin embargo, se percató que una leve hinchazón había reemplazado el vientre liso de Corinne.

Ésta le cogió la mano a Lisa entre las suyas.

—Venga, Lise, entre las dos podemos superarlo, como lo hemos hecho siempre.

Lisa sacudía la cabeza como si negara, y en sus ojos asomaron unas lágrimas.

—No puedes tener un bebé, Corinne. Los médicos lo han dicho. Siempre te cuidabas. Recuerdo que te sentó fatal cuando te dijeron que, en tu caso, tener un bebé equivalía prácticamente a firmar una sentencia de muerte. John juró que jamás te dejaría correr ese riesgo. Me lo juró, porque yo lo obligué a hacerlo.

—Tuve que dejar de cuidarme hace unos meses. Tomábamos precauciones y siempre teníamos cuidado —afirmó. En los últimos meses antes de su muerte, John había empezado a quejarse de tener que usar condones. La píldora le sentaba mal a Corinne, y también la inyección. Detestaba todo lo demás, porque era «invasivo»—. Sólo fue esa vez. Yo sabía que no debía, pero no pensé demasiado en ello en ese momento. —John se había vuelto impaciente con sus problemas. Corinne no lo culpaba. Él quería que ella sintiera por él lo mismo que él sentía por ella. ¿Cómo podía explicar su sentimiento de culpabilidad por no experimentar por John la atracción sexual que él deseaba despertar en ella? Ella le amaba. Sabía que lo amaba. Lo amaba entrañablemente, pero nunca había añorado la parte física de su relación tanto como él. Aquella mañana lo había intentado con ganas por John.

—Fue una total falta de responsabilidad por parte de los dos —dijo Lisa, con voz seca—. Le dije a John que debía operarse, pero él no quería porque… —dijo, y sus palabras se desvanecieron.

—Porque pensaba que podría tener hijos con otra mujer después de que yo muriera —acabó Corinne en su lugar—. Yo quería que él fuera feliz.

Lisa apretó con fuerza la mano de Corinne, como en un gesto de desesperación.

—¿Qué podemos hacer? ¿Pueden sacarlo antes de tiempo?

—Respira hondo, Lisa —le aconsejó Corinne con voz suave—. Este bebé no es una cosa. Estamos hablando de una hija. De una parte de John.

—Me da igual de quien sea una parte. Ese bebé te matará.

—John y yo tenemos una hija, Lisa. Es una criatura viva, que respira, da patadas y se mueve: una niña. —Con gesto muy suave, Corinne intentó que Lisa palpara la pequeña protuberancia de su vientre.

Lisa retiró bruscamente la mano y abrió de golpe la puerta del coche. Bajó y cerró de un portazo, con lo cual dio muestras de su enfado. Corinne suspiró, bajó del coche y la siguió hasta la casa. Cuando Lisa fue a abrir la puerta, Corinne le puso una mano en el hombro.

—Sé que estás enfadada, Lisa. Debería habértelo dicho enseguida, cuando lo confirmó el médico. Pero estaba segura de que podía salvar al bebé. Después del horror de la muerte de John, no quería que sufrieras más conmigo. Todo fue tan terrible, una pesadilla horrible. ¿Qué sentido tenía darte motivos para más preocupaciones? John había muerto, yo ya estaba encinta, y las dos sabíamos que mis posibilidades de tener el bebé eran muy escasas. No quería preocuparte.

Lisa se giró rápidamente. En sus ojos azules se reflejó una mezcla de dolor, miedo y rabia.

—No querías que te dijera lo que ya sabías. No puedes tener este bebé porque, de lo contrario, morirás. Morirás, Corinne. Y no hay más que hablar. Creí que habías aceptado como un hecho que no podrías tener un bebé. Tú lo eres todo para mí. Eres mi familia, la única familia que tengo. Los tres juntos luchamos para conseguir la vida que teníamos, y lo logramos. Pero después alguien mató a John, ¡y ahora tú estás pensando en morir y dejarme sola!

Corinne abrazó a Lisa y la estrechó con fuerza hasta que la tensión se disipó y ésta también la abrazó.

—No estoy pensando en morir, Lise. Y si así fuera, tú no estarías sola. Tendrías contigo a una parte de John y a una parte de mí.

—No quiero una parte de ti, Corinne. Te quiero toda entera. No puedo enfrentarme a esto. No estoy dispuesta a perderte a ti también. No soy como tú. No soy fuerte y valiente, y tampoco quiero serlo —afirmó Lisa, rotunda, y luego soltó una ligera imprecación por lo bajo cuando los faros de un coche las iluminaron por un instante, y se oyó el ruido de un motor que se apagaba—. Ahora me es imposible actuar como si todo fuera normal. Quiero que todos se vayan para poder llorar a gusto.

En cuanto Dayan bajó del coche y aspiró el aire de la noche, supo que algo malo ocurría. Era muy consciente de la discusión entre las dos mujeres, puesto que no le costaba leer sus pensamientos. Quería consolar a Corinne, y sabía que ésta se resistía a llorar, pero también sabía que las dos estaban en peligro. Mientras buscaba información en la mente de Corinne y Lisa, barrió el lugar de una mirada, procurando dar con la amenaza oculta. Con el corazón alojado en la garganta, fue hacia las dos mujeres a una velocidad sobrenatural cuando ellas le dieron la espalda para abrir la puerta. Pero su mano ya estaba en el pomo, a tiempo para impedir que Lisa entrara. Entonces, cuando Dayan cerró la puerta de golpe, Corinne tuvo un sobresalto y tiró de Lisa para que se apartara de la casa, obligándola a retroceder hacia el jardín y de vuelta al coche.

—Estaba abierta, Lisa. La puerta no estaba del todo cerrada. —En la voz de Corinne se adivinaba el pánico. Desde que John había aparecido muerto en aquel pequeño parque cerca de su casa, Corinne sospechaba que alguien las vigilaba.

—Seguro que te olvidaste de cerrarla —aventuró Lisa, con voz temblorosa.

Corinne negó con un gesto de la cabeza y cruzó una mirada con Dayan.

—La cerré. Estoy del todo segura. Tenemos que llamar a la policía. —Quería que Dayan le creyera.

Dayan llevó a las dos mujeres junto a Cullen. Asintió con un gesto de la cabeza para mostrar que entendía, sosteniendo suavemente a Corinne por el brazo, acariciándola, dándole calor y ofreciendo el consuelo que podía.

—Id con Cullen. Yo me ocuparé de esto. —Había dos hombres ocultos dentro de la casa, esperando—. Cullen, llévalas a la casa donde estamos. Yo vendré en cuanto pueda.

La autoridad implícita en su voz hablaba de un hombre acostumbrado a que le obedecieran. Lisa, que había palidecido notablemente, se introdujo enseguida en el coche. Corinne se mostró más reacia, tal como Dayan se había esperado.

Lo miró alzando el mentón y con un destello en sus ojos verdes.

—¡A mí no me lo parece! Tú también subirás al coche, Dayan. ¿En qué estás pensando? A mi marido lo asesinaron. ¿No crees que es más que una coincidencia que ahora haya alguien en nuestra casa? ¡Tú vienes con nosotros! —exclamó Corinne, y le tiró del brazo.

Dayan le sonrió con ternura, sintiendo que se le derretía el corazón.

—Gracias, Corinne. —Le cogió la cara entre las manos y sus ojos oscuros se apoderaron de ella—. Irás con Cullen y me esperarás. Y no llamarás a la policía. —Con la boca le rozó la cabeza, un contacto de lo más breve. Y luego volvió a sonreírle para darles seguridad y la introdujo suavemente en el coche.

—Dayan, por favor, ven con nosotros. Tengo un presentimiento de que algo malo va a ocurrir —protestó ella.

—Todo irá bien, Corinne. No es nada fácil acabar conmigo. —Se inclinó sobre el asiento con el mismo gesto protector de antes y le abrochó el cinturón de seguridad—. Tú corazón late muy irregularmente —le susurró a la oreja, rozándole apenas la piel con la boca. Escucha el ritmo del mío —le dijo, y le cogió la mano para apoyarla contra su pecho.

Por un momento, Corinne no pudo respirar, hasta que oyó los latidos de su corazón. Enseguida tuvo la impresión de que el suyo se acompasaba con el de él. Era imposible, pero, por otro lado, Corinne podía mover objetos con la sola voluntad de moverlos, de modo que creía en lo imposible. Con Dayan todo parecía natural. Sintió una descarga eléctrica cuando, justo antes de cerrar la puerta, él le rozó con los dedos la sedosa cabellera. En sus venas restallaron latigazos de luz. Dayan lo hacía todo tranquilamente, y lo hacía bien. No tenía prisa y su seguridad era absoluta. Era imposible no hacer lo que él dijera puesto que parecía tener completo dominio de la situación, como si fuera del todo invencible. Corinne no pudo dejar de mirarlo hasta que el coche arrancó.

En cuanto su oscura mirada dejó de estar fija en ella, se tapó la cara con las manos.

—No deberíamos haberlo dejado solo. No sé por qué actúo de forma tan rara cuando él está. Cullen, tenemos que volver y ayudarle. Si hay alguien en casa, podrían hacerle daño, o algo todavía peor.

Cullen dejó escapar una risa ligera.

—Guarda tus simpatías para quien sea que esté dentro de la casa. No será Dayan el que perezca.

—Lo digo en serio —advirtió Corinne—. Puede que haya varios hombres armados esperando.

—Créeme, no tiene importancia. No le harán daño. —Cullen hablaba con total convicción.

—Es un músico, un poeta sensible y una buena persona —protestó Corinne, mientras pensaba en la belleza de sus palabras y en la ternura de su sonrisa.

Cullen rió por lo bajo.

—Es mucho más que eso, Corinne. No te preocupes por él. Te aseguro que es perfectamente capaz de cuidar de sí mismo.

Dayan se quedó mirando el coche hasta que las luces traseras desaparecieron en una esquina. Corinne temía por su seguridad. Él lo veía claramente en sus ojos y en su pensamiento. Ahora, gracias a su agudo sentido del oído, captaba sus protestas. Aquello lo reconfortaba más que cualquier otra cosa. Acto seguido, giró la cabeza lentamente hacia la casa. Al girarse, toda su compostura cambió. No quedó ni rastro de aquel ser elegante. De pronto, adquirió su verdadero aspecto, el de un predador oscuro y peligroso que dejaba al descubierto sus poderosas garras. Acechando a su presa. Empezó a moverse en la oscuridad, que era su medio, su verdadero mundo. Tenía todas las ventajas. Podía ver con facilidad hasta en la noche más oscura, desplazarse con el silencio del viento, oler su presa con la agudeza de un lobo y reinar a su antojo sobre los cielos y hasta sobre la tierra misma.

Dayan se desplazó alrededor de la casa, y saltó sin gran esfuerzo la valla de casi dos metros. Al hacerlo, su morfología cambió, de modo que aterrizó silenciosamente sobre cuatro patas en lugar de dos pies. El leopardo echó a andar en silencio, un andar amortiguado por las pezuñas, apenas moviendo el césped mientras se acercaba por la puerta trasera de la casa. En el porche de atrás brillaba una luz por la ranura de la puerta de una habitación pequeña. Entre las sombras del porche, el enorme felino reflejó un leve fulgor, su piel moteada de pronto pareció casi tornasolada, y luego se disolvió en la nada como si nunca hubiera existido.

Por la ranura de la puerta se coló un hilo de vapor, fluyendo tan rápida y silenciosamente como una dosis letal de monóxido de carbono. Dayan llegó hasta el interior de la casa y se detuvo un momento, mientras el hilo de vapor volvía a oscilar y recuperaba la forma del enorme felino, un predador poderoso, astuto y silencioso.

Dayan cruzó a paso sigiloso la pequeña habitación bien iluminada y entró en la cocina, que permanecía a oscuras. Supo enseguida dónde acechaban los dos hombres. Los olía, una mezcla penetrante de miedo y excitación. Hacía un rato que esperaban, agazapados y listos, exudando un hedor insoportable. Sin embargo, era inevitable que aquella espera acabara por cansarlos, y ahora no paraban de moverse en sus posiciones, inquietos y entumecidos. Cuando los faros del coche les advirtieron de la llegada de las dos mujeres, el ciclo había vuelto a activarse. Miedo. Excitación. Adrenalina. Y luego, la terrible decepción.

Se movían en su sitio, sin saber bien qué hacer. Sus órdenes eran claras. Esperar a que llegaran las mujeres, y raptarlas rápidamente sin hacer ruido. Dayan leía sus pensamientos con la misma facilidad con que husmeaba el sudor de los cuerpos. Ninguno de los dos se percató del leopardo mientras éste avanzaba, lento, y se acercaba, haciendo gala de paciencia, en medio de un silencio imperceptible.

El felino avanzó hasta situarse osadamente en el centro de la espaciosa sala, sin siquiera pretender utilizar los muebles para ocultarse. Para el predador, aquel juego del gato y el ratón era viejo como la vida misma. Mantuvo los ojos fijos en la presa, una mirada penetrante y aguda que señalaba la presencia de la muerte. En aquellos ojos habitaba la astucia e inteligencia de un cazador portentoso. No eran los ojos amarillos del leopardo, sino unas ascuas negras y feroces, vacías de cualquier cosa que no fuera una intención letal.

El leopardo se aplastó hasta tocar el suelo con el vientre, con los músculos perfectamente controlados al iniciar su acecho, avanzando centímetro a centímetro. En total silencio. Ni siquiera se percibía el roce del pelaje contra la moqueta impecable mientras la bestia se acercaba a su presa. Uno de los hombres estaba apoyado en la pared, suspirando, moviéndose inquieto, con los músculos entumecidos. Tenía una pistola en la mano derecha, y no dejaba de acariciar el gatillo inconscientemente con el dedo, o de limpiarse el sudor que se le acumulaba en la frente. La espera era un asunto difícil, y aquel hombre no tenía ni la paciencia ni la quietud del felino.

Nunca llegó a saber que se había convertido en el cazador cazado. Sintió el impacto del cuerpo pesado que lo lanzó contra la pared, y sólo alcanzó a palpar el pelaje, a percibir el aliento salvaje de la muerte. Unos puñales lo clavaron ahí donde el felino hundió las garras para mantenerlo quieto, mientras le hincaba los largos y afilados colmillos en el cuello. Por un instante, el hombre miró al felino a los ojos, cogido e inmovilizado cuando éste le rompió el cuello. La conciencia de su propia muerte le había llegado demasiado tarde para que pudiera evitarla. En aquellos ojos había una inteligencia salvaje, hipnotizante, y él nada podía hacer. Al morir, recordó los acontecimientos que lo habían llevado hasta allí. Él era uno de los hombres que habían seguido y asesinado a John Wentworth. Uno de los hombres del cuerpo de seguridad del Centro Morrison de Investigación de Fenómenos Psíquicos.

Dayan dejó a su presa en el suelo. Respiró profundo, obligándose a dominar la bestia que se agitaba en él. Una vez transformado en leopardo, le era doblemente difícil controlar su apetito. Se apartó rápidamente de aquella tentación y se dirigió con paso sigiloso al salón. Corinne tenía razón. Aquellos secuestradores la perseguían porque John había acudido al centro. Lo que el marido les había contado había despertado en ellos el interés por Corinne y Lisa.

Una vez más, habiendo aplacado a la bestia que rugía en su interior, Dayan buscó al segundo secuestrador. El hombre se encontraba al otro lado de la sala e ignoraba la suerte que había corrido su compañero. En dos ocasiones, apartó un extremo de la cortina para mirar hacia la noche. El leopardo percibía su olor y oía sus suspiros. Sus movimientos lo delataron porque no paraba de moverse y cambiar de posición, apoyándose en un pie, luego en otro, intentando aliviar los músculos adoloridos y mantenerse alerta. Este hombre también acariciaba la culata de su pistola, y fantaseaba acerca de lo que haría con las dos mujeres cuando las tuviera en sus manos.

El felino avanzó hasta encontrarse a un par de metros de su presa. Congeló su posición y se aplastó contra la moqueta, agazapado. Totalmente inmóvil, con los ojos fijos en su presa, esperó. Entonces él se giró y miró directamente al leopardo sin verlo, del todo ignorante de su presencia. Dayan se mantuvo impasible, haciendo gala de aquella paciencia que había cultivado en la caza a lo largo de mil años. Para él, el ciclo vital era interminable y tenía todo el tiempo del mundo. Observó desapasionadamente cuando el intruso volvió a su puesto sin reparar en el cuerpo de su compañero ni en el peligro que se cernía sobre él.

El leopardo volvió a avanzar, centímetro a centímetro, sin que lo delatara ni el más mínimo movimiento. Había estado al acecho en mil lugares y derrotado a sus enemigos una y otra vez. Aquellos ojos negros y despiadados no se apartaban en ningún momento del blanco elegido. Cuando se encontró a una distancia justa para atacar, se preparó, observando, esperando el momento perfecto. Su ataque fue certero y directo al cuello, para consumar una muerte rápida, y esta vez mutó su morfología en medio del salto, e inclinó la cabeza para beber después de coger al hombre desprevenido.

Sintió que la descarga de la sangre mezclada con adrenalina lo sacudía como una bola de fuego que lo recorrió de pies a cabeza. *Lo prohibido.* Tan adictivo como cualquier droga. Dayan tenía hambre y bebió a gusto, sintiendo que la bestia pugnaba por liberarse. Aguantó el peso del hombre con sus manos enormes y fuertes y pensó deliberadamente en Corinne. Ella lo anclaba, lo mantenía seguro. Estaba ahí para asegurarse de que él no cruzara el límite, que no se convirtiera precisamente en una de aquellas criaturas que aquel asesino perseguía. En un vampiro. En una criatura inerte. Dayan era un macho carpatiano, tan viejo como el tiempo, uno de los antiguos que deambulaba por el mundo en busca de su compañera eterna. Si no la encontraba, se vería obligado a buscar el amanecer o tendría que optar por renunciar a su alma y convertirse en vampiro.

La sangre fluyó por su organismo, reviviendo células, músculos y tejidos, penetró en su cuerpo y le dio la sensación de un falso subidón. Todo en él pedía más, le exigía alimentarse mientras la fuerza vital abandonaba aquel cuerpo. *Corinne.* Pronunció mentalmente su nombre buscando la fuerza para resistirse al estado salvaje. Le llegó una brisa fresca que alivió el calor de su piel. Corinne. Veía su rostro, que había memorizado hasta el último detalle. Su piel suave que pedía a gritos ser acariciada por él. Sus ojos color verde musgo, un color tan raro como ella misma. Vio la luz en su interior, una luz que proyectaba al mundo. Corinne. La sintió junto a él y eso le bastó. Cerró la herida con su saliva, dejando al hombre apagarse a su propio ritmo. Por un momento, la bestia que habitaba en él se enfureció, rebelándose, deseando más, deseando hartarse. Pero Dayan ignoró la siniestra llamada del maligno y se concentró en Corinne.

Pensó en su boca, en aquel hoyuelo extraño que aparecía y luego se desvanecía. Pensó en sus labios curvándose en una sonrisa. Corinne era una mujer que invitaba al beso. Dayan revisó las habitaciones de la espaciosa vivienda. La casa de Corinne. Respiró su olor mientras iba de habitación en habitación. Era una casa de techos altos y abovedados, con abundancia de madera en la decoración y todo muy limpio. Y supo intuitivamente que era Corinne quien se ocupaba de mantenerla limpia. En la habitación de Lisa, la ropa yacía tirada en el suelo y sobre las sillas. Encima de un tocador, había barras de pintalabios y cosméticos desparramados. Un espejo dorado de grandes dimensiones dominaba la pared por encima del pequeño tocador. En la habitación flotaba el olor de Lisa. Vio dos fotos. Una de ellas era de Corinne. La otra, de un hombre joven. Alto. Reía. Era rubio, como Lisa. Tenía que ser John.

Dayan miró un largo rato la foto. Veía a Lisa en aquel hombre. Tenía una mirada inteligente, y su sonrisa era auténtica. Quería encontrar algo en él que no le gustara, algún demonio oculto. Pero el tipo parecía sincero. Dayan salió de la habitación y deambuló por la casa, intentando captar la esencia de quienes la habitaban. En una sala grande junto al salón principal había un piano brillante y una batería. Se detuvo un momento y llegó hasta él el aroma de Corinne. Aquella sala era parte de sus dominios. Él sabía que pasaba mucho tiempo tocando el piano. Sólo después de revisar cuidadosamente el lugar, se permitió entrar en la habitación de ella. De la pared colgaban diversos instrumentos antiguos.

La habitación estaba decorada con colores suaves, y todo estaba muy ordenado y en su lugar. Sobre la cama había varios cojines. La ropa estaba cuidadosamente guardada en los cajones y colgada en el armario. Había libros por todas partes, todo tipo de libros. Había una sección entera dedicada a los felinos salvajes. Dayan sonrió al coger un volumen especialmente grueso sobre los leopardos. Las fotos eran excelentes. Tocó el hocico de un leopardo que enseñaba los colmillos en la tapa. Al lado izquierdo de la cama había un montón de libros sobre el tiempo y los océanos. Junto a un sofisticado aparato de música, vio varios libros gruesos sobre historia de la música desparramados por el suelo.

En las paredes había varios carteles firmados de diversos artistas, un teclado instalado en un rincón de la habitación y, contra la pared, una guitarra eléctrica. También descubrió una guitarra acústica de muy buena factura guardada en una caja acolchada con la tapa abierta. En un estante de CDs había todo tipo de músicas imaginables. Las cintas estaban en otra sección y, en una tercera, viejos discos de vinilo. Dayan miró las cintas por encima y le asombró ver que había varias con el rótulo de «Trovadores Oscuros». Siguió mirando y encontró grabaciones raras y pirateadas de diversos músicos.

Sobre la cama había un cuaderno lleno de canciones escritas con letra pequeña y regular. Era la escritura de Corinne. Miró la firma y quedó sorprendido. Una sonrisa lenta suavizó la dura línea de su boca. C.J. Wentworth. Era un nombre respetado en los círculos musicales. Dayan no tenía ni idea de que C.J. Wentworth era una mujer. Su mujer. Corinne. Hojeó el cuaderno. Las letras eran bellas y le llegaron al corazón.

De pronto, sintió que no podía esperar más y que tenía que volver a su lado. Su presencia estaba en todas partes en aquella habitación; su aroma lo envolvía como en un abrazo. Inhaló profundamente y guardó su fragancia en lo más hondo de los pulmones. Encontró una foto de Lisa y Corinne riendo juntas. Corinne miraba a Lisa mientras un chorro de agua las empapaba a las dos. Con el dedo pulgar, acarició aquel rostro sonriente. El sol la bañaba con un rayo de luz y un aura se dibujaba en torno a su cabeza. Era tan bella que Dayan se quedó sin aliento. Le dolía mirarla. Por momentos, tenía la sensación de que una mano enorme le apretaba el corazón, y se preguntó si aquello se debía a que el corazón de Corinne funcionaba con tanta dificultad o a que era tan bella que le dolía mirarla.

No era fácil definir sus emociones. Dayan quería ser todo para ella, hasta el aire que respiraba. Pero le preocupaba la logística necesaria para su protección. Si la unía a él mediante la fórmula ritual, como se lo pedía hasta la última fibra de su ser, quedarían unidos para toda la eternidad. Ella no sería capaz de soportar la separación durante las horas del día y, si él permanecía en la superficie, acabaría por perder la fuerza que necesitaba para protegerla. Durante el día, si él no estaba a salvo bajo tierra, sería impotente y vulnerable a sus enemigos.

Dayan se sentó en el borde de la cama y, sin darse cuenta, acarició el edredón con un dejo de ternura nada característico en él. Lanzó una llamada en busca de información. Se encontraba lejos de los suyos, pero Darius era fuerte y su conexión había sido sólida casi desde el comienzo de los tiempos. Entre los dos había un vínculo de sangre que ni el tiempo ni la distancia podían destruir. Darius pertenecía a la familia, y le contestaría por su propio cauce privado de telepatía.

—*Darius, te necesito.*

Dayan había aprendido hacía siglos a ser paciente. La paciencia del leopardo cuando caza, la paciencia del océano que erosiona las rocas. Se quedó sentado, repasando mentalmente los hechos de aquel día para que Darius entendiera su problema con claridad. Percibía la conexión entre los dos, sentía el poder de él penetrandolo en su mente. De pronto experimentó una viva emoción al pensar en aquel hombre que había sido tan importante en su vida. Dayan sólo había contado con los recuerdos de su estrecha relación con Darius para sostenerlo durante cientos de años. Había perdido su capacidad de sentir a muy temprana edad y, sin embargo, conservaba aquella música que fluía de su alma, recordándole que todavía estaba vivo. Tenía la suerte de haber atesorado ese don inestimable cuando tantos otros lo habían perdido todo.

—*Nos alegramos de tu encuentro, Dayan.* —La sola voz le consoló y le procuró una sensación de bienestar, un sentido de pertenencia a la familia. Darius había liderado a su pequeño grupo sin flaquear durante años de guerras y de caza al vampiro. Los había mantenido unidos y les había dado un propósito en la vida, además de protegerlos y enseñarles a sobrevivir en aquellos primeros años—.*Desari y Tempest están ansiosas por conocer a su nueva hermana.*

—*Debo consultar con un curandero. Es una situación realmente urgente, y es complicada. Corinne espera un hijo.*

—*Encontraré lo mejor que nuestra gente pueda ofrecernos y lo llevaré adonde te encuentras lo más pronto posible. Nos pondremos en marcha enseguida para reunirnos contigo.*

—*Hay enemigos de por medio. Puede que la sociedad haya encontrado a mi compañera, o quizá tengamos un nuevo enemigo. Alguien del Centro Morrison, un centro de investigación de fenómenos psíquicos, ha ordenado raptarla. Estaban armados y tenían intenciones violentas. Cuando vengas, Darius, hazlo con precaución, y alerta a los demás.*

—*Ya se lo he contado a los demás. Tardaremos un par de días, Dayan.*

—*Te agradezco tu preocupación, Darius. Aún no sé si nuestro enemigo es el mismo que el de Corinne, pero me encargaré de mantenerla a salvo. Si algo me ocurriera a mí...*

—*Corinne siempre estará bajo mi protección y bajo la protección de tu familia. Pero tú la mantendrás viva hasta que llegue el curandero.* —Aquello era una orden—. *No os perderemos a ninguno de los dos, Dayan.* —Darius hablaba con un tono del todo seguro de sí mismo.

Dayan suspiró ligeramente y volcó su atención al problema que tenía entre manos. Tenía que sacar los cuerpos de los intrusos de la casa de Corinne. El leopardo les había roto el cuello a los dos hombres, estrangulándolos en lugar de rasgarlos y destrozarlos. Había un poco de sangre junto a los orificios de las heridas. Dayan se había cuidado de no manchar la moqueta. No quería dejar huellas que delataran el paso de aquellos hombres por la casa.

Levantó los dos cuerpos sin problemas, se los cargó al hombro y salió al patio trasero. La noche llegaba a su fin y él tenía muchas cosas por hacer. Se lanzó al aire, mutando a su forma animal en el salto, llevándose a los hombres con él mientras se alzaba con sus enormes alas, y escudándose en unos nubarrones negros para ocultarse a los ojos de cualquier observador. Se desplazaba con rapidez, una figura oscura surcando el cielo con su fardo a cuestas.

Como todos los suyos, Dayan tenía una fuerza descomunal, y el peso muerto de los dos cuerpos no era ninguna carga para él. Disfrutaba de la noche, de los ruidos y las canciones, de su insuperable belleza. La noche lo rodeaba, lo envolvía con su música. Las estrellas brillaban como diamantes, un dibujo centelleante y, allá abajo, los árboles se inclinaban y mecían en el viento. En la oscuridad, las hojas cobraban un brillo plateado. Voló por encima de un lago pequeño en cuya superficie se reflejaban los cielos como en un vidrio. El mundo jamás le había parecido tan bello. Después de haber vivido tanto tiempo sin ver los colores, ahora se sentía desbordante de alegría por haberlos recuperado. Quería empaparse de todo, y no paraba de girar la cabeza a un lado y a otro para no perderse nada.

Lejos de la ciudad, encontró el bosque denso que buscaba. Bajó a tierra y sus alas desaparecieron cuando recobró su aspecto normal. Con un movimiento de la mano abrió la tierra y lanzó los cuerpos a la profunda grieta, tras lo cual lanzó también las armas, que cayeron sobre los cuerpos. Por encima de su cabeza, desató una tormenta juntando nubes oscuras y enturbiando el aire hasta que el cielo descargó relámpagos, venas de energía blanca incandescente brincando de nube en nube. Aquellos latigazos de luz iban dirigidos hacia la grieta, y una sola descarga bastó para incinerar rápidamente los cuerpos. Nadie encontraría esa tumba. Respondiendo a otro gesto de su mano, la tierra se cerró sobre las cenizas. El viento barrió hojas y ramas hasta tapar la tumba, como si el terreno no hubiera sido tocado en mucho tiempo.

Dayan dispersó la tormenta y, asumiendo la forma de un búho, voló rápidamente hasta la casa de seguridad donde Cullen esperaba con Corinne y Lisa. Ansiaba volver a ver a Corinne, disfrutar de su compañía, confirmar que era una mujer real y no un producto de su imaginación.

Capítulo 3

Corinne estaba sentada en una silla de mullido cojín con los pies recogidos por debajo y la cabeza apoyada en el brazo. El pelo le caía como un velo de seda alrededor de la cara. Esperaba sentada en la oscuridad, y el corazón le latía de forma irregular. Por dentro temblaba, y se sentía muy agitada.

Lisa y Cullen habían hablado en voz queda durante un rato en la pequeña habitación que daba al pasillo antes de que Lisa finalmente se durmiera. Al cabo de un momento, Cullen también se tendió a su lado y se quedó dormido, rodeando a Lisa por la cintura con un brazo protector.

Corinne esperaba despierta, y el miedo latía en ella con la fuerza de un tambor, tan irregular como los latidos de su corazón. No tenía ni idea de cómo se había obsesionado tanto con una persona que acababa de conocer. Ignoraba por qué, pero necesitaba tener la absoluta certeza de que Dayan no había sufrido ningún daño. Recordaba cada detalle de su cara, recordaba hasta la última expresión, por fugaz que fuera. Sin él, se sentía sola y atemorizada y eso no era demasiado habitual en ella. No sabía qué hacer, qué pensar. Siempre había sido ella la que se ocupaba de los detalles de la vida cotidiana, ella quien compaginaba los compromisos y pagaba las facturas, quien se aseguraba de que Lisa estuviera siempre donde tenía que estar y de que el negocio de John funcionara sin problemas. No solía prenderse de desconocidos altos y guapos en los bares y, menos aún, de los famosos. Escribía canciones para muchos músicos, pero nunca se había dejado impresionar por ninguno de ellos.

No oía más que los latidos de su propio corazón y, sin embargo, cuando alzó la mirada, Dayan estaba a su lado, imponente, alto y poderoso. Estaba vivo. Corinne tragó una bocanada de aire y sólo entonces pudo volver a respirar. Experimentó el deseo repentino, y del todo insólito en ella, de recorrerle las aristas y los planos de la cara con la punta de los dedos. Necesitaba tocarlo, asegurarse de que no estaba herido. En su boca asomó una sonrisa tímida.

—Estaba preocupada —dijo.

Dayan se inclinó y le rozó su mejilla de satén. Ella sintió un aleteo en el estómago, y se dio cuenta de que el contacto de su mano despertaba en ella deseos de que siguiera.

—No tenías por qué preocuparte, Corinne, pero te lo agradezco. —Pronunció su nombre como si fuera una caricia.

Ella sacudió la cabeza, asombrada de su reacción. Dayan era un personaje absolutamente peligroso. Nadie jamás la había mirado como la miraba él. Tenía esa mirada intensa, insondable, oscura y misteriosa, con ese dejo tan posesivo. Tan *hambriento*. ¿Era posible rechazar tanta añoranza? ¿Rechazar un deseo tan intenso?

—Debería haber llamado a la policía —confesó ella, presa de un leve arrebato—. No sé por qué le hice caso a Cullen. *Nunca* le hago caso a nadie cuando no me parecen lo bastante razonables, pero él se mostró muy firme.

—Es mucho mejor que no hayas llamado —dijo Dayan, con voz suave.

Ella lo miró por debajo de sus frondosas pestañas.

—Supongo que no serás una especie de delincuente, ¿no? Es lo único que explicaría el comportamiento de Cullen.

Él volvió a sonreír, una curva lenta y cargada de sexualidad que acentuaba la línea sensual de su boca. Se agachó junto a su silla, de modo que se quedó mirándola de frente.

—¿Tengo aspecto de delincuente? —En su voz asomaba aquel extraño acento mágico que le susurraba y le acariciaba la piel hasta hacerla estremecerse. Sin embargo, en lo más profundo, una llama empezaba a arder con fuerza, a derramarse en ella con un calor líquido como la lava fundida.

—Aunque no lo fueras, deberías estar totalmente prohibido por la ley —farfulló, antes de que pudiera censurarse a sí misma.

De aquellos ojos negros, muy negros, surgió un destello de humor masculino.

—Me lo tomaré como un cumplido. No me has dicho si te gustó mi actuación.

Ella levantó la cabeza y, con un gesto rápido, se apartó la cabellera por encima del hombro, un gesto muy femenino cargado de sexualidad.

—Sabes perfectamente que eres fenomenal. No tengo por qué decírtelo yo. Lo dice todo el mundo.

—Pero para mí no cuenta la opinión de todo el mundo. Sólo la tuya. —Lo decía con absoluta seriedad, como si ella fuera la única habitante de su mundo. Sus ojos intensos y negros la miraban fijamente a la cara. Ni siquiera pestañeaba.

Corinne quiso apartar la mirada, temiendo que Dayan fuera capaz de hipnotizarla, pero, sin darse cuenta, sintió que se dejaba ir hacia la profundidad de su mirada. Eran unos ojos muy bellos, diferentes de todos los ojos que había visto. Dayan la obligaba a responderle. Tenía que responderle porque él lo necesitaba. Así se lo hacía sentir.

—Tocas maravillosamente. Jamás he escuchado nada que se le parezca. Me gustaría volver a escucharte cantar.

—Tú eres C.J. Wentworth. No me has dicho ni una sola palabra acerca de la famosa C.J., que con sólo una de sus canciones es capaz de catapultar a un artista a la fama.

El rubor volvió a su rostro y, por un instante, Dayan tuvo que hacer lo imposible para reprimir sus ganas y no inclinarse para besarla en la boca. Corinne parecía tímida y, aún así, era tal su atractivo que a él le dieron ganas de protegerla y estrecharla junto a su corazón.

Corinne se encogió de hombros con un gesto de modestia.

—He tenido suerte con mis canciones, pero no son nada comparadas con lo que componéis tú y Desari. Tú música y tus letras le quedan dando vueltas a una en la cabeza.

—He visto que tienes cintas de nuestras actuaciones —dijo él, acusador, pero con una sonrisa asomando en sus ojos.

Ella le respondió con una mueca de picardía.

—No creas que me han salido baratas. He tenido que pagar una fortuna. Lo curioso es que, hace unos años, encontré un viejo disco. El grupo se llama los Trovadores Oscuros, pero el disco data de los años veinte. —Corinne lo miró a la cara, como escrutando cada uno de sus rasgos. Era una bella máscara, y no revelaba en nada sus pensamientos—. La mayoría de los que negocian con estas cosas saben que me fascinan las grabaciones raras y que estoy dispuesta a pagar por ellas. Cuando uno de ellos me vendió ese disco, me obsesioné con la música. Es diferente, y muy bella, evocadora. Deberías escucharla, Dayan. La primera vez que oí hablar de vuestro grupo, pensé que quizás existía alguna relación y que tenía que conocer vuestra música. Tardé bastante tiempo, y gasté una buena cantidad de dinero en conseguir las cintas en el mercado negro. Ya sé que no sois el mismo grupo, pero las similitudes son increíbles. La música, desde luego, es diferente, es de otra época, pero el estilo, la manera de tocar, se parece mucho a vosotros. He escuchado ese disco una y otra vez, y juraría que los músicos son los mismos. Ya sabes que basta con escuchar y saber quien toca, sólo por el sonido —dijo, excitada. Ahora hablaba con él de músico a músico.

Dayan se pasó la mano por el pelo negro y sedoso, manteniendo fija en ella una mirada intrigada, bebiéndola, devorándola con los ojos. Aquella grabación había sido su gran error. Nunca se les ocurrió pensar que algún día la tecnología permitiría identificar a los individuos por sus voces. Afortunadamente, habían grabado pocos discos. Después, se habían ocupado de buscar todos los ejemplares que quedaban y destruirlos. Era evidente que no lo habían conseguido.

—¿Y? ¿Habéis oído hablar de ellos? ¿Utilizáis su nombre deliberadamente? —preguntó Corinne, que deseaba desvelar el misterio—. Tienes que escuchar esa grabación, Dayan. He estudiado música toda mi vida y tengo un oído muy fino. Juraría que el guitarrista principal eres tú.

—Es que soy yo —dijo él, dando muestras de su franqueza, pero también con una sonrisa traviesa que le iluminó la oscura profundidad de sus ojos.

Corinne lo miró pestañeando.

—Eso significa que tienes al menos cien años. Te conservas muy bien, Dayan.

—Gracias —dijo él, con una ligera reverencia de la cintura, un gesto curiosamente elegante, como del Viejo Mundo, que le sentaba muy bien.

—No hay de qué, aunque si estás pensando en una relación, me temo que está completamente descartado. Es imposible que salga con un hombre mayor de cien años.

La sonrisa de él se volvió más generosa, hasta que asomaron sus dientes, blancos, destellantes, y ella quedó sin aliento. Él avanzó una mano para apartarle un mechón de pelo por detrás de la oreja, y con la punta de los dedos se demoró en una suave caricia.

—Cuando te miro, casi no puedo respirar —reconoció Dayan, sin ambages, y a ella la hizo derretirse por dentro—. Eres muy bella.

Corinne respiró hondo, haciendo un esfuerzo para que el rubor no le subiera por el cuello hasta la cara. Uno de los dos tenía que dar muestras de sensatez. Intentó no mirarlo para pensar con más claridad.

—Dayan, estoy muy embarazada.

—Deberías estar más gorda. —Lo dijo con voz suave, pero era a todas luces un reproche—. Tendré que añadirlo a mi lista de cosas de que preocuparme, en lo que te concierne. —Tendió la mano con gesto perezoso y le cogió un mechón de pelo, lo frotó entre el índice y el pulgar como si no pudiera evitarlo.

—El bebé está perfectamente bien —dijo ella, a la defensiva, intentando desesperadamente que no le afectara la intimidad de ese contacto.

Él le tiró del pelo.

—¿Qué ha dicho el médico acerca de tu estado de salud? —Corinne intentó esconder la cara, pero Dayan la cogió por el mentón y con su mirada oscura captó la de ella, negándose a renunciar a su control—. Contéstame, querida.

Era curioso, pero Corinne sentía que su voz rozaba contra las paredes de su cerebro, obligándola a contestar. Ella *quería* contestarle, a pesar de que su reacción natural era guardarse para si ciertos aspectos de su vida. Se encogió de hombros.

—Ya sabes. Los médicos tienen una habilidad para que todo parezca un cuadro grave. Preferiría que habláramos de lo que encontraste en nuestra casa.

Dayan se movió y se desprendió de él como una ola amenazadora de poderío físico que a ella volvió a dejarle el corazón en la boca del estómago. Sin embargo, él sólo pretendía incorporarse, y se estiró como un enorme felino antes de cogerla. La levantó sin el menor esfuerzo, como si fuera una niña, y se alejó por el pasillo hasta una habitación.

Corinne cerró los ojos con fuerza un momento, y le pasó la mano temblorosamente por el cuello.

—¿Dónde me llevas?

—Si vamos a hablar, querida, creo que será mejor que estés en un sitio cómodo. No negaré que la idea que tengo en la cabeza es hacer el amor contigo toda la noche, pero soy muy consciente de tu embarazo y de los problemas que supone, así que prometo portarme bien. —Había en su voz un dejo ligeramente humorístico, como si supiera que con sólo pronunciar esas palabras, reconociendo el deseo que tenía de ella, le haría sentir ese calor que le recorría todo el cuerpo. Como si supiera que su deseo era contagioso.

La dejó en el medio de una cama grande y se inclinó sobre ella, sin dejar de contemplarla con sus ojos oscuros. Ella lo empujó poniendo la palma de la mano en su pecho musculoso, alarmada, pretendiendo rechazarlo. Lo miraba con ojos desmesuradamente abiertos, llenos de aprehensión. Las palabras rituales ya empezaban a resonar en la cabeza de Dayan, que se sentía tensado por la necesidad de atarla a él. Corinne era su compañera eterna, su lugar estaba junto a él, y la necesitaba desesperadamente. Llevaba tanto tiempo solo, siglos y siglos. Y ahora ella estaba ahí. En la misma habitación que él.

Corinne permaneció muy quieta, como un animal pequeño que queda hipnotizado por la mirada del predador, inmovilizado por el miedo. Ella no podía apartar la vista de esos ojos negros, de su intensidad, de su deseo tan desnudo. Le dieron ganas de abrazarlo, de borrar para siempre esa mirada de abyecta soledad. La palma de su mano, esa diminuta barrera que mediaba entre los dos, tembló mientras le sostenía la mirada, cautivada por su vulnerabilidad, a pesar de que Dayan parecía un ser tan invencible.

—Dayan. —Susurró su nombre, nada más que un suspiro, en realidad. ¿O era una invitación? Ella no lo sabía, así que, ¿cómo podía saberlo él?

Dayan le cogió la mano y se llevó los dedos a sus labios cálidos.

—No tienes nada que temer, Corinne. Jamás haría nada que pudiera hacerte daño a ti o a la criatura. No puedo dejar de desearte, pero, hasta que sea seguro, creo que los dos tendremos que sufrir.

Corinne se dio cuenta de que sonreía cuando se apartó para dejar que él se tendiera a su lado. Aún no lograba entender por qué confiaba tanto en él, ni tan rápidamente, pero no le importaba. Le agradaba estar a su lado; su sola presencia la reconfortaba. Dayan era sólido, cálido, y sus fuertes brazos ahora la atraían hacia él haciéndola encajar en el hueco de su cuerpo. Corinne se estremeció, más por la cercanía de Dayan que por el aire frío de la noche, pero agradeció que él los tapara con un edredón, aunque sabía que él no tenía frío.

—¿Vas a contarme lo que encontraste en nuestra casa?

—¿Y tú, me creerás? —Fue una pregunta hecha en voz baja, pero en medio de la oscuridad ella sintió que él esperaba su respuesta.

—Olvidas que a mi marido lo asesinaron. Sé que había alguien en la casa —respondió ella, con tono firme—. Lo percibí.

Él tuvo una reacción interior al oír la palabra «marido». John. Su marido, John. Dayan tenía que superar esa sensación desagradable cada vez que ella lo mencionaba. John había sido parte de la vida de Corinne durante muchos años; primero a lo largo de su infancia y, más tarde, como su marido. Una parte de ella lo amaba, siempre lo amaría. Dayan le hundió la mano en el pelo y acercó los bucles sedosos a su cara, inhalando esa fragancia que le era única.

—Había dos hombres en la casa. Estaban armados y tenían órdenes de secuestraros.

—¿Por qué? —preguntó ella, con la mirada clavada en él.

—Hace unos meses, mi grupo recibió la advertencia de que estábamos en una lista de víctimas. Fue así como conocí a Cullen. Él arriesgó su vida para contárnoslo. Existe una sociedad, un grupo de fanáticos que creen en los vampiros.

Corinne levantó la cabeza de la almohada y se lo quedó mirando con expresión de asombro.

—Esto qué es, ¿una broma? ¿Vampiros? ¿En estos días, en los tiempos que corren? ¿Y eso qué tiene que ver conmigo? ¿O contigo, ya que estamos?

—Tú me contaste que tú y John erais diferentes, y que John fue a conversar con alguien acerca de esas diferencias. Ése es el tipo de fenómenos que busca esta gente. En cuanto tu marido entró en el Centro Morrison, ellos supieron de tu existencia. ¿En qué sentido eres diferente, Corinne?

Su voz tenía esa magia en la oscuridad, como suaves hebras de seda que le acariciaban la piel y la mente. Le fascinaba el tono de su voz, su acento extraño, cuyo origen no podía identificar. Su manera de girar ciertas frases y de hablar con una mezcla de palabras antiguas y modernas a la vez.

—Puedo mover objetos sin tocarlos. —De alguna manera, era más fácil confesárselo en la oscuridad de la habitación estando él tan cerca, y ella sintiendo los latidos de su corazón con la palma de la mano. Corinne esperó su reacción, su burla, su incredulidad. Pensaba que Dayan se levantaría y se apartaría de ella en silencio. Corinne no se daba cuenta, pero el corazón se le había desbocado, y volvía a latir erráticamente, mientras esperaba que Dayan respondiera.

Dayan cogió la mano que ella le apoyaba en el pecho y se la llevó a los labios para rozarle los nudillos. El aliento sobre su piel era cálido y reconfortante.

—Es asombroso el don que tienes. Yo también puedo hacer ese tipo de cosas.

Corinne se giró para mirarlo.

—¿Tú puedes? Nunca he conocido a nadie que pudiera. Es muy divertido. A Lisa no le gusta que lo haga, pero no puedo evitarlo. John adivinaba cosas. Como, por ejemplo, que el teléfono iba a sonar y quién llamaba. Pero nunca había conocido a nadie que pudiera mover objetos.

—También sé hacer otras cosas —dijo él, con voz suave, mientras le rascaba los dedos con los dientes, arriba y abajo, en un ritmo casi sedante, hasta que Corinne se dio cuenta de que su corazón volvía a acompasarse con el ritmo regular del de Dayan.

En los ojos de ella brillaron unas lágrimas de alivio. Alguien que la entendía. Ni siquiera Lisa, que la amaba, lo entendía de verdad. Lisa quería que Corinne ocultara esas diferencias a ojos del mundo, y a los suyos también. Se comportaba como si ella fuera igual que todo el mundo. Ya tenían suficientes traumas en sus vidas como para añadir más problemas.

—¿Puedes leer el pensamiento?

Dayan asintió con gesto muy grave.

—Sí, puedo. No tengo que tocar a la persona para leer sus pensamientos. Me alivió mucho saber que me encontrabas atractivo cuando me viste, porque cuando yo te vi a ti me quedé sin aliento.

Una ligera sonrisa le curvó la boca a Corinne.

—Eso es hacer trampa descarada. ¿De verdad puedes leerme el pensamiento?

—En este momento intentas conservar la mente totalmente en blanco, mientras te preguntas si podrás censurar tus... ¿cómo decirlo delicadamente...?

Corinne soltó una carcajada, y su risa sonó suave e incitante en la privacidad de la habitación. Dayan cerró los ojos, procurando controlarse. El cuerpo entero le ardía de deseo, como un dolor persistente y urgente. Una batería de diminutas taladradoras le horadaba el cráneo. Sentía el cuerpo suave y tentador de Corinne a su lado, ensamblándose perfectamente con las duras aristas del suyo. Sentía el dolor del deseo y la soledad. En su interior, la bestia pugnaba por liberarse, rugiendo contra las restricciones que él se había impuesto a sí mismo. Tenía que recordar una y otra vez que, antes que nada, estaban la salud y el bienestar de ella. Dejó que la fragancia y las palabras de Corinne lo bañaran, lo penetraran y se apoderaran de él, hasta que se sintió centrado y equilibrado.

Aún no estaban unidos, pero ella se hallaba a su lado, haciéndole entrega de aquellos dos preciados regalos: el color y las emociones. Ahí estaba Corinne, viva y real, una verdad que Dayan apenas alcanzaba a cernir. *Corinne*. Era un nombre luminoso en la horrible oscuridad de su alma. Brillando sólo para él. Alejándolo de un camino por donde habían desaparecido muchos de los suyos para toda la eternidad. *Corinne*. Respiró su nombre y aplacó los rugidos de su deseo, con la certidumbre de que ella estaba a su lado.

—Será mejor no seguir por ahí —dijo Corinne, con voz suave y un dejo risueño—. ¿Cómo se enteró esa gente de esos poderes tuyos? ¿Y por qué pensarían que eres un vampiro? —Era mucho más seguro que la conversación siguiera por otros derroteros, lejos de esa sensación de estar bajo un hechizo que ella tenía cuando estaba con él.

—Creo que hay muchas razones. Nuestro estilo de vida, nuestros viajes de un país a otro, a muchos les parece raro. Puede que el nombre de nuestro grupo haya contribuido a despertar las sospechas de la sociedad. Hemos criado a dos leopardos, que viajan con nosotros. Normalmente, dormimos durante el día y actuamos por la noche. Por lo visto, una vez hecha la suma de esos datos, se ha llegado a la conclusión de que somos vampiros. En una ocasión, intentaron matarnos y se liaron a tiros en medio de una de nuestras actuaciones.

—En la oscuridad, Dayan se encogió de hombros—. Antes, Cullen pertenecía a la sociedad.

—¿Cullen? —Corinne repitió el nombre alarmada, asombrada de que Dayan lo dijera tan tranquilamente. Lisa estaba a solas en la otra habitación con él. ¡Y dormida!.

Dayan le tocó con un gesto leve, y le acarició la cara.

—No te preocupes, querida. Cullen arriesgó su vida para prevenirnos. Esos asesinos quieren su cabeza antes que la nuestra. Yo me he quedado con él para ayudar a protegerlo. Mi familia tiene con él una gran deuda. Ahora, gracias a ti, puedo volver a sentir la amistad hacia él, incluso el afecto, ahí donde antes guardaba sólo una deuda de honor. Ya me has dado mucho más de lo que jamás podrías imaginar.

—No entiendo lo de los vampiros. ¿Por qué la policía no ha dado con esos hombres? —Corinne ignoraba deliberadamente los curiosos comentarios que Dayan hacía sobre ella. No entendía por qué se sentía unida a él, ni se explicaba la necesidad de estar con él, a pesar de que nunca había necesitado a nadie en su vida. Con Dayan se sentía segura y, sin embargo, amenazada de una manera elemental y muy emocionante.

—Este grupo opera de la misma manera que las organizaciones terroristas. Golpean y se repliegan. Se reúnen en secreto. Sólo los de arriba saben quiénes forman parte del grupo. Nadie confía en nadie. Algunos de los que están más abajo incluso ignoran que se cometen asesinatos. Ya sé que suena extraño, pero, desafortunadamente, la sociedad existe y es muy real. Debemos estar siempre alertas para protegernos. Si esta gente os tiene a ti y a Lisa en su mira, también necesitáis protección. No pararán hasta que os den caza. Tenemos que encontrar alguna manera de convencer a Lisa de que corre verdadero peligro. Ella se resiste a reconocer la verdad porque no quiere que nada en su vida vuelva a cambiar.

—Lisa lo tuvo mucho más difícil que John y que yo. Cuando éramos muy jóvenes, su padre empezó a salir con mi madre. Era sobre todo una relación fundada en la costumbre de beber. Nosotros no lo sabíamos por aquel entonces, pero cuando su padre bebía se ponía muy violento. En fin, para resumir la historia, el padre de ellos asesinó a mi madre. Lisa tuvo la mala suerte de entrar en la habitación cuando su padre estaba golpeando a mi madre con una palanqueta de hierro. Le dio también a Lisa, le puso una bolsa en la cabeza, la metió en el maletero de un coche con el cuerpo de mi madre y las roció con gasolina. John lo sabía; siempre sabía cosas, y entre los dos conseguimos liberar a Lisa sin que su padre se enterara. —Corinne abrió el maletero del coche gracias a su precioso don de la telequinesia—. Lisa, John y yo permanecimos juntos. Vivíamos casi siempre en la calle, nos arreglabamos por nuestra cuenta. —Lo dijo deprisa, como corriendo, porque no quería ahondar en los detalles dolorosos de su infancia. Nunca hablaba de esa época, nunca le hablaba a nadie de los detalles de aquellos primeros años y, aún así, no podía dejar de contarle a Dayan todo lo que él le pidiera.

Dayan entrelazó los dedos de las manos con los de ella, muy consciente del dolor que latía en Corinne, del horror que despertaban aquellos recuerdos.

—Después de ese asesinato, Lisa quedó tan traumatizada por lo ocurrido que dejó de hablar durante días y días. Yo me sentaba con ella y la mecía, y ella me abrazaba a mí cuando yo me quebraba y lloraba. John era la roca a la que nos arrimábamos. Robaba comida para nosotras y nos mantuvo a salvo mientras crecimos. Con el tiempo, todos acabamos trabajando en un café. A Lisa la descubrió una agencia de modelos muy importante. A partir de entonces, no tuvimos que preocuparnos por tener un techo. Yo ya ganaba dinero componiendo canciones, así que seguí estudiando música en la universidad. John tuvo mucho éxito como paisajista. Vivíamos juntos como una familia.

Dayan rozó su pensamiento muy ligeramente. No quería ser intrusivo cuando ella revivía aquellos malos recuerdos, pero quería «ver» los detalles. Corinne había tenido una vida difícil, y Dayan percibía su lealtad y amor por John y Lisa. Juntos habían formado una familia y se habían protegido unos a otros en un mundo desquiciado. Prácticamente se habían educado ellos solos en un ambiente hostil y habían conservado su capacidad de amar y de sentir a pesar de tenerlo casi todo en contra.

—Lisa no es diferente de la misma manera que tú. —Lo dijo

como una afirmación, mientras hundía la mano en la espesa melena de Corinne.

—El padre de Lisa nos daba terror. Sólo Dios sabía lo que habría hecho si algún día se hubiera enterado de que yo tenía este don, o de que John tenía el suyo. Lisa todavía está asustada y prefiere no hablar de nuestras diferencias. —Sin pensarlo, Corinne se acercó aún más al cálido cuerpo que tenía a su lado—. ¿Por qué querría esta gente secuestrar a Lisa? Ella no hace cosas raras. Y nadie podría pensar que es una mujer malvada.

—Sea cual sea su razonamiento, tendremos que protegerla. Te he buscado mucho tiempo, Corinne. Sé que has aceptado tu muerte como inevitable porque los médicos humanos te han convencido de que no hay esperanza, pero no ocurrirá así. Te pondrás bien y vivirás tu vida conmigo. —Con el pulgar, Dayan le acarició el interior de la muñeca, una caricia que ella sintió hasta los huesos.

—Has dicho médicos humanos. ¿Existen otro tipo de médicos? —Corinne intentaba provocarlo porque Dayan hablaba con tanta solemnidad.

—Quiero intentar algo. Yo no soy un curandero de verdad, pero puedo ayudarte, al menos durante un tiempo, si tú me lo permites —dijo Dayan, con un dejo de timidez. Se encontraba en un territorio que no conocía, y avanzaba con cuidado. Sin embargo, la salud de Corinne era tan frágil que él quería ayudar en lo que pudiera.

—¿A qué te refieres? ¿A la curación por la fe? —preguntó Corinne, intentando no sonar escéptica. Pero, al fin y al cabo, hablaban de vampiros y de fanáticos religiosos y otras cosas imposibles. Aún así, a ella no le importaba esa conversación extraña. Disfrutaba tendida en la oscuridad a su lado, hablando entre susurros.

—Hazme un favor. —Había una virtud mágica en su voz que a ella le daban ganas de hacer lo que le pidiera. ¿Cómo podía alguien resistirse?

—Dime qué debo hacer.

—Sólo quédate quieta y déjame intentar algo. Tengo que dejar mi cuerpo y entrar en el tuyo. Normalmente, es un curandero el que debería hacer esto, no soy yo. He llamado al mejor curandero que tenemos, pero hasta que llegue, estoy seguro de que puedo ayudarte.

Corinne le creyó. No sabía por qué confiaba en que Dayan haría lo que decía (era absurdo), pero ella percibía su seguridad y le creía. Era raro pensar que él pudiera leerle el pensamiento, pero no le molestaba demasiado, desde luego no como le molestaría si cualquier otro dijera que podía hacerlo. Se quedó perfectamente quieta, esperando, sin protestar, para ver qué hacía él.

A su lado, Dayan se quedó inmóvil, hasta el último músculo. Incluso dejó de respirar. Ella sintió un calor en su interior, creciendo, moviéndose, difundiéndose. Oyó una especie de cántico en la lejanía. Eran palabras pronunciadas en otra lengua, palabras mágicas y tranquilizantes que la fueron relajando por completo. Era una voz masculina, sin duda la voz de Dayan, aunque ella sólo la escuchaba en su mente. Era una voz muy bella.

Dayan le examinó el corazón y luego siguió con el bebé. Era una criatura diminuta, una niña. Era bella, estaba totalmente formada y se dio cuenta de la intrusión de Dayan. Él le transmitió enseguida seguridad y aplacó su inquietud con ondas de serenidad. El bebé tenía las mismas habilidades de su madre, y quizá fueran superiores. Aunque sumamente pequeño, estaba bien formado, y sólo necesitaba madurar para salir al mundo exterior. Dejó a la criatura, no sin antes darle su aliento, y volvió a su misión principal. El corazón de Corinne funcionaba a todas luces con dificultades.

Él no era curandero, y no tenía las destrezas necesarias para curar su corazón. Le podía dar su sangre para fortalecerla, pero ignoraba qué efectos tendría esa transfusión en la niña. Había tomado contacto con la mente de la criatura, la conocía como persona. También sabía que Corinne la amaba. No podía arriesgarse a hacerle daño al bebé, a menos que el tiempo de ella estuviera llegando a su fin. Sin dejar de entonar el antiguo ritual de curación, Dayan hizo lo que pudo para aliviarle el corazón débil y cansado.

Corinne supo el momento exacto en que él abandonó su cuerpo. Se desvaneció la calidez, y enseguida percibió su ausencia. Giró la cabeza para mirarlo, ligeramente confundida. Quizá Dayan fuera un brujo que practicaba la magia negra, y ella estuviera embrujada, totalmente sometida por su hechizo. Cuando él la miró con sus ojos negros, ella vio que en ellos había hambre, una necesidad doliente, un vacío que sólo ella podía llenar. Corinne lo percibía todo, aunque entendía que la intensidad de las emociones que sentían no tenía sentido.

—Te acabo de conocer —aventuró, con voz suave, mientras sus ojos de color verde musgo le escrutaban el rostro.

Dayan volvió a unir las manos, y apoyó la de ella contra su pecho a la altura del corazón.

—Te he buscado por todo el mundo, a través de tiempos y distancias que no podrías imaginar. Tú eres la elegida. Mi otra mitad. Mi compañera. —Dayan hablaba con suavidad, apenas un susurro que la cubría como un manto de terciopelo.

Corinne se estremeció, se acercó aún más a la protección de su cuerpo cálido sin darse cuenta.

—Me gusta esa palabra. Compañera. Suena mágica. Como si hubiéramos estado destinados a encontrarnos. —Abrió los ojos con sorpresa—. Me cuesta menos respirar, Dayan. Lo digo en serio. ¿Qué has hecho? —Volvió a observar que se repetía ese extraño fenómeno de antes; su corazón volvía a latir exactamente al mismo ritmo que el de él—. ¿Oyes eso? Escucha nuestros corazones.

—Estamos hechos para estar juntos, dos mitades del mismo todo —le informó él, con voz queda, sabiendo que ella no entendería. Él lo decía literalmente, mientras ella pensaba que hablaba en términos figurativos—. Eres la otra mitad de mi alma, la luz de mi oscuridad. Yo poseo la otra mitad de tu corazón. Pertenecemos el uno al otro, Corinne.

A ella le fascinaba cómo él pronunciaba su nombre, con un dejo perezoso, porque ese extraño acento suyo modulaba los sonidos vocálicos hasta volverlos sensuales e intrigantes.

—Es curioso, porque nunca he creído en el amor a primera vista. Eres avasallador, eso te lo reconozco. Todavía no puedo decidir si lo que me hace perder el poco sentido que me queda es tu manera de tocar la guitarra o tu voz. ¿Cuál de los dos crees que es?

—Algo me hizo entrar en ese bar esta noche —respondió él, con voz suave, mientras le rascaba la yema del pulgar con los dientes. Cada pequeño roce le llegaba hasta la punta de los dedos de los pies—. Yo te fabriqué a partir de un sueño. Eres una fantasía mía convertida en realidad.

Ella rió entonces, y aquel sonido fue música para los oídos de Dayan, una melodía que ni siquiera su guitarra podía imitar.

—Sí, con todo el *kit*, completo con bebé incorporado, un corazón roto y perseguida por asesinos. Yo diría que tienes que volver a soñar, Dayan. No parece que hayas hecho un trabajo muy brillante.

—Ella quería ser su sueño hecho realidad; deseaba ser aquella mujer que él necesitaba.

—Tú eres la *única* que necesito.

Estaba tan seguro de lo que decía, y era tan intenso. No había ni asomo de una sonrisa en sus ojos oscuros; más bien esa mirada extraña que a Corinne le recordaba a un predador. Parecía peligroso. Cambió bruscamente de tema. En realidad, una relación entre los dos no tenía futuro alguno, así que ¿qué sentido tenía seguir especulando?

—¿Cómo descubriste que los dos hombres estaban en la casa sin que ellos te vieran a ti?

Dayan se giró de lado, apoyó el codo en la cama para dejar descansar la cabeza en la palma de la mano y mirarla. La veía con claridad en medio de la oscuridad. Era una criatura de la noche y sus ojos lo abarcaban todo. En ese momento, tenía la mirada fija en su cara. Corinne le parecía una mujer bella, ahí tendida, ignorante en su inocencia de lo que él era, de lo que era capaz.

—Necesitaba la información —respondió él, con voz suave, y con un dedo siguió la línea de su boca exuberante porque no podía detenerse.

—Ésa no es una respuesta —dijo ella, firme—. No respondas a mis preguntas con evasivas.

—No quiero que tengas miedo, Corinne. No siempre soy el más amable de los hombres. Esos dos tipos esperaban para atacaros a ti y a tu amiga. Uno de ellos, sin duda, participó en la muerte de tu marido. Si se trata de la misma organización que intentó barrer a toda mi familia del mapa en una sola noche, te habrían matado a ti y a Lisa. Buscan a Cullen, cuyo único pecado fue prevenirnos. No siento una particular afinidad con esos individuos.

—Les has hecho frente —aventuró ella. ¿Qué era aquello que Dayan no le contaba? Era imposible que se hubiera enfrentado solo a dos hombres armados y los hubiera vencido—. ¿Vas armado?

—Corinne detestaba las armas, instrumentos metálicos de la muerte.

Él se encogió de hombros, como sin prestarle importancia.

—No necesito un arma para matar —dijo, y decía la verdad—. No tengo ninguna necesidad de llevar un arma.

—Me alegro de oírte decir eso —confesó ella, espirando lentamente.

Él sabía que Corinne lo decía porque no tenía ni la menor idea de qué era él. Un predador, peligroso y poderoso. No tenía necesidad de un arma; él mandaba sobre la tierra y los cielos. Podía hacer que lloviera fuego sobre la tierra o que se estremeciera el suelo bajo sus pies. Con la sola voz podía robarles a los hombres la voluntad. Era un macho carpatiano, un cazador de vampiros. Su fuerza era enorme y su capacidad para mutar de morfología era sólo una de sus tantas habilidades. La suya era una especie en extinción, una raza de hombres destinados a vagar por la tierra interminablemente, buscando la luz que anularía su oscuridad, la única mujer que constituía su otra mitad. Sin esa mujer, perdían su capacidad de sentir, de ver en color, y vivían en un mundo oscuro lleno de sombras donde sólo el recuerdo del honor les ayudaba a abstenerse de seguir el camino del vampiro.

Los susurros insidiosos del poder siempre los acompañaban, royéndoles la conciencia, llamándolos, acechando en ellos, una bestia oscura henchida de lujuria en busca de sangre, un instinto que necesitaba matar sólo para sentir ese placer pasajero. A medida que pasaron los siglos, la mancha oscura creció y se expandió, apoderándose de los machos, hasta que ya no quedaron esperanzas, sólo el hambre siniestro y peligroso.

Durante los primeros siglos, Dayan había reprimido a la bestia con su música y con la poesía que había amado, pero su lucha se había intensificado en los últimos doscientos años.

—Hace muy poco se ha producido un cambio en nuestras vidas. Conoces a todos los miembros del grupo, ¿no?

—A Desari, desde luego, vuestra cantante. Y también están Barack, y Syndil y tú. —Corinne le frotó el brazo, intuyendo su tristeza.

—Y Darius, jefe de nuestra familia y guardaespaldas. El cambio fue bueno para mis hermanos y hermanas, pero no tanto para mí. Primero apareció Julian y reclamó a Desari como su compañera eterna. Luego, Darius encontró a Tempest. Cuando Barack reclamó a Syndil, me quedé solo. Me sentía aislado, Corinne. No puedo explicar lo difícil que fue. Ni lo solo que estaba. —La imagen de todos los demás juntos y felices había dejado a Dayan terriblemente solo. Había vivido una especie de infierno sin ellos. Durante siglos habían convivido como una familia, pero ahora ya no podía mirarlos a la cara. La visión, los ruidos y los olores de las parejas habían hecho su soledad aún más insoportable.

Él era diferente. Él era un peligro para ellos, para las mujeres tanto como para los hombres. Se había fijado en la cautela con que lo miraba Syndil. A ella la había atacado uno de los suyos, Savon, después de haberse convertido en vampiro. Darius acabó con él pero estuvo a punto de sucumbir en la lucha.

Dayan sabía que los demás se preocupaban por él, y le inquietaba no poder sentir nada de nada. Simplemente solo. Solo siempre y para toda la eternidad. No temía a Darius ni su poder como debería haberlo temido. Dayan era el lugarteniente de Darius, y éste observaba con él una estricta fidelidad. En más de una ocasión, se habían dado sangre, cuando uno o el otro desfallecía por una herida en la batalla. Aquello les permitía comunicarse por un cauce privado y también seguirse la pista el uno al otro, sin que importara la distancia.

—No estás solo, Dayan. Nunca pienses eso —susurró Corinne, que experimentaba un doloroso deseo de él. Percibía la soledad implícita en su voz, y buscaba por todos los medios una manera de consolarlo.

Dayan volvió a llevarse los dedos de Corinne a la boca y los besó con un gesto de dulzura, en lugar de ceder a su deseo y estrecharla en sus brazos. Corinne le había cambiado la vida para siempre. Ahora él podría volver con su familia, sin reparos, sin la amenaza de convertirse en vampiro ni de sufrir la persecución y la aniquilación. Nunca tendría que volver a leer sus pensamientos ni constatar cuánto los inquietaba, ni sentir su piedad, su compasión ni sus temores. Ahora sabía cuánto los amaba a todos, en lugar de tener que buscar ese afecto entre sus recuerdos. Todo lo había conseguido Corinne, sólo con estar en el mundo para que él la encontrara. Todos esos largos siglos de espera merecían la pena. Toda la soledad y todo el terrible vacío.

Corinne volvía a darle esperanzas. Nadie estaría totalmente a salvo hasta que ella estuviera unida a él, hasta que se hubiese llevado a cabo el ritual. Sin embargo, ahora Dayan podía respirar más tranquilo. Por fin había encontrado a su Corinne. Ella lo salvaría y, al salvarlo, protegería a cualquiera que él hubiera puesto en peligro.

—Me gustaría poder leer el pensamiento —dijo Corinne, como bromeando—. Tú te quedas muy callado y nunca contestas a mis preguntas. ¿Qué ha pasado con la conversación a propósito de los hombres en mi casa? Para mí, es muy importante saberlo.

—¿Ah, sí? —Su voz era un perfecto susurro, un sonido perfecto—. Creo que eres la persona más importante en mi vida. Me resulta difícil pensar en otra cosa, pero ya que a ti te importa tanto, lo intentaré.

Dayan la miraba como si fuera la mujer más bella de este mundo. Sus ojos oscuros deambulaban por su rostro, posesivos, hambrientos, teñidos por el doloroso deseo, presa de un tormento interior que ella no entendía. La miraba como un hombre mira a una mujer con la que quiere pasar toda la noche haciendo el amor.

—Una eternidad haciendo el amor —corrigió él, demostrando que de verdad podía leerle el pensamiento.

Ella lo miró con ojos desmesuradamente abiertos. Por el cuello le subió el rubor hasta llegar a la cara, tiñéndole de rojo las mejillas. Corinne se dio cuenta de que podía ser una experiencia embarazosa pensar teniendo a Dayan a su lado. Pensaba demasiado en él. Pensaba en cada detalle de su aspecto, en su pelo largo y negro, brillando como el ala de un cuervo, en sus ojos oscuros, intensos y deseosos, en su boca, una pieza de escultura perfectamente cincelada, moldeada y trabajada como una obra maestra de la sensualidad. Riendo a medias, avergonzada de no poder dominar sus pensamientos erráticos, le tapó los ojos con las manos para bloquearlo de su mente.

—No hagas eso, querida —dijo él, como suave reproche—. Nunca hagas eso. No estaría contento si no me encontraras atractivo.

—Eres demasiado atractivo —confesó ella—. No eres real, y yo no suelo tener este tipo de sentimientos todos los días.

—Es un alivio saberlo —dijo él, mostrando sus blancos dientes al sonreír.

—Ahora te ríes de mí —protestó ella, intentando reprimir un bostezo—. Ya casi ha amanecido y no hemos llegado a ninguna conclusión. ¿Has llamado a la policía? ¿Estaremos a salvo si volvemos a casa?

Dayan negó con la cabeza.

—Quizá para recoger unas cuantas cosas, pero no puedes quedarte ahí. Cuando esos dos hombres no vuelvan con los suyos, mandarán a otros para encontraros. Y el primer lugar donde mirarán es en tu casa.

—Eso quiere decir que no llamaste a la policía, ¿no?

—¿Para qué llamarlos? La policía no puede hacer nada contra esta gente. No pueden tocarlos.

—¿Qué has hecho con los dos hombres que estaban en mi casa? ¿Por qué no volverán con los suyos?

—Tenían órdenes de matarte, querida. Supongo que no pensarás que les permitiría irse sin más. —Aquello no era una pregunta sino una afirmación—. Fue un enfrentamiento justo... ellos estaban armados.

Ella hundió los dedos en la masa sedosa de su pelo. Había querido hacerlo desde el momento en que lo vio.

—No tiene sentido lo que dices, Dayan. Me respondes, pero yo no entiendo nada. Estoy cansada. —Sus largas pestañas parpadeaban sin cesar, a pesar de su esfuerzo por mantenerse despierta—. Estoy demasiado cansada para entender lo que dices, con todos los vacíos que hay en lo que cuentas. Pero no te preocupes, soy bastante rapida de entendimiento cuando estoy completamente despierta.

Dayan le apartó el pelo de la cara, y sus dedos se demoraron en una suave caricia.

—Puedes dormirte, Corinne. Aquí estarás a salvo y podremos acabar esta conversación cuando ya no estés tan cansada. El bebé, que es una niña, también necesita dormir. —Había en su voz una ligera presión, una orden oculta para que Corinne cediera a sus ganas de dormir.

Ella le sonrió, contempló sus facciones fuertes y sensuales.

—Eso, una niña. ¿Cómo lo has sabido? —Corinne volvió a reprimir un bostezo.

—Cuando he intentado sanarte, comprobé que su estado de salud es bueno. Es bella, y ya está muy pendiente de ti. —Dayan inclinó la cabeza y su mirada encendida pasó por su rostro hasta llegar a la boca. Siguió hacia abajo, más lento, demorándose en la columna esbelta de su cuello, hasta quedar fijo sobre el pulso que veía latir.

Corinne volvió a sentirse avergonzada de ese calor que todo lo fundía y se le derramaba por el cuerpo. Intentó desviar la mirada. Dayan acercó la mano a su cuello.

—Quiero que me desees, sólo por este instante en el tiempo. —Inclinó su cabeza oscura hacia ella, lenta e implacablemente, hipnotizándola con su mirada hasta que Corinne no pudo respirar. Sus párpados se agitaron, expectantes, y separó ligeramente los labios.

Él se tomó su tiempo, sin prisas en poner fin a ese momento, inhalando su fragancia, acercándola a él, envolviéndola con gesto protector, posesivamente. Sentía las formas de Corinne, suaves y flexibles, dejando que ella se acoplara a las duras aristas de su cuerpo, mientras él disfrutaba de las diferencias entre un hombre y una mujer. Sentía que la sangre se le calentaba, y se permitió a sí mismo ese lujo.

Corinne vio que la expresión de sus ojos cambiaba de un brillo posesivo y sensual a una mirada extraña, parecida a la de un predador. Tuvo la impresión de que unas llamas rojas bailaban en las profundidades de su mirada, y su aspecto le pareció a la vez ferozmente hambriento y amenazador. Antes de que pudiera reaccionar, antes de que pudiera pensar en protegerse, la boca de Dayan encontró la suya y fue sencillamente como si el tiempo se detuviera.

Su boca era suave, incluso tierna, un contraste palpable con la fuerza de sus brazos y sus poderosos músculos. Corinne se sintió sacudida por una descarga eléctrica, una descarga que lo recorrió también a él. Miles de lengüetas de fuego comenzaron a lamerle hasta el último rincón de la piel. La sensación era tan intensa que sólo atinó a aferrarse a él, mientras su boca adquiría vida propia y se igualaba a la de Dayan, por el hambre con que se alimentaba de ella. Los besos largos y embotadores le dieron la sensación de que la cama giraba descontrolada bajo su peso, y que su cuerpo ya no le pertenecía. Estaba envuelta en un fuego implacable, desbordada por un deseo acuciante. Emitió un ligero gemido de protesta, pero con una mano le cogió la espalda para estrecharlo.

Nada en su vida la había preparado para ese vendaval de deseo. Tenía que tenerlo en ese momento. Quería que él la poseyera para toda la vida. Su cuerpo parecía vacío sin él, como si hasta la última célula lo reclamara. Si no hubiera estado encinta, si no hubiera sido un riesgo, se habría entregado por completo a él.

Él estaba por todos lados, anulando la habitación, el espacio, el mundo, estrechando la visión de Corinne hasta que sólo existía Dayan, con su boca perfecta apoderándose de ella, mientras su mano se desplazaba en una suave exploración. Entonces cerró los ojos cuando su beso se hizo más profundo, cuando le cogió el pecho en el cuenco de la mano, apartando la blusa para explorar la vulnerable línea de su cuello.

Su boca llegó hasta la comisura de sus labios, siguió por la curva del mentón hasta la suave garganta. Murmuró unas palabras dulces, como si quisiera calmarla, como si ella fuera a resistirse. En algún rincón de su mente, algo se rebelaba contra su propia conducta, pero no podía moverse, no podía levantar los párpados, y la supervivencia en ese momento no parecía importarle demasiado. Sintió que Dayan barría con la lengua el pulso que latía en su cuello. Con sus manos nervudas, la estrechó aún más. Ella se arqueó y se tensó de deseo, expectante. Él le mordisqueó, suave y provocadoramente, aquel punto que latía, empapándola de un líquido caliente que respondía a su deseo. Corinne sentía que quizá se estuviera ahogando, pero no podía moverse, hipnotizada como estaba por aquella mirada embrujadora.

Un calor intenso al rojo vivo la recorrió de arriba abajo, un placer tan sublime que rayaba en el dolor. Por un momento, Corinne no supo qué diferencia había entre uno y otro. Y luego fue como si se desprendiera hacia un mundo de ensueño, mientras Dayan cedía a su apetito erótico, moviendo la boca sobre su vena pulsante, alimentándose de ella hasta que Corinne creyó que moriría de placer. Con ambos brazos le rodeó la cabeza para apretarla ahí, para mantenerle la boca pegada a su piel.

Dayan oía los latidos de su propio corazón martilleándole en la cabeza, rugiendo como la bestia interior que intentaba liberarse. Las palabras rituales resonaban en su cabeza como un tambor, le llenaban la mente, el corazón y el alma mientras bebía. La sangre de Corinne era dulce y embriagadora, y sintió que el placer se disparaba en su interior como un fuego que ha escapado a todo control. Un fuego que lo consumía. El rugido aumentó hasta que algo en él empezó a inflamarse, clamando, exigiendo, adolorido por el deseo. Susurró su nombre como el talismán que era, se obligó a respirar, a aferrarse a su cordura, para combatir a la bestia rugiente que se manifestaba con sus demandas. Le lamió las dos pequeñas heridas con la lengua y las cerró con el agente curativo de su saliva. Dejó descansar la frente en la de Corinne, mientras luchaba desesperadamente por controlarse del todo.

Ella estaba adormecida y, sin embargo, tenía el cuerpo en llamas, llena de un deseo que dolía y que reducía su mente a imágenes eróticas que se alzaban como llamas danzantes. No quería que él la dejara de esa manera, con el cuerpo latiendo y reclamando el suyo y, aún así, no podía reunir la fuerza suficiente para mover los brazos. Le pesaban como el plomo, hasta que cayeron como si hubieran renunciado a Dayan y quedaron inmóviles sobre las sábanas.

Cuando consiguió levantar un poco los párpados, sólo vio los ojos de él, aquellos ojos duros que la observaban con una añoranza terrible, y un deseo igualmente terrible. Intentó hablar, y unas lágrimas le quemaron bajo las pestañas y le dejaron un nudo en la garganta. Quería borrar para siempre esa mirada de su rostro. Dayan parecía estar tan solo, tan horriblemente solo, con esa tristeza que le marcaba las arrugas de la cara, ese vacío en los ojos.

Corinne hizo un esfuerzo supremo y alzó una mano para acariciarle la boca con la yema de los dedos. *No estés tan triste, Dayan. No me voy a ningún sitio.* Sólo podía pronunciar mentalmente las palabras porque estaba demasiado cansada para hablar. Sus párpados ya volvían a cerrarse.

Dayan le cogió la mano y acercó la boca a sus nudillos, como sorprendido por algo. No le había dado a beber su sangre y, sin embargo, ¡la conexión entre ellos era muy fuerte!

Nunca dejaré que me dejes, Corinne, ni siquiera con la muerte. Tampoco consentiré que te hagan daño alguno.

Ella guardó ese último pensamiento mientras sucumbía a la necesidad de dormir. Dayan la observó largo tiempo mientras el sol comenzaba a alzarse sobre el horizonte. Le sostuvo la mano y se contentó con respirar de ella, memorizó la forma de su mejilla y el batir de sus pestañas, recuerdos que llevarse a las entrañas de la tierra. Murmuró una orden con palabras suaves y, muy a su pesar, la dejó, justo cuando el sol manchaba la oscuridad y el cielo adquiría un tinte gris plateado.

Capítulo 4

Rina, despiértate. —Lisa estaba inclinada sobre la cama y no paraba de sacudir a Corinne. Cuando miró a Cullen, en sus grandes ojos azules había un dejo de inquietud—. No consigo despertarla. No puedo creer que me haya dormido anoche y me haya pasado casi todo el día durmiendo. Dejé que Corinne se ocupara de todo, a pesar de que está tan delicada.

—No te preocupes —le dijo Cullen, con ánimo de calmarla, mientras le tomaba el pulso a Corinne—. Dayan volvió anoche y es probable que haya hecho algo para curarla. Sólo necesita dormir. Mira, Lisa. Tiene el pulso fuerte.

—Quiero que se despierte —dijo ella, que estaba al borde de las lágrimas.

Corinne, que yacía sepultada entre capas de niebla, reconoció la voz de Lisa y, por su larga experiencia, supo que estaba muy inquieta. Por una cuestión de costumbre, Corinne respondió a la llamada de su amiga, luchando para salir a la superficie cuando, en realidad, quería dormir. De pronto, el corazón se le aceleró. ¿Qué diablos le estaba ocurriendo? Todo el cuerpo le pesaba como el plomo, y no *quería* despertarse. En su mente le daba vueltas y vueltas a esta información intentando darle algún sentido. Corinne se concentró en su mano, en sus dedos, en cada uno de sus músculos. Era extraño sentirse tan desconectada de su propio cuerpo.

Lisa tragó saliva y se inclinó. Le cogió una mano a su amiga.

—Ha movido los dedos, Cullen. Creo que se está despertando. Rina, venga, chica, despiértate —dijo, para darle ánimos.

Corinne oyó la voz con más claridad, como si hubiera una capa menos entre ella y el mundo. Hizo un esfuerzo para abrir los ojos. Tenía que abrirlos. Se obligó a concentrarse todavía más, poniendo en ello toda su fuerza de voluntad. Era curioso, pero ahora estaba segura de que algo se lo impedía, y le ordenaba seguir durmiendo. Eso le daba todavía más ganas de despertarse.

—Así, venga, Corinne. Puedes conseguirlo. ¿Estás enferma? —Lisa se inclinó por encima de ella y le sacudió suavemente los hombros—. Por favor, despiértate, empiezas a asustarme.

Corinne hizo un esfuerzo supremo y sus párpados aletearon un instante antes de que lograra abrirlos. Se encontró con la cara de Lisa, cuya expresión reflejaba toda su ansiedad. Corinne se obligó a sonreír, a pesar de que lo único que deseaba era acurrucarse y desaparecer bajo las mantas.

—He estado despierta toda la noche, cariño. Sólo tengo mucho sueño.

—Nunca duermes así. No podía despertarte. No has tomado pastillas para dormir, ¿no?

—Claro que no. Estoy embarazada. Nunca haría algo así. —Costaba entender lo que Corinne decía por su manera de arrastrar las palabras. Los párpados se le cerraban solos, y se dio la vuelta en la cama, enrollándose entre las almohadas—. Sólo estoy cansada, Lisa.

—¡Rina! —le ordenó Lisa, con voz seca—. No te atrevas a volver a dormirte o te juro que te llevaré a un hospital. —En la voz de Lisa asomaba una alarma genuina.

Corinne suspiró lentamente.

—Estoy despierta. Te juro que estoy despierta.

—¿Viste a Dayan anoche? —Con gesto muy decidido, Lisa se sentó en el borde de la cama y se apoderó de la mano de Corinne. No estaba segura de querer ver a Dayan cerca de su amiga. El aspecto de Corinne era frágil, estaba pálida, más vulnerable de lo que Lisa la había visto nunca, incluso después de la muerte de John. Le dieron ganas de cogerla y volver corriendo a casa. De pronto, tuvo mucho miedo de Dayan. Daba la impresión de que ejercía una especie de influencia mágica sobre su amiga. ¿Cómo, si no, explicar su conducta? A Corinne nunca le impresionaban los hombres, ni la fama, ni el dinero, ni la moda. Corinne siempre era la roca a la que ella se arrimaba, la voz lógica de la razón. Dayan era demasiado atractivo y talentoso para confiar en él, demasiado rico; un extranjero demasiado encantador con las mujeres.

Tenía que reconocer que Dayan no tenía reputación de mujeriego. Ni siquiera los diarios sensacionalistas habían sido capaces de explotar ninguna proeza sexual suya. Sus apariciones en público no estaban ni programadas ni publicitadas, y la mayoría de reporteros que habían intentado conseguir entrevistas o tomar fotos habían escrito sobre lo difícil que era obtener datos acerca de su vida. Corinne había leído todos los artículos que podía conseguir porque había sido una gran admiradora del grupo y porque le había confiado a Lisa esa información. Y ahora ella quería volver atrás en el tiempo y no haber invitado a Corinne a ese bar.

Lisa frunció el ceño. Sin embargo, estaba Cullen. Lisa pensaba que Cullen era de verdad un hombre excepcional, nada de peligroso ni misterioso, ni tampoco de los que le roban el corazón a una mujer y la dejan fría.

—¿Qué ocurre, cariño? —murmuró Corinne. Su voz sonaba perezosa, somnolienta, muy sensual.

Lisa nunca se había percatado de ese detalle en Corinne. Nunca había pensado en ella como una mujer sensual. Observó la cara de su amiga, la miró detenidamente. Tenía los ojos cerrados, la expresión de su rostro era serena, y las largas pestañas eran dos crecientes negros en su rostro. El pelo abundante y sedoso se derramaba a su alrededor como un halo. Corinne en su reposo era la imagen misma de la inocencia y, a ojos de Lisa, una mujer bella. Era casi como si la viera por primera vez. La veía tal como Dayan la había visto.

—Quiero irme a casa. Me has asustado, Rina, cuando no podía despertarte. Quiero ir contigo al médico para saber que opina de este embarazo. —Lisa se pronunció con toda la firmeza posible.

—Estoy demasiado cansada —protestó Corinne, con voz queda—. Déjame dormir unas dos horas más y ya decidiremos qué hacer —sugirió, y se cubrió con las mantas hasta el mentón.

Lisa miró a Cullen.

—Nunca duerme durante el día. Lo digo en serio, Cullen, Corinne debe estar enferma. Quizá debiéramos llevarla a un hospital.

Corinne se despertó lo suficiente para abrir sus largas pestañas y mirar a Lisa.

—No estoy enferma… De hecho, estoy respirando con más facilidad de lo normal. Me he quedado despierta toda la noche, no es más que eso. ¿Qué hora es?

—Son casi las seis y media.

—Entonces, ¿por qué me despiertas? —preguntó Corinne, con un gruñido—. Sólo a un loco se le ocurriría levantarse tan temprano. Creo que me he ido a dormir a las seis.

—Son las seis y media de la tarde —recalcó Lisa—. Has dormido todo el día. —Lisa no dijo que ella había pasado la mayor parte del día en cama, acurrucada con Cullen en la otra habitación. Lisa sólo quería volver a casa, cerrar la puerta y dejar fuera el resto del mundo.

Corinne la miró pestañeando, sorprendida. Se obligó a sentarse, abriendo y cerrando los ojos mientras escudriñaba esa habitación nada familiar.

—No puedo creer que sea tan tarde. —Corinne se pasó una mano por el pelo negro y espeso y miró a Cullen—. Lisa siempre se preocupa por mí, pero, de verdad, estoy perfectamente. No sé por qué he dormido tanto —dijo. Todavía se sentía agotada, y le pesaban los brazos y las piernas. Sólo deseaba volver a dormir.

Cullen la miró sonriendo.

—Lisa se ha asustado porque no conseguía despertarte. ¿Te gustaría comer o beber algo? Podría prepararte una taza de té o un café —sugirió.

—Cullen hace un té excelente —confirmó Lisa—. Y a ti te encanta el té, ¿verdad?

—Sería estupendo —asintió Corinne. Lisa miraba a Cullen con el corazón en los ojos, algo que ella nunca le había visto hacer con nadie. No le sentaria mal beber una taza de su té para complacerla.

—¿Dónde está Dayan? —Intentó que su pregunta sonara indiferente, pero no debió salirle como quería porque Lisa le lanzó una mirada irritada, y Corinne no pudo evitar sonrojarse.

—¿Qué fue lo que ocurrió anoche, exactamente? —preguntó Lisa, con un silbido de voz, cuando Cullen salió—. ¿No crees que ya corres suficiente peligro como para enrollarte con una estrella del rock?

—No es precisamente rock lo que toca —alegó Corinne, con un dejo de malicia.

Lisa respondió frunciendo el ceño.

—¡No bromees con este asunto, Corinne! No tiene nada de divertido. Sabes muy bien que siempre has sentido aversión por aparecer bajo los focos. ¿Qué crees que ocurrirá si empiezas a ir de un lado a otro con ese hombre? A los diarios sensacionalistas les fascinan las personas como él. Olvídalo.

Corinne se inclinó y le cogió suavemente una mano a Lisa.

—Esto no tiene nada que ver con Dayan, ¿no? No voy a morir, Lisa. Te lo aseguro. Sabes que soy una luchadora. Este bebé será parte de nosotras, de las dos, de nuestra familia. No me vas a perder.

En los ojos azules de Lisa no tardaron en asomar las lágrimas. Cerró los dedos con fuerza en torno a la mano de Corinne, como si al estrecharla estuviera manteniendo a raya a la muerte.

—Siempre sobreestimas tus fuerzas, Rina, es cierto. Incluso John lo decía. Yo también quiero al bebé, pero no a expensas de tu vida. No quiero quedarme sola. No podría soportarlo. Ya he perdido a John. —Descansó la cabeza en el regazo de Corinne, buscando consuelo. Por primera vez, sintió que el bebé estaba ahí, entre las dos. Movió la cabeza y la apoyó sobre la ligera protuberancia—. Se está moviendo —dijo, como embelesada.

—Ya da patadas —confirmó Corinne, y le acarició el pelo a Lisa—. Es una niña, Lisa. Ya verás, estaré bien. Sé que puedo hacerlo. Deseo mucho tener este bebé.

—Lo siento, Rina. No quería decir nada malo acerca del bebé. Yo también lo quiero, de veras. Quiero emocionarme. Ella será lo único que me quede de John, pero también te quiero a ti. No soporto la idea de que algo te ocurra. Estoy segura de que Dayan es una muy buena persona. Eso dice Cullen. Y no tiene reputación de mujeriego. No era mi intención insinuar eso. Y no sé por qué he dicho todas esas sandeces —gimió Lisa, avergonzada de sí misma.

—Lo sé, Lisa —dijo Corinne, con voz apaciguadora—. Tienes miedo de perderme. Pero, en realidad, no me voy a ir a ninguna parte. Tendrás que creerme, pero estaremos bien. Después de lo ocurrido con John, es natural tener miedo de perder a alguien de la familia, pero eso no ocurrirá. Soy muy fuerte. Me siento mejor de lo que me he sentido en años.

Lisa se incorporó lentamente. Respiró hondo y miró a Corinne con una sonrisa tímida.

—Entonces, ¿anoche había de verdad alguien en nuestra casa? Cullen no me dijo ni que sí ni que no. —Miró hacia la puerta y bajó la voz—. Me pareció un poco raro que no quisiera llamar a la policía ni volver a ayudar a su amigo. ¿A ti no?

Corinne se apoyó contra la cabecera de la cama. Empezaba a despertarse, y aquella sensación pesada y soporífera ya se desvanecía.

—Dayan habló de eso conmigo anoche, Lisa. Cree que las dos corremos peligro porque nos buscan los mismos hombres que mataron a John.

Lisa guardó silencio un momento.

—Sabes más sobre la muerte de John de lo que das a entender, ¿no? —le preguntó, y se miró las manos—. Nunca me lo has contado porque yo nunca hago preguntas. Soy como un avestruz.

—Tú no eres ningún avestruz —negó Corinne, con voz amable, reprimiendo una sonrisa—. Eres una mujer joven y guapa que vivió demasiados traumas en su infancia. John y yo nos acostumbramos a protegerte.

—Tenemos la misma edad —señaló Lisa—, pero tú eres la que siempre se ha ocupado de los pequeños detalles de nuestra vida. Has tenido que superar los mismos traumas que yo, y encima tienes un problema con el corazón. John era mi hermano, pero también era tu marido. Las dos lo amábamos. Las dos lo perdimos. ¿Por qué me porto como una cobarde ante las cosas de la vida? ¿Por qué tengo tanto miedo de escuchar cosas que me puedan alterar? Por eso no me contaste lo que sabías acerca de John, y por eso no me contaste lo del bebé. Temías que me derrumbara —dijo, y se miró las manos—. Creo que me habría derrumbado.

—Lisa,... —Corinne pronunció el nombre con voz serena—. Eres demasiado dura contigo misma. Siempre te has preocupado por mí y solías encargarte de todos los trabajos que creías que eran demasiado pesados para mí. Trabajamos como un equipo, siempre lo hemos hecho. No te he hablado de mis sospechas acerca del asesinato de John porque son precisamente eso, sospechas. John y yo somos... —dijo, buscando la palabra correcta— diferentes.

Lisa hundió la cabeza entre los hombros, avergonzada.

—Y yo nunca quise saber nada de ello. Nunca lo quise, porque…
—dijo, y su voz se desvaneció.

—Porque te daba miedo. —Corinne acabó la frase por ella.

Lisa sacudió la cabeza con gesto enérgico.

—Me hacía sentirme como marginada. Creaba un vínculo entre John y tú al que yo no pertenecía. Siempre estábamos juntos. Yo quería que John te amara porque tenía miedo de que viniera alguien y te robara. Yo fui la que te convencí de casarte con él, ¿lo recuerdas? Tú le dijiste que no muchas veces, pero yo lloré, armé escándalos y me porté como una niña. Tenía miedo de que ya no volviéramos a estar juntos. Durante un tiempo me sentí perdida, como si no pudiera respirar. Ahora me siento igual. Todo está tan disperso. John está muerto. Sé que tu corazón te ha dado problemas últimamente. He visto que respiras con dificultad, y que tomas más medicamentos. Ahora vas a tener un bebé, y por primera vez en tu vida hay alguien que te interesa de verdad. —La última frase fue casi una acusación.

Corinne sentía el dolor de Lisa. El mundo a su alrededor estaba cambiando muy rápido, y daba miedo pensar en todos los peligros que afrontaban. No podía culparla por tener miedo o por querer que las cosas volvieran a ser como antes.

—Yo quería mucho a John, Lisa. No pienses ni por un instante que no lo quería. Quizá no era una relación romántica ni apasionada, pero yo lo amaba profundamente y nunca me arrepentiré de lo que teníamos. No quiero que pienses que me sentí obligada a casarme con él. Estoy ilusionada con lo del bebé, pero también estoy nerviosa. Y conocer a Dayan ha sido algo inesperado. No sé qué siento hacia su persona. No sé por qué respondo de esa manera ante él. —Respiró hondo y miró a Lisa—. Da miedo. Yo también tengo miedo.

Lisa tragó con dificultad e hizo acopio de valor.

—Cuéntame qué crees que ocurrió… por qué alguien querría matar a John.

—John fue a la universidad a hablar con un profesor acerca de su don —dijo Corinne, mirando a Lisa fijo a los ojos—. Ya sabes a qué me refiero. De su capacidad para predecir ciertas cosas antes de que ocurrieran. —Cogió la mano de Lisa entre las suyas—. Así fue cómo conseguimos salvarte. John sabía que estabas en peligro, y yo abrí el maletero del coche. —Corinne cerró los ojos al recordar la imagen del cuerpo maltratado de su madre tumbada junto a Lisa. Sintió que el corazón le daba un vuelco y se obligó a apartar de su mente aquellos tristes recuerdos—. De la universidad lo mandaron al Centro Morrison, especializado en la investigación de fenómenos psíquicos. John era un convencido de que teníamos que usar nuestros dones para ayudar a otras personas.

—Por mí. Porque me salvasteis la vida —dijo Lisa, con voz queda.

—John pensaba que quizá pudiera salvar a otros —confirmó Corinne, con su voz serena—. Pocas semanas después, me dijo que creía que lo seguían. Se volvió muy circunspecto. Tú viste cómo cambió. Esa mañana salió para encontrarse con alguien. Estaba nervioso, crispado, y no me quiso decir por qué. No sé si había empezado a trabajar con ellos y luego descubierto que hacían algo ilegal. Ya conocías a John; habría querido ir a la policía. Dayan sospecha que los que le asesinaron forman parte de una organización de fanáticos que creen en la existencia de los vampiros.

Lisa se la quedó mirando con expresión de asombro, un asombro que quedó patente en la forma redonda de su boca y en sus enormes ojos azules.

—¡Corinne! ¡No puedes creer tamaña insensatez! Ese tipo está loco. ¡Vampiros! Dios me libre, Corinne, ¡debe estar enfermo de la cabeza!

—Dayan tiene razón —dijo Cullen, que acababa de entrar en la habitación con dos tazas de té humeante—. Yo pertenecí a esa organización durante un tiempo. Investigan a cualquiera que manifieste poseer algún poder paranormal. La mayoría de los rangos inferiores no son más que chavales que adoran las historias góticas y que fingen creer en los vampiros. Para ellos, todo es un juego muy divertido, pero la información que proporcionan a menudo es crucial para saber a quién se investiga. Los cabecillas se toman muy en serio lo de acabar con cualquiera que, en su opinión, sea un vampiro. Lo hacen de manera ritual. Una estaca en el corazón y un ajo en la boca; luego lo decapitan y toda la historia. Esos tipos son unos fanáticos y, además, unos asesinos.

Lisa lo miraba, horrorizada.

—¿Tú formabas parte de una organización tan absurda? ¿Y por qué?

—Creo que los vampiros existen —reconoció Cullen—. Yo mismo vi uno—. Mantuvo la mirada fija en Lisa, esperando ver su asombro, esperando su censura. Creyendo que su oportunidad con ella estaba perdida.

Corinne y Lisa intercambiaron una larga mirada. De pronto, fueron muy conscientes de que estaban solas en una casa con un hombre que no conocían demasiado bien. Y que, por lo que parecía, estaba muy enfermo. La noche anterior, mientras le hablaba Dayan, todo había tenido mucho sentido para Corinne. Pero ahora todo parecía una locura.

Cullen les pasó a cada cual una taza de té.

—No me miréis de esa manera. Sé lo que estáis pensando, pero no estoy loco. Hubo un tiempo en que pensé que estaba perdiendo la razón. Hace muchos años, cuando estaba prometido, mi novia y yo salimos a cenar. En esos días, había un asesino en serie suelto por la ciudad. Sus víctimas eran mujeres, que aparecían siempre desangradas. A mi novia la mataron esa noche, y yo lo presencié. Vi cómo la mordía en el cuello y le chupaba toda la sangre. Lo vi con mis propios ojos. También me habría matado a mí, pero algo lo interrumpió. —Se dio con el dedo índice en la palma de la mano—. Vi cómo la mataba. Nadie quería creerme. No había bebido. No tomo drogas ni medicamentos, pero la policía quería encerrarme en un psiquiátrico en lugar de escucharme. Los de la organización sí me escucharon. Lamentablemente, mi rabia y mi terror me granjearon el acceso al círculo íntimo del grupo. —Cullen intentaba no hablar con amargura pero, a pesar del tiempo transcurrido, todavía sentía el dolor de aquellos momentos. Miró directamente a Lisa—. Te juro que no estoy loco. Vi a un monstruo. Lo vi con mis propios ojos.

En su rostro se dibujó una expresión de total vulnerabilidad, muy triste. Lisa tenía ganas de llorar. Sentía un verdadero dolor en el pecho. Era lo único que podía hacer para no correr hacia él y consolarlo. No sabía de qué había sido testigo Cullen esa noche, pero era evidente que creía haber visto un vampiro.

—Sé que no estás loco, Cullen —dijo, con voz calmada.

Cullen se la quedó mirando un momento y luego parpadeó varias veces, como luchando contra una fuerte emoción. Cuando apartó la mirada, Lisa advirtió el brillo de las lágrimas en sus ojos y sintió un horrible nudo en la garganta. Se alegraba de no haberse precipitado a censurarlo. Fuera lo que fuera lo que viera esa noche, había cambiado su vida para siempre. Lisa ya sabía algo acerca de los traumas que engendra el asesinato de un ser querido.

Lanzó una mirada llena de aprehensión a Corinne, y vio que ésta la miraba pensativamente. Sin motivo alguno, Lisa se dio cuenta de que se había sonrojado.

—¿Qué?

—A mí no me vengas con «qué» —dijo Corinne y tomó un trago de té—. Hmmm, qué bueno está. Gracias, Cullen. Creo que me has hecho revivir. Juro que estaba tan dormida que creí que nunca podría levantarme. —Se llevó la mano al cuello para tocarse un punto, justo sobre el pulso, donde sintió una repentina calidez, como si Dayan la hubiera rozado con la boca.

—¿Estás segura de que no deberíamos llevarte a un médico, sólo para estar seguras? —preguntó Lisa, con un dejo de ansiedad.

—Lo creas o no —dijo Cullen—, yo a veces me despierto con esa sensación a media tarde. De hecho, tengo que volverme a dormir. Creo que cuando te lías con músicos, empiezas a quedarte despierto casi toda la noche y luego comienzas a dormir como un murciélago. He visto a Dayan estarse toda la noche tocando la guitarra. Cuando toca, soy incapaz dar media vuelta y dejar de escuchar. No paro de decirme que debería ir a dormir, pero, al final, no me marcho. He visto una casa llena de gente quedarse toda la noche así, sin tomar siquiera un trago. Sencillamente no se van a casa hasta que él deja de tocar.

—Anoche —dijo Corinne—, nadie se acercó a Dayan cuando bajó del escenario y luego bailamos. La gente se apartaba y lo dejaba pasar. Nadie le pidió el autógrafo, nadie intentó hablar con él, ni siquiera las chicas se acercaron a flirtear con él. Cuando salimos, nadie hizo el menor intento de detenerlo. Explícame por qué.

—Yo también me di cuenta de eso —anotó Lisa—. Estaba segura de que lo aplastarían, pero nadie se le acercó.

Cullen se encogió de hombros.

—Él es así. No puedo explicarlo, pero lo he visto muchas veces. La gente va a un sitio porque quiere conocerlo; todas las mujeres hablan de ello en la barra o mientras bailan. Yo las he oído, las he visto hacerlo. Flirtean descaradamente mientras Dayan está en el escenario, pero cuando deja la guitarra, cuando termina de tocar, siempre hace lo mismo. Mira al público una sola vez y baja del escenario. Jamás se le acerca nadie. Creo sinceramente que tiene un aspecto que aterroriza a todo el mundo. A mí me asusta mucho cuando me mira de cierta manera. También he pensado que quizá tenga ciertos poderes psíquicos y sencillamente le advierta a la gente que lo dejen en paz. —Se giró y miró a Lisa—. ¿Tú querías conocerlo? —Daba la impresión de que aguantaba la respiración mientras esperaba su respuesta—. ¿Por eso fuisteis al bar anoche?

Lisa sacudió la cabeza.

—Yo quería darle una sorpresa a Corinne. Le fascina la música y siempre habla de los Trovadores Oscuros. Un amigo me llamó para decirme que Dayan iba a tocar.

Cullen frunció el ceño.

—¿Un amigo?

Lisa sonrió.

—Bruce, un socio que trabaja conmigo. Es verdad que hice una broma acerca de la posibilidad de conocer a Dayan, pero una vez que entré en el bar lo único en que atinaba a pensar era... —dijo, y no siguió, porque se sonrojó violentamente.

Corinne le dio un codazo en son de broma. Lisa le lanzó una mirada feroz por encima de su taza de té, indicándole que se callara. Corinne le respondió con una mueca. Cullen las miró a las dos y no pudo evitar una leve sonrisa.

Corinne iba a decir algo para seguir provocando a Lisa, pero de pronto las palabras se desvanecieron de su mente. Todo se borró, excepto la conciencia de que Dayan estaba presente. Sentía el peso ardiente de su mirada. Se giró lentamente, sabiendo que estaba en la puerta. Un momento antes, el vano estaba vacío y, al siguiente, lo tapaba con su enorme cuerpo. Ahí estaba, en total silencio, con la mirada hambrienta fija en ella.

El corazón se le desbocó enseguida y comenzó a dar unos martillazos alarmantes. Corinne se pasó una mano por el pelo despeinado. Dayan tenía un aspecto impecable. Elegante. *Peligroso.* Tan sensual que le quitó el aliento, hasta que se dio cuenta de que lo miraba sin poder remediarlo. Embobada. Dayan no apartaba su oscura mirada de ella, con sus ojos intensos y hambrientos. Era tal como ella lo recordaba de la noche anterior. Todas sus resoluciones salieron volando por la ventana. ¿Cómo era posible tener ese aspecto y no ser un dios de la mitología griega?

Una sonrisa lenta le curvó la boca cincelada como una escultura, realzando su sensual magia negra.

—*Estoy leyendo tu pensamiento.* —Su voz rozó las paredes de su conciencia, suave como el terciopelo y muy íntima. Pura tentación.

Por un momento, Corinne sólo atinó a mirarlo, parpadeando, impotente, sintiendo que un escalofrío la estremecía. La ilusión de encontrarse a solas con él, con sus brazos musculosos estrechándola, era tan intensa que por un instante olvidó que Cullen y Lisa estaban ahí con ella.

—Sólo te pido que pares. —Su voz no era la de siempre sino, más bien, una invitación abierta.

Lisa se la quedó mirando, boquiabierta, incapaz de creer lo que veía, y Cullen carraspeó discretamente, lo cual llamó la atención de Corinne. Dayan la miró enseñando sus dientes blancos.

—*Te has metido en un lío.* —Se estaba riendo de ella, pero en sus ojos brillaba una calidez insondable.

—Eres un presumido —dijo Corinne, en voz muy baja, provocadora.

Lisa cruzó con Cullen una mirada de no entender nada y se encogió de hombros. Dayan no había dicho ni una palabra, pero era evidente que él y Corinne se comunicaban de una manera muy extraña. Lisa intentó no sentirse marginada, y procuró no rendirse a los celos al ver cómo Corinne miraba a Dayan. También intentó borrar de su cara esa expresión de estupefacción. Corinne nunca había mirado a nadie como ahora miraba a ese músico.

Dayan entró en la habitación como si flotara, como una sutil ondulación de músculos. Tranquilo. Silencioso. Letal. Había algo que daba miedo en él y que nadie podía definir. Irradiaba peligro. Salvaje. Indomable. Sin embargo, era un hombre elegante, incluso fino. Corinne le sonrió y en un lado de la boca asomó un hoyuelo. Lo vio cruzar la habitación sin esfuerzo, y sus movimientos estaban tan perfectamente coordinados que parecían poesía pura.

Entonces se inclinó, tomó posesión de su mano y se llevó los nudillos a su cálida boca.

—¿Has dormido? —, le preguntó, y la mordisqueó apenas, jugueteando.

Dayan sabía que Corinne había dormido profundamente. Ella se percató de forma instintiva. Le miró aquellos rasgos cincelados de la cara.

—Tú deberías saberlo. —En parte, era una suposición, pero Corinne empezaba a alarmarse ligeramente. ¿Era capaz Dayan de obligarla a obedecer? ¿A influir en su reacción ante él? Ella tenía un talento especial. Y si ella podía hacer cosas que no eran habituales, ¿por qué no iba a poder Dayan?

En sus ojos negros se adivinó cierta diversión.

—*Claro que puedo hacer esas cosas. Pero no tengo necesidad ni quiero forzar tu reacción hacia mí. ¿De qué serviría eso? Eres mi auténtica compañera eterna, la luz de mi oscuridad. Sería abominable obligarte a obedecer.*

Ella le lanzó una mirada enfurecida, señal de que no le hacía ninguna gracia.

—*Deja de hablarme mentalmente y habla en voz alta. Es muy desconcertante.* —Intentó pensar en las palabras, imaginarlas y luego lanzárselas por el mismo cauce mental que él utilizaba.

—*Esta manera de comunicarse es tan natural para mí como respirar, pero, si insistes, hablaré en voz alta.* —Dayan parecía más divertido que nunca—. Buenas tardes, Lisa, espero que hayas dormido bien. Corinne parece descansada —dijo, con voz suave y sumamente amable.

Lisa intentó no mirarlo. Veía que reclamaba a Corinne. Les estaba haciendo saber a todos sus intenciones. Se veía su gesto posesivo en la manera de tenerle la mano a Corinne, en su manera de mirarla, hasta en su manera de estar. Muy masculino. Territorial. La palabra se le ocurrió de repente. Había algo en él en lo que Lisa no confiaba del todo. Dayan era demasiado *indomable*. Respiró hondo y miró a Cullen en busca de protección.

Éste le sonrió para darle ánimos mientras hablaba con su amigo.

—Es temprano para ti, Dayan. Nos hemos levantado hace sólo un rato.

Corinne movió la muñeca, un movimiento sutil para recuperar su mano. Él se inclinó hacia ella con toda su imponente figura.

—No te estás tomando el té, querida. El té de Cullen es muy bueno.

Cullen arqueó una ceja.

—Es todo un cumplido.

Lisa se acercó más a Cullen, y le dejó sitio a Dayan para que se sentara en la cama.

—Rina me ha contado que anoche encontraste a dos hombres en nuestra casa. ¿Es verdad que corremos peligro?

—Me temo que sí, Lisa —respondió Dayan, con voz queda—. No te preocupes. Cullen y yo somos perfectamente capaces de protegeros a ti y a Corinne —afirmó, y luego paseó la mirada por la habitación—. Aunque prefiero llevaros a un lugar más fácil de defender.

—¿Qué quiere decir eso de defender? —preguntó Lisa, que ya sospechaba algo. Miró a Corinne—. Mi hermana está embarazada. No puede viajar por todo el país —dijo, esperando espantarlo.

—Soy muy consciente del embarazo de Corinne —replicó Dayan, tranquilo—. No te preocupes, Lisa. Te prometo que siempre pondré la salud y la felicidad de Corinne por encima de todo. Jamás permitiría que le ocurriera nada malo. —Dayan posó sus ojos negros en Cullen—. Tengo familia. En estos momentos el grupo está desperdigado, pero los he llamado y vendrán a reunirse con nosotros. He tomado contacto con Darius anoche y enviará a uno de nuestros grandes curanderos. Creo que deberíamos ir a su encuentro. —Miraba fijamente a Cullen, pero no lo empujaba mentalmente a aprobar su plan. Por el momento, se mostraba discreto.

Cullen le cogió la mano a Lisa.

—Con Darius y los demás sería imposible que os hicieran daño a ti o a Corinne. Estoy de acuerdo con Dayan. Creo que deberíamos irnos.

Lisa retiró su mano.

—Yo trabajo. Mañana tengo una sesión de fotos con uno de los mejores fotógrafos del país. He firmado un contrato con una empresa de cosméticos para hacer publicidad. Puede que a vosotros no os parezca gran cosa, pero me tomo mi trabajo muy en serio. Esta gente cuenta conmigo. No puedo ir y largarme sin más. Y Corinne tiene que estar cerca de sus médicos, que conocen su caso. —Miró a Corinne antes de seguir—. Quiero ir a la policía, Rina. No podemos dejar que otras personas manejen nuestras vidas ni nos metan tanto miedo como para abandonar todo aquello por lo que hemos trabajado. No hemos visto a nadie en nuestra casa. Ni siquiera estoy segura de que hubiera alguien. ¿Y tú?

Era la primera vez que Corinne veía a Lisa adoptar una postura clara sobre algo. Era evidente que estaba profundamente convencida de lo que decía. Corinne creía que, efectivamente, alguien las había esperado en la casa para hacerles daño. Creía que eran los mismos que habían matado a John. Lanzó una mirada a Dayan. Su expresión no había cambiado, pero algo en él la hizo vacilar. Era una impresión de amenaza. De algo despiadado. La línea implacable de la boca, quizá algo en sus ojos, si bien no podía decir con exactitud qué era. Se estremeció inesperadamente. Esa amenaza, más que cualquier otra cosa, le decidió a dar su apoyo a Lisa.

—La verdad, Lisa, es que creo que sí, que había alguien en la casa, y estoy segura de que corremos peligro. Pero si tú quieres resolver la situación acudiendo a la policía, eso haremos. —Corinne observó a Dayan con cautela al dar su respuesta.

Él la escrutó con sus ojos negros y luego se quedó pensativo. Corinne alzó el mentón como gesto de desafío. Dayan no significaba nada para ella. ¿Qué pensaba hacer?

Un brillo de diversión asomó en el fondo de los ojos de él mientras le leía el pensamiento.

—*Yo lo soy todo para ti, querida. Ya lo descubrirás con el tiempo, y puedo hacer mucho si es necesario.* —Sus palabras le rozaron el pensamiento, como una sensual caricia aterciopelada, palabras envueltas en su cálido sentido del humor. Con los dientes, Dayan le rascó los nudillos con suavidad, casi con ternura.

—Creo que es precisamente lo que deberíamos hacer —dijo Lisa, lanzándole una dura mirada de triunfo a Dayan. Si éste se pensaba por un momento que ella lo dejaría venir y adueñarse de la vida de Corinne sólo porque era músico y porque era atractivo, se llevaría una buena sorpresa.

Dayan encogió sus anchos hombros con un movimiento perezoso. No había querido someter a Lisa al efecto hipnotizante que solía emplear con los humanos. Ahora pensaba que quizá se había excedido. Llevada por su instinto protector y por su miedo de perder a Corinne, Lisa empezaba a reaccionar contra él con abierta hostilidad. Corinne amaba a Lisa y la consideraba parte de su familia. Pero él no podía dejar que Lisa adoptara una actitud tan antagonista hacia su persona.

—Lisa. —Dijo su nombre muy tranquilamente, con voz suave, exigiendo su atención. Había algo hipnótico en su voz, algo imposible de ignorar.

—Dayan. —Cullen quiso protestar.

Lisa no pudo apartar la mirada de esos ojos negros que la solicitaban. Eran unos ojos vacíos, insondables. Se dio cuenta de que se deslizaba lentamente hacia ellos. ¿Por qué tenía miedo de Dayan? Éste sólo pensaba en lo que más le convenía a ella. Se había propuesto proteger a Corinne con su propia vida, y la protegería a ella. Era alguien en quien podía confiar, de eso no había duda. ¿Por qué había desconfiado de él? Todo lo que decía era verdad. Se encontraban en medio de un peligro extremo y tenían que escapar con él.

Corinne, que de pronto se había puesto furiosa, quiso pasar junto a Dayan y coger a Lisa por los hombros, porque intuía que aquellos ojos negros ejercían alguna influencia mágica. Seguro que era un hechicero malvado empeñado en que las cosas se hicieran a su manera. Pero Dayan le impidió actuar, sólo un sutil movimiento del cuerpo que casi no fue un movimiento. La rodeó por los hombros con los brazos y la atrajo contra su pecho.

—¿Y qué piensas hacer, querida, levantarte de la cama y echar a correr? Esos días se han acabado. —Tenía los labios muy cerca de su nuca, y su aliento cálido le agitó los rizos del pelo, lo cual provocó un terremoto menor en alguna parte profunda de Corinne.

Ésta se obligó a inclinarse hacia delante y a apartarse de él. Sabía que había utilizado sus habilidades psíquicas para influir en la decisión de Lisa. Le irritaba que así fuera. Sabía que Cullen también se había dado cuenta, si bien éste se limitó a quedarse donde estaba y a observar su reacción.

—Suéltame, Dayan, quiero levantarme. —Corinne se resistió al deseo de vaciarle la taza de té en la cabeza—. Creo que deberíamos llamar a la policía, Lisa. Es absolutamente necesario. En cualquier caso, no me quiero quedar aquí. —Y no se quedaría. Al fin y al cabo, ¿qué significaba Dayan para ella? Nada.

—*Para ti lo soy todo* —repitió él, con voz tranquila y serena, una voz que le rozó el pensamiento. Cesó su abrazo para dejarla libre y ella se sintió enseguida como si le faltara algo. Aquello la molestó más que nunca. Dayan le ayudó a incorporarse, y sus ojos de obsidiana rieron cuando ella le apartó las manos.

—No estoy segura —dijo Lisa, pensativa—. ¿Tú qué piensas, Cullen? Tú conoces a esta gente. ¿Crees que realmente corremos peligro? ¿Puede ayudarnos la policía? —preguntó, mirándolo, con el corazón en vilo.

Corinne estuvo tentada de emitir un gruñido de protesta. Respiró hondo. Estaba decidida a salvar a Lisa de cualquier magia negra que Dayan pudiera emplear para someterla. Él deslizó la palma de la mano suavemente por encima de su boca y volvió a estrecharla contra su cuerpo musculoso.

—Déjalos que lo discutan entre ellos —dijo—. Quiero hablar contigo. —Pronunció aquellas palabras en un susurro junto a su cuello mientras salía con Corinne de la habitación, sintiendo el cuerpo duro y caliente, deseoso de ella.

En cuanto salieron al aire fresco de la noche, ésta se liberó de su abrazo y se giró para lanzarle una dura mirada.

—No tenías derecho a hacerle eso. Y no intentes hacerte el inocente.

Al parecer, Dayan no sentía ningún tipo de remordimiento. Más bien, se dio el tiempo para pasear su mirada posesiva por cada rincón de su cuerpo.

—Eres incluso más bella de lo que te recordaba de anoche. Me he despertado y pensé que quizá te había soñado. Que eras mi fantasía nocturna.

Su voz la hipnotizaba de lo bella que era, hasta que Corinne se dio cuenta de que, en realidad, deseaba que siguiera hablando. Le habría gustado que tuviera la guitarra en sus manos para escucharlo cantar. Nadie jamás la había llamado su fantasía nocturna. Ella estaba segura de que no era una mujer bella, pero él la hacía *sentirse* así. Por un momento, sólo atinó a quedarse donde estaba, mirándolo, atrapada por su embrujo.

Al final, se mordió el labio inferior para acabar de despertarse.

—Tú tienes que haber sido poeta en otra vida. O quizá fueras un gigoló. No te hagas el inocente, porque no pienso dejar que te salgas con la tuya.

—No quería que tu amiga sintiera una falsa atracción por mí —dijo con voz queda, sin ninguna pretensión, más bien modestamente, casi con humildad—. A veces las mujeres creen que me desean sólo porque estoy en el escenario. Tengo que reconocer que influyo en ellas para que se aparten de mí. Puede que en el caso de Lisa me haya excedido un poco.

A Corinne le asombró que él le contara la verdad. Cuando Dayan la miraba con sus ojos negros, con el pelo cayéndole sobre la frente, lo único en que ella atinaba a pensar era en besarlo.

—¿Tú has hecho que tenga ganas de estar con Cullen? —inquirió, sospechando algo.

—Yo no haría algo así. —Una sonrisa pícara le suavizó las comisuras de los labios—. Envié a Cullen a vuestra mesa, es verdad. Supe, desde el momento en que entraste en la sala, que eras quien poseía la otra mitad de mi corazón.

—¿Y ahora, estás influyendo en mí? —le preguntó Corinne, alzando el mentón.

—Espero que sí. Te quiero. Te necesito en mi vida. No utilizo ningún tipo de control mental contigo, pero intento ser encantador. Ya me dirás si lo consigo.

Dayan podía conseguir que a una mujer se le derritiera el corazón a cincuenta metros de distancia.

—No. —Lo dijo con toda firmeza, aunque por dentro se consumía—. No quiero que influyas en Lisa de ninguna manera. Me siento muy incómoda.

—Sé que la quieres, Corinne —dijo él—. Cualquiera que sea parte de tu familia es parte de la mía. No haría nada que pudiera hacerle daño ni menoscabar su valía. La protegeré como si fuera mi propia hermana.

Corinne respiró hondo y se obligó a apartar la mirada de él. Se quedó mirando hacia la oscuridad que se cernía sobre ellos y empezó a dar golpecitos nerviosos con el pie descalzo como si siguiera un ritmo.

—No puedes tener esos sentimientos hacia mí tan pronto, Dayan. La verdad es que no me queda mucho tiempo. No lo digo para que te compadezcas de mí. Es un hecho. Yo lo he afrontado, pero Lisa no. Hay que ser práctico, Dayan. Ya es bastante duro ver a Lisa siempre fingiendo… Me siento como si tuviera que protegerla de la verdad. No quiero que ocurra lo mismo contigo. —Sin ningún motivo concreto, asomaron a sus ojos unas lágrimas que la quemaron. No era por sí misma, Corinne ya había superado la etapa de los sueños, sino por él, por esa soledad abyecta que de pronto percibía en el fondo de sus ojos.

Dayan le cogió el mentón firmemente con una mano, obligándola a mirarlo a sus ojos negros y destellantes, unos ojos que ardían intensamente.

—No morirás, querida. Yo no lo permitiré. Vete acostumbrando a la idea de vivir en este mundo, porque la verdad es que compartirás tu vida conmigo. No me conformaré con ninguna otra solución.

—No entiendes, Dayan —respondió ella, con una mirada dulce—. Los médicos...

—Son humanos —interrumpió él—. Y están muy equivocados. Es verdad que tomaremos nuestras precauciones antes de que te examine unos de nuestros curanderos, pero no morirás. Espero que te quede perfectamente claro. En eso tú me entiendes y me obedecerás.

Corinne se dio cuenta de que aquella muestra de arrogancia la hacía reír, a pesar de la gravedad de la conversación.

—Dayan, no puedes ir y decirle a alguien que viva, sin más, como si dieras una orden. Tengo una malformación en el corazón. La he tenido durante años. Y una hija en mis entrañas. Mi corazón no aguantará siempre.

Su mirada oscura penetró directamente en ella hasta que Corinne se sintió como si Dayan hubiera tomado posesión de su voluntad, como si la hubiera obligado, de algún modo, a obedecer. «Me obedecerás.» Había un dejo de absoluta autoridad en su voz.

La sonrisa en la boca de Corinne se desvaneció, y ese hoyuelo intrigante suyo sencillamente se deshizo.

—Prometo hacer todo lo que pueda, Dayan —dijo, capitulando solemnemente.

Él inclinó su oscura cabeza hacia ella y con los labios le rozó la sedosa cabellera.

—Siempre es preferible ver las cosas como yo —dijo, visiblemente satisfecho.

Capítulo 5

Corinne se apartó de Dayan, emprendió una sutil retirada. Hasta el menor contacto con él desataba en ella un estremecimiento que le recorría la columna con un temblor de emoción, mientras por dentro se reblandecía.

—Tienes una manera de ser bastante arrogante, pero dudo que yo sea la primera persona que te lo dice. —Lo miró por encima del hombro, provocadora, tentadora, sin darse cuenta de que sus emociones se reflejaban en su mirada.

Dayan sintió que algo le arrancaba el aire de los pulmones. Se le acercó por detrás, como un gran felino de la jungla acechando a su presa. Intenso. Clavó la mirada en Corinne cuando ella se apartó. Corinne olvidó que se encontraban en el porche y dio un paso hacia el vacío sin darse cuenta. De alguna manera, Dayan consiguió cogerla. Ella parpadeó y, con la misma velocidad, él ya la tenía nuevamente en sus brazos.

—Afortunadamente para ti, sigo siendo fiel a mi reputación. La próxima vez, mira dónde pisas. —La miró mostrando deliberadamente sus dientes puros y blancos y con un asomo de diversión masculina ante el traspié de Corinne.

Ella arqueó una ceja y consiguió mantener la compostura a pesar de encontrarse en sus brazos.

—¿Cómo has hecho eso? ¿Cómo has podido moverte tan rápido para cogerme?

—Soy un superhéroe —confesó él, serio—. No te lo había dicho porque temía que no te gustarían los hombres que llevan capa. La mía es muy tradicional, pero es bonita.

A Corinne le entró tal ataque de risa que tuvo que cogerse de sus hombros, temiendo que podía caer de sus brazos.

—Te gustaría que creyera que eres un superhéroe. Quisiera ver esa capa tan espléndida. No puedes ser un superhéroe si no tienes una capa. —Le agradaba estar en sus brazos. Le *fascinaba* estar en sus brazos. Dayan era extraordinariamente fuerte, pero también muy suave, por sorprendente que pareciera. Y capaz de decir las cosas más estrambóticas sin ni siquiera inmutarse y con sus inocentes ojos negros. Lo miró por debajo de sus largas pestañas—. También necesitarás unos leotardos de superhéroe. Leotardos color azul chillón —añadió Corinne, con un dejo de picardía.

Él alzó una ceja oscura.

—¿Leotardos? —Repitió la palabra como si no estuviera en su vocabulario—. ¿Leotardos azules?

Ella intentaba mantenerse seria, pero no podía parar de reír y el corazón comenzaba a dolerle. Sintió un peso penetrante y doloroso que la aplastaba, quitándole el aire de los pulmones hasta que le costó respirar. Apartó la cara porque no quería que él se diera cuenta de su trance. Le parecía asombroso que en un momento pudiera ponerse tan feliz que se olvidara de todo mientras disfrutaba de su compañía, y que luego, su cuerpo le recordara que sus fuerzas la abandonaban rápidamente. Corinne parpadeó para reprimir unas lágrimas inesperadas y hundió la cabeza en el hombro de Dayan.

Éste guardó silencio y dejó que su corazón encontrara el ritmo disperso e irregular de ella para devolverlo poco a poco a la normalidad. Despejó la desesperación de su mente y encontró un punto de serenidad para lanzar una llamada a través del espacio y el tiempo, como sabían hacer los suyos.

—*Darius, mi necesidad del curandero es más acuciante. Creo que no me queda mucho tiempo.*

Siguió un interludio, un latido de silencio. Dayan jamás dudaba, ni siquiera en medio de su desesperación. La voz amable de Darius fluyó hacia su mente, le dio la tranquilidad que necesitaba.

—*Dos de nuestros mejores curanderos se dirigen a las Cascadas. Nos encontraremos ahí contigo. No te fallaremos.*

Dayan siguió las instrucciones para llegar a una casa segura directamente del pensamiento de Darius. La casa era propiedad de Gregori, uno de los curanderos carpatianos más grandes, y de su mujer, Savannah, hija de su príncipe.

—*Te agradezco que hayas actuado con tanta rapidez. ¿Estáis todos bien?*

—*Sí, las mujeres ansían que llegue el momento de veros a ti y a tu compañera.*

Para Dayan, la voz y las palabras de Darius eran un consuelo. En toda su larga vida, jamás había visto fallar a Darius en una tarea. Si daba su palabra por algo, era como si ya estuviera hecho. Pertenecían a la misma familia. Habían viajado juntos durante casi mil años. Saber que su familia se movía rápidamente para ayudarle a salvar la vida de su compañera, reforzaba su idea de que su plan se podía llevar a cabo con éxito. Encontrarían una manera de salvarla. Y si podían, también a la niña, aunque su vida era prioritaria. Sin ella, Dayan no podría seguir adelante ni querría enfrentarse a la oscuridad y al vacío. Allí donde ella fuera, él la acompañaría, para protegerla y cuidarla en la otra vida.

Sólo al cabo de unos cuantos minutos respirando normalmente, Corinne se dio cuenta de que sus corazones latían al mismo ritmo. Con la cabeza todavía apoyada en su hombro, lo miró con sus grandes ojos verdes.

—¿Dónde estás? Te has vuelto muy solemne y serio conmigo.

—Estaba hablando con mi hermano.

—¿Él también se comunica por telepatía? —Corinne alzó la cabeza para mirarlo más de cerca—. Ya puedes dejarme, Dayan, soy capaz de caminar sin romperme el cuello. Debe haber sido maravilloso crecer con alguien que tiene los mismos dones que tú.

Dayan se encogió de hombros con gesto perezoso.

—Nunca he pensado en ello. Todos tenemos el don de la telepatía. Toda la familia. —A regañadientes, la bajó hasta que Corinne tocó el suelo.

—Entonces ¿crees que es una cuestión genética? —Corinne se llevó las manos a la barriga con gesto protector, temiendo de pronto por su bebé. En ciertos momentos, su vida se había complicado debido a sus habilidades. Corinne sabía que ya no estaría para proteger y darle seguridad a su hija cuando vinieran tiempos difíciles.

Dayan le cogió la cara con ambas manos.

—Trato a los Trovadores como mi familia porque hemos estado juntos desde que éramos niños, pero sólo Darius y Desari son mis verdaderos hermanos. Con Syndil y Barack nuestra relación es como la tuya con Lisa. Los vínculos son más fuertes que la sangre.

—Desde luego, son los miembros de tu grupo. Todos tienen nombres interesantes.

Dayan rió por lo bajo.

—Olvido que eres una pequeña gran admiradora. Me has hinchado el ego para toda la eternidad.

—Una pequeña gran admiradora —repitió ella, y en sus ojos comenzó a agitarse un fuego oculto. Lanzó la cabeza hacia atrás, y su pelo revivió con tintes cobrizos cuando le dio la luz de la entrada, que se encendió automáticamente—. Te hago saber que soy una admiradora de la *música*, no de *ti*. Como verás, hay una diferencia. No me entiendas mal —dijo, alzando una mano como para mantenerlo a raya cuando él se le acercó resueltamente. Corinne se dio cuenta de que volvía a reír, y vio que de sus ojos nacían destellos—. Tú me has convencido para que me convierta en admiradora. Lo digo en serio. Te contemplaré con adoración la próxima vez que toques. —Pestañeó y se abanicó para darse aire—. Podría actuar como una admiradora de primera si tu ego necesita un estímulo.

—Me siento halagado —dijo él, cogiéndole la pequeña mano—. Así que dime lo que sabes de mi grupo.

Ella se encogió de hombros, como sin prestarle demasiada importancia.

—Tú tocas la guitarra, y Barack también. Syndil toca la batería y prácticamente cualquier otro instrumento. Desari es vuestra solista l y, de verdad, tiene una voz sorprendente. Tú cantas sólo cuando te viene en gana o cuando una canción en particular lo pide. Yo sospecho que escribís vuestras propias letras —aseveró, y lo miró sonriendo—. Y vuestra música es asombrosa, aunque hay otros cuantos que están a vuestra altura —dijo, y se miró las uñas—. Verdaderas leyendas.

Él frunció el ceño.

—¿Quién? Nombra a alguna de esas leyendas.

—¿En qué categoría? A mí, personalmente, me gusta el *rock and roll*.

—¿El *rock and roll*? —En la voz de Dayan asomó un ligero desdén—. ¿A quién considerarías una leyenda del *rock and roll*? Elige con cuidado, te juegas tu reputación.

—Veamos, ¿de qué año hablamos? En los años cincuenta hubo una gran movida. Si pretendes hacerte el estrecho con el *rock and roll* moderno, podemos elevar las apuestas y hablar de los blues o del jazz. No me negarás que hay auténticas leyendas de los blues y del jazz.

—Eso te lo concedo, pero no puedes empezar por los años cincuenta. Los orígenes del *rock and roll* se remontan a mucho antes de los años cincuenta. ¿Has escuchado la música tribal y los ritmos originales provenientes de África?

Ella le sonrió y alzó una ceja.

—Supongo que no me estarás poniendo a prueba, pensando que no me sé bien mis lecciones de historia de la música. Pero no se trata de eso. ¿De verdad piensas que no hay leyendas de los años cincuenta y sesenta?

—Puede que los Trovadores Oscuros —dijo él, como pensando en voz alta, y sus ojos negros rieron maliciosamente.

—Perdóneme, señor Leyenda, ¿qué te parece Louis Armstrong? No cometas el error de hacerle mohines. Muddy Waters, Dios mío, y BB King, que es impresionante. Tiene una presencia imponente. Y Stevie Ray Vaughn. Podría nombrar a varios más.

—Se supone que sólo tienes que considerarme a mí una leyenda.

Tenía la intención de provocarla, pero cuando inclinó su cara oscura hacia el rostro pequeño y apasionado de Corinne, su mirada topó con sus labios y el corazón le dio un vuelco. Dayan suprimió el pequeño espacio entre los dos y buscó su boca, tomó su aliento y le dio el suyo propio. La tierra cesó su movimiento para él. El mundo se disolvió y sólo quedó Corinne en su mente y en sus brazos. Su mirada se convirtió en fuego, el cuerpo se le endureció como una roca, sintió que el estómago daba una curiosa voltereta y que el corazón sencillamente se le fundía. En ese beso de ella estaba todo. Pasión y fuego. Y una ternura exquisita. Una promesa. Entonces alzó la cabeza antes de que fuera demasiado tarde para volver atrás.

Corinne lo miró pestañeando, a todas luces confundida.

—¿Cómo haces eso?

—Tú y yo somos compañeros…

—¿Compañeros? —repitió Corinne—. Era una palabra bella que

insinuaba algo permanente, un vínculo. Se preguntó si acaso no sería una traducción de una palabra en la lengua materna de Dayan. Se la había oído decir en varias ocasiones.

Él paseó su mirada oscura por su rostro, escrutándola con seriedad e intensamente. Era una mirada casi siniestra. Increíblemente sensual.

—Compañeros —confirmó él—. Casados, pero más que casados. Casados como para un compromiso eterno.

—Es una bonita idea, Dayan, pero ¿no crees que la mayoría de la gente cuando se casa lo hace creyendo que será para siempre? —Los ojos de Dayan le recordaban a un gran felino de la jungla, por la intensidad abrasadora que despedían cuando la miraba. En lo más profundo de ella había una necesidad que respondía, llamándolo a él, sólo a él.

Dayan le cogió la mano y tiró de ella hasta estrecharla junto a él.

—Eres mi compañera eterna, Corinne. Te reconocí en cuanto te vi. Sé que eres la luz que desvanece mi oscuridad, que tu alma es la otra mitad de la mía. Todos los miembros de mi familia han encontrado a su compañero o compañera eterna. Barack y Syndil estaban hechos el uno para el otro. Julian es el compañero de Desari. Darius tiene a Tempest, y a mí me asombra haberte encontrado. Había perdido toda esperanza de que existieras.

Corinne escondió la cabeza. Dayan se creía todo eso que decía, hasta la última palabra. Apenas se conocían y, sin embargo, él estaba tan seguro. Casi le había hecho creer que a los dos les esperaba un futuro juntos. Pero ella sabía la verdad; sabía que su corazón se estaba deteriorando. Él había retrasado lo inevitable gracias a su intervención de la noche anterior, fuera lo que fuera lo que había hecho, pero Corinne sabía que su corazón no daría más de sí después del nacimiento de su bebé. Ya se sentía cansada: el corazón estaba sometido a un gran esfuerzo y los pulmones le fallaban.

—Me gustan todos vuestros nombres —dijo, pretendiendo cambiar el tema de la conversación—. ¿Son nombres artísticos o son vuestros nombres de verdad?

Dayan sonrió sin humor.

—Cambiamos muchas cosas de nosotros mismos, pero siempre hemos conservado los nombres que nos dieron al nacer.

Más allá de la mirada extraordinaria de él se ocultaban misteriosos secretos . En sus ojos se adivinaba una pátina de vejez, como si Dayan hubiera visto demasiadas cosas en su vida. En los rasgos esculpidos a cincel de su rostro se adivinaba una fuerza tranquila. En ciertos momentos, su semblante era muy joven y, en otros, parecía más viejo y ajado. Era capaz de quedarse muy quieto, casi sin respirar, pero cuando decidía moverse, era tan rápido que si pestañeaba ya no lo veía moverse. Dayan. Ese nombre ocupaba su mente como nunca la había ocupado nadie. La hacía soñar cosas que no se atrevía a soñar sola.

Corinne le tocó la cara con dedos suaves, y sintió tanta pena por él que empezó a abrumarse. Había pensado advertirle, permitirle que tomara sus propias decisiones en lo que concernía a su relación, y ahora él le rompía el corazón.

—No lo hagas, Dayan. No construyas tus sueños en torno a mí. Tengo mucho miedo por ti. Te mereces ser feliz. Quiero que seas feliz. No actúes como Lisa, y esperes milagros. —Con la punta del dedo índice, siguió la línea de sus labios perfectos—. No quiero hacerte daño. De verdad que no.

—Creo en los milagros, Corinne. Te he encontrado. He viajado por el mundo más años de lo que podrías imaginar y nunca esperé algo como esto. Sin embargo, eres real. Entraste por la puerta de ese bar. Viniste hacia mí cuando estaba seguro de que mi tiempo llegaba a su fin. Sé que los milagros existen. Cada uno de los míos, cuando encuentra a su compañera, sabe que los milagros existen. Ya hemos hablado de esto antes, pero tú te niegas a escuchar. No vas a morir. Quiero que lo creas, Corinne. Que comiences a creerlo.

Ella suspiró ligeramente y apartó la mirada de la intensidad hambrienta de sus ojos. Dayan era capaz de convencer a cualquiera con esa mirada hipnotizante. Corinne quería convencerse, pensar que podría tener una oportunidad de vivir un futuro junto a su hija y con un hombre por el que se había apasionado. La idea le vino de la nada, pero enseguida la eliminó de un plumazo. En realidad, no sabía nada acerca de Dayan. ¿Seguiría sintiendo lo mismo dentro de un mes? ¿De dos? Y Dayan, ¿la querría a su lado al cabo de un mes o dos? Ella no sabía absolutamente nada de él, excepto que era músico y que deambulaba con su grupo de ciudad en ciudad.

—*Un músico brillante. Una leyenda de músico.* —Dayan le corrigió sus pensamientos, y frunció su oscuro ceño al ver que Corinne intentaba convencerse a sí misma de que no lo deseaba.

—Entiéndelo bien, Corinne. Me conoces más de lo que crees. Sabes que no voy detrás de las mujeres y que soy un hombre protector. Debes saber que soy honrado y que puedes confiar en mí.

—Eres un niño repelente que escucha los pensamientos ajenos —le reprochó ella, no sin preguntarse cómo era posible que no le importunara que él supiera lo que discurría por su mente. Lo miró alzando una ceja, como mofándose—. Las mujeres embarazadas suelen tener estos pensamientos relacionados con el sexo, así que deja de jactarte.

—A mí me interesan los pensamientos de una sola mujer embarazada. Es del todo natural que te sientas atraída sexualmente hacia mí, Corinne. Si no fuera así, sería difícil fundirnos en uno. Sin embargo, eres mi verdadera compañera y tengo la intención de reclamarte como mía para toda la eternidad. Creo que el sexo debería formar parte de nuestra relación —dijo, lanzándole una sonrisa traviesa—. Una parte muy importante. Así tiene que ser.

Ella sonrió a pesar de sí misma.

—Hablas con tanta seguridad, dándolo todo por sentado, como si no hubiera ningún obstáculo.

—Desde luego que no hay obstáculos. Debemos estar juntos, estamos destinados a ello. Tú también lo sientes, Corinne, sé que lo sientes. No tenemos alternativa. Si aceptas que debemos estar juntos, encontraremos una manera de hacerlo realidad.

Ella desvió la mirada de sus ojos ardientes e intensos.

—Creo que de verdad debes de ser poeta, Dayan. Crees en el romance. La vida real no es necesariamente un reflejo de la poesía. Todos morimos, sólo que unos nos vamos antes que otros. Mi cuerpo se está cansando más rápidamente de lo que debiera. Nací así y siempre supe que esto sucedería. Según los médicos, no debería haber vivido más de catorce años. Tengo más suerte que otros que han nacido con lo mismo que yo. Ésa es la realidad. —Dayan comenzaba a contrariarla seriamente por negarse a aceptar la gravedad de su enfermedad.

Entonces la sacudió ligeramente, con suavidad, porque no podía evitarlo.

—Me gustaría hablarte de la realidad de mi vida, Corinne, lo que he vivido sin ti, pero no estás preparada para esa confesión. Entretanto, creo que deberíamos hablar con Lisa y Cullen y emprender viaje esta noche. Tenemos que recorrer grandes distancias.

Corinne negó con un movimiento de la cabeza.

—No podemos llegar y partir. Lisa y yo tenemos una vida por la que hemos trabajado mucho, Dayan. La profesión de Lisa le exige estar disponible cuando la necesitan.

Dayan paseó su mirada oscura sobre su rostro con gesto amenazador, malhumorado, con un asomo de amenaza que la desconcertó. Había algo indefinido en él que ella no sabía del todo cómo describir. Aquello le daba miedo.

—*Miedo, no. Nunca deberías temerme. Haré todo lo que esté en mi poder para protegerte. Y mis poderes son considerables.*

Dayan había cambiado casi sin pensarlo a la comunicación más íntima que caracteriza a dos compañeros. Le rodeó los hombros delgados con los brazos, la estrechó contra él a la luz de la luna. Corinne era una mujer frágil, delicada, de huesos pequeños. De pronto, Dayan se sintió poseído por un miedo horrible, al tiempo que lo invadía una especie de furia impotente. Necesitaba un curandero, rápido. Tenía que encontrar una manera de encaminarla en la dirección que él consideraba más apropiada. Si era necesario, usaría sus habilidades telepáticas para persuadirla, aunque influir en la propia compañera de esa manera iba contra su código de honor.

—Es por el aspecto que tienes a veces, Dayan —dijo Corinne, riéndose de sí misma—. Si te lo propones, puedes parecer muy amenazador. —Corinne le sonrió, y sus dedos le rozaron los labios sensuales—. Como ahora, cuando consigues que las cosas se hagan a tu manera.

Fue como si le quemara la cara con su mirada.

—Siempre se hará a mi manera, cariño, cuando se trate de protegerte. No creo que exista un argumento racional que sirva para esto. A Lisa no le importará demasiado su trabajo si tú mueres. Y tú eres capaz de escribir canciones en cualquier sitio. También sé que estás mucho más asustada de lo que das a entender y que estás de acuerdo conmigo en que deberíamos proteger a Lisa a pesar de que ella se niega a reconocer lo grave que es vuestra situación.

—¿Así será siempre contigo? —preguntó Corinne, con una severa mirada de advertencia desde debajo de sus largas pestañas—. No me gusta que me leas el pensamiento.

—Tú pronto podrás leer el mío —dijo él, sin censurarse a sí mismo.

Ella lo miró con el ceño fruncido.

—¿Y se supone que de repente adquiriré la capacidad de la telepatía? ¿Qué pasa, la gente se contagia cuando están mucho tiempo juntos?

—Tendremos que verlo, Corinne —dijo él, encogiéndose de hombros. Le frotó la mano para darle calor—. Te estás enfriando aquí fuera.

—Sin embargo, es bello. No me gusta estar en el interior por la noche. El cielo siempre está increíble —dijo Corinne, riendo suavemente—. Desde luego, también me siento así durante el día. Me fascina mirar las nubes. Lisa conduce como una loca, pero dice que yo soy peor porque no puedo apartar la vista del cielo. —Levantó la mirada hacia él—. No quiero perderme nada, ¿sabes? El mundo es un lugar tan bello. Quiero conocer todo lo que pueda —dijo, y siguió caminando por la acera—. ¿De dónde eres tú? Tienes acento, pero no sé de dónde.

—He viajado tanto a lo largo de los años que no sé si mi manera de hablar refleja un solo lugar. Hablo varias lenguas, pero nací en los montes Cárpatos, en Europa. Viví la mayor parte de mi infancia en África.

—¿Qué interesante? ¿Qué hacían tus padres?

—Yo no era más que un niño cuando los mataron. Darius nos crió a todos los del grupo. Éramos sólo unos niños, y crecimos un poco salvajes. —Dayan le sonrió, y sus dientes blancos brillaron en la oscuridad—. Creo que todavía somos un poco salvajes.

Corinne dejó que él entrelazara los dedos de las manos con ella, aunque no estaba del todo segura de por qué. Una parte de ella quería ser realista y fuerte, mientras que la otra, la parte más traicionera, le aconsejaba con un susurro que disfrutara de su compañía mientras pudiera.

—Entonces Darius debe ser bastante mayor que tú.

—Darius es un individuo extraordinario. Tenía seis años cuando mataron a nuestros padres. Yo, cuatro. Él nos mantuvo vivos. —Hizo un leve gesto con la mano, como si dejara a un lado el pasado—. Fue hace mucho tiempo.

Corinne le frotó el mentón con la palma de la mano.

—Suenas tan triste cuando hablas, Dayan. Aquello no puede haber ocurrido hace tanto tiempo. ¿Tuviste una infancia muy difícil?

—Fue toda una aventura, Corinne. Diferente de la tuya. Recuerda, todos hacemos uso de la telepatía, y estamos acostumbrados a nuestras diferencias. Fueron tiempos muy salvajes, divertidos, y muy emocionantes. Y tú, cuéntame de tu infancia. Conozco algunos episodios y fragmentos a través de tus recuerdos, pero has cerrado con candado la mayoría de ellos detrás de una puerta muy pesada que no quiero abrir sin tu permiso.

Caminaban uno al lado del otro, sin prisas. Dayan parecía deslizarse a su lado, sin hacer ruido. Si ella no hubiera sentido la seguridad de su enorme cuerpo rozándola, con las manos entrelazadas, no habría sabido que estaba junto a ella. En cierto sentido, le daba seguridad, pero también era inquietante percibir todo ese poder y sigilo que había en él.

—Tú no eres como los demás —dijo, con voz queda, como respondiendo a una intuición.

Siguió un largo silencio, lo que duraron varios latidos del corazón.

—Vengo de un antiguo linaje —reconoció él, con voz suave—. Tengo habilidades, dones especiales que me han sido legados.

—Me alegro mucho de que nos hayamos conocido, Dayan —dijo ella, sonriendo en la oscuridad—. Hay algo maravilloso y bello en ti. Cuando estoy contigo, me siento como si pudiera seguir para siempre. Las letras de tus canciones y la música que tocas son excepcionales. Me fascina oír tu voz, cuando hablas o cuando cantas.

Él le cogió la mano y se la llevó al pecho, y Corinne sintió su corazón latiendo con fuerza por debajo de su camisa. Le llegó el calor de su piel, la llamada de su cuerpo masculino, los músculos flexionándose sutilmente. Por encima de ella, Dayan sonrió, una especie de sonrisa lupina.

—Intentas a toda costa que la conversación no toque el tema de tu infancia. —Él se sentía íntimamente complacido con la sinceridad que adivinaba en su pensamiento. No la había obligado mentalmente a nada, ni había influido en sus sentimientos hacia él. Se fiaba del hecho de que Corinne era su auténtica compañera eterna, si bien todavía no la había unido a él con las palabras rituales. Temía que su separación obligada durante las horas del día le hiciera demasiado daño a su corazón maltrecho.

—¿Por qué querrías escuchar una historia tan aburrida en una noche tan bella como ésta? —Corinne mantenía la cabeza inclinada porque no quería mirarlo a los ojos, unos ojos que veían demasiado lejos.

—Quiero saberlo todo de ti, Corinne —dijo él, con voz pausada, una voz de pura magia negra en la oscuridad de la noche.

¿Cómo podía negarse alguien a la belleza de esa voz? Corinne respiró hondo y, finalmente, habló.

—Los malos recuerdos son de mi madre bebiendo. La verdad es que no la recuerdo haciendo otra cosa. Siempre había hombres y vivíamos en unas habitaciones horribles y pequeñas, mal ventiladas y sofocantes. Yo pasaba buena parte del tiempo escuchando música. Solía escabullirme, iba a lugares donde había música en vivo. —Lo miró con una ligera sonrisa—. Era toda una ventaja ser pequeña; cabía en cualquier sitio y, gracias a la telequinesia, podía abrir cerraduras y puertas pesadas.

Dayan le rozó el pelo con breves caricias. Tenía que tocarla. Percibía los sentimientos encontrados que acompañaban sus recuerdos.

—Vivía para la música. Soñaba con ella y la escuchaba día y noche en mi cabeza. La música me mantenía cuerda cuando estaba sola. Me servía de escape, pero también me daba un equilibrio. Y luego, claro está, conocí a John y a Lisa y a su padre.

Había toda una gama de matices de tristeza en su voz. Dayan la cogió en sus brazos, suavemente y con gesto protector, envolviéndola por completo, protegiéndola en la oscuridad de la noche. La estrechaba como si fuera una fina pieza de porcelana, todo un tesoro.

—Agradezco que hayas tenido a John y Lisa. —Lo decía en serio. John le había salvado la vida a Lisa y protegido a Corinne. Había hecho todo lo posible para crear una familia para ellas. Dayan agradecía que alguien hubiera actuado mientras él no estaba.

—No te enamores de mí —murmuró ella, con voz queda, como si se lo rogara. Corinne estaba luchando por él, quería que Dayan entendiera que no podía prenderse de ella con tanta intensidad. Ya sería bastante difícil para Lisa cuando ella no estuviera. No soportaba la idea de que Dayan contara con ella y luego, él también, la perdiera.

Dayan le cogió el mentón con una mano, obligándola a alzar la cabeza para que lo mirara a sus ojos profundos.

—Te conozco mejor de lo que te ha conocido nadie. ¿Cómo podría no amarte cuando leo en tu mente y en tu corazón? Tú lo eres *todo* para mí. Sé que no puedes entenderlo, y que para ti no tiene sentido. Pero para mí, un hombre errante a quien nadie ama, y cuyos demonios nadie espanta… tú eres un milagro.

—¿Eso es lo que yo hago por ti? —Corinne sonrió a pesar de sí misma. Le parecía un bello pensamiento—. ¿Es verdad que espanto tus demonios?

Sin prisa, casi perezosamente, Dayan inclinó su cabeza oscura y tomó posesión de su boca. Lo hizo tiernamente. No había más que ternura cuando la tocaba, una ternura que no encajaba bien con su portentosa fuerza. Sin embargo, su boca era magia pura, le abría las puertas a un mundo cuya existencia Corinne ignoraba antes de que él entrara en su vida. Era una boca masculina y caliente, dominante. Corinne sintió que la tierra bajo sus pies se remecía y se aferró a él para no caer. Él la estrechó contra su pecho duro, pero con exquisita e infinita ternura. Su boca era magia pura.

Dayan la transportaba a otro mundo, un mundo de pasión y de fantasías exóticas, un mundo que nunca había osado imaginar. Puede que ella espantara sus demonios, pero él le provocaba algo muy diferente. Algo irreal. Como si se tratara de un dios de la mitología. De toda una leyenda. Un héroe. Sonrió contra sus labios magníficamente esculpidos, suaves como el terciopelo y sumamente eróticos. Cada vez que ella miraba en sus ojos negros, intensos y deseosos, se derretía por dentro.

—*Estoy leyendo tus pensamientos.* —La voz de Dayan rozó las paredes de su conciencia con un dejo de intimidad, y sintió como el aleteo de una mariposa en la boca del estómago.

—Venga, para. —Corinne tuvo que apartarse de sus brazos. Era lo único sensato que podía hacer con el corazón desbocado y sintiendo que toda ella se convertía en lava derretida—. Tenemos que parar. Sabes que hay que parar. —El corazón no le daría para mucho más. Ya estaba esforzándose demasiado.

Dayan apoyó la frente en la suya, respirando agitadamente, intentando recuperarse.

Lo siento, cariño. Piensa en alguna trivialidad, por mi bien.

Ella rió por lo bajo y le mordisqueó la comisura de los labios.

—Lisa y yo necesitamos ropa. Tendremos que volver a nuestra casa y coger cosas para unos cuantos días, hasta que esta gente pierda interés en nosotras.

Dayan le rodeó lentamente la nuca con una mano. Sus huellas dactilares fueron como una marca en su piel. Corinne lo sentía hasta los dedos de los pies. Y ahora volvía a derretirse, se desmoronaba por dentro, con el corazón dando peligrosos brincos. Él se enderezó lentamente y sus ojos oscuros quedaron fijos en su bella mirada.

—Esa gente no perderá el interés en vosotras, cariño. No puedes volver a la casa. Yo cogeré lo que tú y Lisa necesitéis y os lo traeré. Hazme una lista. —Dayan hablaba en voz baja, casi un susurro que a ella se le antojaba como terciopelo rozándole la piel.

Corinne cerró los ojos para dejar de mirarlo. A esa distancia, Dayan era avasallador. Con cada soplo de aire que respiraba, percibía su esencia masculina. Limpia. Salvaje. Viril.

—No puedes ir a revolver nuestras cosas, Dayan. Simplemente no estaría bien. Una de nosotras dos tendrá que ir contigo.

Él sacudió la cabeza lentamente. Ni pestañeó. Todo lo que hacía se inscribía en un flujo poderoso, una manifestación de energía pura que no podía ser ignorada.

—Para mantenerte a salvo, Corinne, me puedo encargar de esta pequeña tarea. —Lo dijo con voz suave y paciente—. Esta gente barrió el escenario a balazo limpio en medio de una actuación de Desari. Ella es una mujer bella y llena de vida, única en este mundo y, aún así, ellos estaban dispuestos a asesinarla, a silenciar su voz para siempre. Consiguieron herirnos a Desari, a Barack y a mí. Tuvimos suerte de que Darius y Julian estuvieran ahí para salvarnos. Pero no estoy dispuesto a correr riesgos con tu vida. Ni con la vida de tu hija.

—Dijiste que esos hombres habían desaparecido. Los demás no enviarán a nadie tan rápidamente. Necesitamos nuestras cosas, Dayan. Tarde o temprano, tendremos que volver. Y, además, Lisa es una mujer famosa. Cualquiera la encontrará. —Corinne se golpeó la palma de la mano con la punta de un dedo—. Podríamos contratar a unos guardaespaldas.

La expresión de Dayan permaneció inmutable y, sin embargo, se quedó completamente quieto, como si algo rugiera sordamente en lo más hondo de él, una rabia fulgurante. Por un momento, Corinne creyó ver unas llamas rojas brillando en la profundidad de sus ojos negros, y se quedó sin aliento. Dio un paso atrás, pero él la seguía asiendo por la nuca, sujeta a él.

—¿Qué ocurre, Dayan?

Él tardó en sonreír, en mostrar sus dientes perfectamente blancos.

—¿Qué es lo que ves en mí que podría asustarte, querida?

—No lo sé. A veces pareces más de lo que eres. Sé que eso no tiene sentido, pero a veces eres muy intimidatorio. —Corinne se echó el pelo hacia atrás, presa de un súbito estremecimiento—. Volvamos adentro.

—No quiero que tengas miedo de mí, Corinne. Ya sé que nos hemos conocido y hemos estado juntos inesperadamente. Tú no lo buscabas, pero ha ocurrido. No podemos fingir ni volver atrás en el tiempo. —Mientras hablaba, le acariciaba la cara con el pulgar, una caricia casi imperceptible, como una pluma, pero con tanta carga erótica que ella no pudo evitar estremecerse.

—Hablaba de volver a tu casa —aclaró Corinne, intentando soltarse de su abrazo. ¿Acaso Dayan usaba su singular capacidad telepática para obligarla a ir en la dirección que él quería?

Él negó con la cabeza y con expresión triste.

—Pensé que habíamos hablado de todo esto, querida. Yo soy un ser errante, un poeta, un músico. Soy un hombre que ha vagado por el mundo en busca de una sola mujer. Sé que esa mujer eres tú. Si influyera en tu decisión usando la telepatía, nuestra relación no duraría. Lo que quiero contigo lo quiero para toda la eternidad.

Corinne se apartó de él, de la peligrosa atracción que ejercía en ella y de la intensidad ardiente de su mirada oscura. Dayan necesitaba a alguien que lo amara. Parecía tan solo, ahí parado, imponente y seguro de sí mismo y, sin embargo, desfalleciendo porque alguien lo amara. Y bien, ella sería esa mujer. Por primera vez en su vida, quería que algo fuera real.

Dayan adelantó el brazo y le cogió la mano a Corinne, como si necesitara atraerla para poner su menudo cuerpo bajo la protección de sus anchos hombros. Caminó con ella en medio de la noche, disfrutando del momento, alegrándose de poder sentirlo, saborearlo. Se sentía agradecido de que Corinne formara parte de su mundo.

—Cada verso de cada canción, cada una de las notas que alguna vez he tocado han sido para ti. Para ti, que eres la otra mitad de mi alma. Mi corazón. Esperando que habitaras en algún rincón del mundo y que algún día me escucharías. —Debido a su frágil condición, Dayan no se atrevía a revelarle la verdad de lo que él era para ella. Sabía que el curandero encontraría una manera de salvarle la vida. No había otra salida posible. Le preocupaba mucho que no hubiera una manera de salvar al bebé. Él era como una sombra en su mente, conectado con ella. Sabía que Corinne estaba dispuesta a entregar su propia vida a cambio de la de su hija. Pero él no. Él era su compañero. Se había jurado como un deber velar por su buena salud.

Corinne pestañeó y en sus ojos asomaron unas lágrimas, emocionada como estaba por la sinceridad de sus palabras.

—No puedes decirme cosas como ésas, Dayan. —Si él insistía, ella estaría perdida y él también. ¿Cómo podía resistírsele?

Dayan le sonrió y le apretó la mano. A cada paso que daba junto a Corinne, sentía el calor que generaban entre los dos, sentía cómo ella se envolvía alrededor de su corazón. Eran las pequeñas cosas, como sentir sus manos, tan pequeñas, entrelazadas con las suyas. Su aliento. Su olor. Su manera de sonreír. Le fascinaba cómo sonreía, cómo se movía. Amaba su manera de luchar desesperadamente para protegerlo de una posible pérdida.

En el fondo de su corazón, Dayan comenzaba a aprender lo que era el verdadero terror. La idea de perderla superaba los límites de su imaginación. Nunca había conocido el miedo en su vida adulta. Incluso durante sus enfrentamientos con los vampiros, en todos esos siglos jamás había experimentado ningún tipo de sentimiento que le diera la sabiduría para lidiar con una emoción tan intensa como el terror. Pensó en aquella palabra. ¿Sería capaz de afrontar la pérdida de su compañera eterna sin haber tenido jamás la ocasión de amarla ni de unirla a él? Dayan sabía que no querría eso. Su vida había sido gris y vacía, tan yerma y fría que incluso había perdido la capacidad de componer canciones, de sentir la música en su interior. Sin embargo, con Corinne a su lado, las canciones, las letras y la música brotaban de su alma, rogando que alguien las escuchara.

Ella era el mundo. Era los colores y la emoción y los bellos poemas. Él no dejaría que la muerte de los mortales se la llevara. Ahora sabía de dónde nacía su habilidad para tocar y crear. Era la mitad que ella poseía de su alma. A él le había quedado una pequeña parte de su luz cuando habían sido separados, para que pudieran encontrar el camino que los conduciría el uno al otro. Él percibía las canciones en ella, percibía la música. Estaba en su manera de caminar, de fluir a través de una habitación, con su figura pequeña y esbelta tan equilibrada. Estaba en su manera de girar la cabeza y en cómo su sonrisa iluminaba toda una habitación.

Había algo en Corinne, algo que atrajo enseguida su mirada. Lisa era bella, alta y rubia, y se adivinaba en ella a la modelo. Ella pertenecía a las portadas de las revistas. Corinne irradiaba luz desde dentro hacia fuera. Con sólo mirarla, a Dayan le daban ganas de sonreír. Cuando rozaba su mente para compartir sus pensamientos, descubría que Corinne pensaba en los demás, en cómo se sentían y en qué necesitaban. Era feliz, a pesar de haber perdido recientemente a alguien que amaba, y aunque creyera que ella misma moriría pronto. Vivía cada momento como si fuera un regalo, obstinada en ver la belleza a su alrededor, aún cuando permaneciera firmemente anclada en la realidad.

Dayan encontraba interesante cómo funcionaba su mente. A menudo utilizaba la telequinesia sin ni siquiera pensarlo. Lanzaba una mirada a un objeto que necesitaba y que se encontraba en el otro extremo de la habitación y comenzaba a atraerlo hacia ella. Él percibía enseguida la diferencia en su cerebro, como una calidez, la construcción de la imagen y su concentración en ella. La imagen era siempre nítida y clara, y entonces recordaba que no estaba sola y dejaba escapar un ligero suspiro.

—¿Qué? —Corinne le estaba sonriendo. Dayan se sintió hipnotizado por ese hoyuelo intrigante, y no le quedó más alternativa que inclinarse y besarlo.

Ella sintió el mismo aleteo de mariposas en el estómago en cuanto los labios de Dayan tomaron contacto con su piel.

—Tienes que dejar de hacer eso —le advirtió, aunque no demasiado convencida.

—Pensé que debía practicar todo lo posible —respondió él, rechazando su idea sin vacilar—. No tengo una experiencia muy dilatada y debo asegurarme de que no carezco de las virtudes de un amante. Al fin y al cabo, mi intención es hacerte feliz.

Su voz era un susurro, una caricia que le rozaba la piel como una pluma. Corinne levantó la mirada hacia él, y sus ojos enormes iban de un lado a otro.

—Sabes perfectamente que no necesitas ningún tipo de práctica. Y me haces muy feliz. —Se inclinó para tocarle la barbilla, apenas un roce de los dedos—. Cuéntame algo de tu vida.

—Soy músico ambulante. Ésa es la verdad, querida… un poeta que ha encontrado a su corazón perdido. He vivido mucho tiempo sin él. —No eran sólo las palabras que utilizaba, era su manera de decirlas, con el deseo pintado en la mirada.

—¿Te gusta tocar?

—Es lo que soy —dijo él, pensativo—. Cuando cojo mi guitarra, es como una parte de mí, como mis brazos. Las notas y las letras se encuentran en lo más profundo de mí y no hacen más que fluir hacia fuera. Nací con este don, y es un gran regalo que me ha sido dado.

La humildad de Dayan sorprendió a Corinne, que había visto en él a alguien muy seguro de sí mismo, tanto que rayaba en la arrogancia. Pero no sucedía lo mismo cuando se trataba de su extraordinario talento.

A pesar de lo mucho que disfrutaba paseando con Dayan, Corinne ya estaba exhausta. De pronto tuvo conciencia de que su corazón se esforzaba en encontrar el mismo ritmo que el de él. Le sonrió cuando la cogió en sus brazos sin el más mínimo esfuerzo.

—Es verdad que puedes leer mi pensamiento, ¿no? —El sonido de su voz era como una invitación, más de lo que ella hubiera querido.

—Claro que sí.

—¿Tienes que tocar a la persona?

—No, no siempre te he tocado mientras te leía el pensamiento. Y nunca he tocado a Lisa. Es fácil leer los pensamientos de los mortales —dijo, como si fuera algo sin mayor importancia, sintiéndose tan a gusto con ella que no pensó en censurar sus palabras. En el poco tiempo que llevaban juntos, él ya pensaba en los dos como si fueran una pareja, como si ya fueran compañeros en lugar de dos seres separados.

Corinne le puso los brazos alrededor del cuello cuando él, en medio de la oscuridad, la llevó de vuelta a la casa donde se habían instalado con Cullen.

—¿Mortales? Eso implica todo tipo de cosas, Dayan. ¿Por qué habrías de utilizar esa palabra? *Mortales*. ¿Acaso tú mismo no eres mortal?

Capítulo 6

Siguió un largo silencio; mientras Dayan escuchaba los ruidos de la noche, el murmullo del viento le susurraba secretos.

—A veces, querida, es preferible no indagar demasiado en cosas de las que quizá no quieras saber. He usado la palabra *mortal* cuando otra podría haber sido una mejor elección. ¿Acaso no somos todos mortales e inmortales a la vez? Si murieras, dejarías una parte tuya aquí en esta tierra y, sin embargo, seguirías existiendo en otra vida, en otro lugar.

—¿Eso crees?

—Absolutamente —respondió Dayan, solemne, sabiendo que Corinne necesitaba esa seguridad. Por un momento breve, se detuvo y hundió la cara en su cálido cuello, inhalando su aroma—. Donde quiera que estés, Corinne, nunca estarás sola. Yo siempre estaré contigo.

Ocurrió que enseguida el olor de ella, la realidad de su existencia, comenzó a abrumarlo, y con la misma presteza surgió su demonio interior. Emergió de pronto, rápido y furioso, y en su boca asomaron los colmillos. El macho carpatiano le exigía completar el ritual y unirla a él. Corinne era su tabla de salvación. La custodia de su alma. Era la luz y los colores. Sin ella, sólo había una existencia yerma y vacía a la que nunca podría volver y que nunca podría soportar. El pulso de Corinne latía bajo sus labios, y su fuerza vital fluía y brotaba con una oscura riqueza que él reclamaba, que *necesitaba*. En la profundidad de sus ojos oscuros unas flamas rojas se agitaron, señal de su lucha contra el demonio.

Corinne presintió el peligro. Se quedó muy quieta, mientras le sostenía la cabeza entre los brazos, acunándolo. Era consciente de la enorme lucha interior que Dayan padecía, aunque no entendía a qué se debía. Él se estremeció un momento y ella sintió sus labios yendo y viniendo sobre su piel suave con un movimiento erótico. Hundió los dedos en su cabellera sedosa y le acarició el pelo. Aquello la turbaba. ¿Qué era lo que necesitaba de ella? ¿Sexo?

—¡No! —La palabra irrumpió con fuerza en su mente. Y luego, su voz se volvió más dulce—. *No sólo sexo, amor mío. Necesito hacer el amor contigo toda la noche. Necesito unirnos a ambos para toda la eternidad. No sé cómo decirte estas cosas para que las entiendas, pero para mí es tan necesario como respirar.* —Había una profunda intimidad en su manera de hablarle, tanto en la ternura de su voz como en su manera de comunicarse mentalmente—. *Te necesito, te necesito mucho, Corinne* —suspiró él junto a su pulso, con su aliento cálido, íntimo—. *Te necesito mucho.* —Había algo muy peligroso en él, y ella lo sentía en su fuerza descomunal, en su manera posesiva de sostenerla. Pero su deseo era tan avasallador que Corinne era incapaz de pensar con claridad; no podía pensar en negársele, ni siquiera en aras de su propia supervivencia.

La respuesta se insinuaba en su mente, y en la mente de Dayan.

—*Quiero ser lo que tú desees.* —Corinne no pronunció ni una palabra en voz alta y, aún así, él oyó esa aceptación suya, la aceptación de sus diferencias, de su naturaleza salvaje e indómita. Dejó un eco resonando en la mente de Corinne, y en su corazón. Dayan murmuró suavemente su nombre, el talismán sagrado que lo alejaría del precipicio y del peligro, de los susurros de la locura que ella jamás podría entender.

Sus labios se desplazaron y siguieron la esbelta columna de su cuello, le rozaron levemente la oreja, mientras los dos parecían hundirse en un río de lava candente. Sintió que Corinne amoldaba su cuerpo al suyo, sensible, incitante, provocadora. No paraba de moverse en sus brazos y él reaccionó al sentir el rugido de la sangre, caliente, lo cual le provocó un dolor que no cesaba.

Dayan cerró los ojos y se entregó a la lujuria de los sentidos. Siguió recorriéndole el cuello hasta llegar al mentón, que le mordisqueó apenas antes de llegar a su boca. Tuvo de inmediato esa curiosa sensación de la tierra que se remecía bajo sus pies, del terreno que cedía, que se separaba de él hasta que sólo quedó Corinne. Dayan disfrutaba de cada sensación, de la suavidad aterciopelada de su piel, de su pelo sedoso, del deseo caliente de su boca cuando él se apoderó de ella. Corinne se le aferró, los dos engullidos por aquel torbellino de deseo y apetito, mientras él le llenaba la mente con su hambre, con imágenes oscuras y eróticas y con el fuego que se le acumulaba en la sangre sin parar.

La boca de Corinne era como un refugio amable en el que Dayan se perdió, mientras la sangre le rugía en las orejas. La cogió con fuerza, posesivamente. Ella era su único santuario después de mil años de abyecta soledad. Levantó la cabeza de manera que su boca pudiera bailar como una lengüeta de calor y luz por encima de su piel y volver a su pulso irresistible, un pulso que llamaba a Dayan con una voz que traía la distancia del tiempo. Ella oía sus palabras, un suave murmullo, el susurro de una sensual demanda, y el pulso se le aceleró al sentir la respuesta que surgía como una ola de calor. Él le acarició la piel con la lengua, la mordisqueó dulcemente, provocador y erótico, hasta que ella se quedó sin aliento cuando un arco de luz incandescente la recorrió de arriba abajo, fulminante, penetrando hasta su torrente sanguíneo, hasta que creyó que se incendiaba. La boca de Dayan siguió su incursión y la estrechó aún más fuerte, casando su cuerpo con el suyo casi como si estuvieran haciendo el amor.

Era como un sueño, vago e irreal, sensual y erótico. Era diferente a todo lo que jamás hubiera vivido. Corinne se sentía débil, incapaz de moverse, aunque tampoco tenía ganas de hacerlo, mientras le sostenía la cabeza y le hundía los dedos en la espesa melena, entregándose a su boca caliente y ansiosa. Cerró los ojos con la viva ilusión de que Dayan le estaba haciendo el amor, tan real que casi sentía cómo él la tocaba íntimamente. La voz de él estaba en su cabeza y, de alguna manera, *percibía* su deseo, su apetito desenfrenado, su intenso placer. No quería que parara, jamás. Dejó resbalar los dedos de su cabeza y sus manos cayeron, lacias, a los lados.

Dayan levantó enseguida la cabeza, rompiendo así la conexión entre los dos. Era curioso, pero ella sintió que un líquido tibio le bajaba por el cuello hasta los pechos. No alzó sus gruesas pestañas para investigar la causa, porque no quería romper el hechizo mágico del calor y el deseo. Él se inclinó para seguir el hilillo con la lengua y ella volvió a responder, tensándose de voluptuosidad. Corinne sonrió pensando en todo el placer que le daba sin mayor esfuerzo.

—He dejado mi marca en ti —dijo Dayan, con un susurro de terciopelo negro que le recorrió todo el cuerpo, caliente como la sangre—. No he podido aguantarme. —Le mordisqueó la comisura de los labios y jugó con ellos hasta que Corinne abrió obedientemente la boca para él. Sintió un sabor vagamente cobrizo cuando su lengua penetró, reclamándola para sí. Antes de que ella pudiera pensar en ello, él se había adueñado de su alma y de su cuerpo, de modo que dejó de pensar para convertirse en una llama viva de hambre y deseo.

Él le cogió un pecho en el cuenco de la mano y con el pulgar le acarició el pezón a través de la tela delgada de la blusa. Corinne se estremeció al sentir que las llamas le recorrían el torrente sanguíneo. Entonces, se apartó de su boca y le mordisqueó el mentón, siguió por el cuello y por su garganta vulnerable mientras ella se arqueaba contra él. Dejó escapar un gemido suave cuando le tiró con la boca de la blusa.

—Tenemos que parar —dijo, con voz suave, una voz que no convenció a ninguno de los dos.

A Corinne el corazón le iba demasiado aprisa. Más que cualquier otra cosa, aquello decidió a Dayan a recuperar el control y someter al demonio que luchaba por obtener la supremacía. Y, sin embargo, tenía unas ganas irrefrenables de reclamarla como suya, de unirla a él para siempre. Quería poner a buen resguardo su vida intercambiando sangre, no sólo saboreando la esencia de lo que sería suyo. Él necesitaba a Corinne, pero, aún más importante, ella lo necesitaba a él.

—Tienes razón, querida —dijo, muy a su pesar—. Sigue el ritmo de mi corazón para que el tuyo descanse.

Corinne se sentía relajada en sus brazos, con los ojos cerrados y toda ella ardiendo de deseo. Aún así, tenía la impresión de que no intentaría moverse, ni siquiera aunque se tratara de salvar la vida. Estaba inexplicablemente cansada, vaciada de energía.

—Tengo que traer cosas de mi casa. Medicamentos. Cosas importantes. Si no podemos volver por un tiempo, necesitaremos ropa.

—Haz una lista —volvió a sugerir él. Seguía avanzando en medio de la oscuridad, llevándola sin esfuerzo en brazos, con pasos largos y tranquilos. Guardó silencio mientras la llevaba hasta la casa pequeña que compartía con Cullen. Cada pocos pasos inclinaba la cabeza para estampar un beso en su sedosa cabellera.

—No puedo hacer una lista, Dayan, eso ya lo sabes. Algunas cosas son íntimas. Puede que Lisa me deje traérselas, pero nunca te dejaría a ti revolver sus pertenencias personales.

—Entonces te compraré ropa. Y maquillaje, y cualquier otra cosa que creas necesaria. —No había impaciencia en su voz, más bien una ligera diversión típicamente masculina, como si las cosas rutinarias no tuvieran importancia para él.

Corinne se esforzó en atraer su mirada y clavarlo con la suya, iracunda.

—No necesito que me compres ropa. Al menos estoy dispuesta a que vengas conmigo cuando vaya a la casa. Piensa en ello como una concesión.

Él se detuvo un momento y le escudriñó sus delicados rasgos.

—En realidad, no quieres volver a la casa. —Lo dijo como una afirmación, como si su voz fuera un ligero encanto.

Con un esfuerzo supremo, ella se cogió de él por el cuello con ambos brazos.

—Ya puedes dejar de hablarme en ese tono, Dayan, porque pienso ir a casa, pase lo que pase. Es importante. Si quieres venir conmigo, puedes hacerlo, pero no te servirás de tu voz para convencerme de lo contrario. En cualquier caso, sé que me protegerás.

—Hablas con mucha severidad —dijo él, de verdad admirado—. Te aseguro que estoy muy impresionado. —No podía sustraerse a la calidez que le infundían sus palabras. La verdad era que Corinne confiaba en él, lo creyera o no.

—Con sólo besarte, basta para que una mujer se vuelva débil, Dayan —dijo ella, exasperada consigo misma—. Ya me siento bastante ridícula de estar aquí como una heroína del siglo dieciséis, como para tener que aguantar tus comentarios acerca de cómo hablo.

Él volvió a besarle la frente.

—Es verdad que impresionas. Lo he dicho como un cumplido.

Habían llegado a la casa y, en un impulso inconsciente, Corinne abrió la puerta con un gesto de la mano. Él rió suavemente junto a su oreja.

—Eso también ha sido impresionante. No creo que hagas ese tipo de cosas delante de mucha gente. Empiezas a sentirte muy cómoda en mi presencia.

—Y yo te diría que no te des demasiados aires. No eres *tú*, para nada. Me gusta escucharte hablar aunque no digas más que barbaridades o recurras a la típica retórica machista.

Por toda respuesta, él se inclinó y encontró su boca, fácilmente, sin vacilar, como si fuera el gesto más natural y necesario del mundo. Hizo que el tiempo se detuviera durante ese breve instante.

—Sí que soy yo —dijo, con tono complaciente, cuando cruzaron la puerta—. Y, además, *nunca* voy por ahí diciendo barbaridades ni usando una retórica machista.

Lisa y Cullen se separaron rápidamente al verlos entrar. Se miraron mutuamente con una leve sonrisa de complicidad. El bello rostro de Lisa se encendió de rojo. Miró alarmada al ver a Corinne tan floja en brazos de Dayan.

—¿Se encuentra bien? —preguntó, rápida.

—Absolutamente —le aseguró Dayan—. Jamás permitiría que nada le hiciera daño—. Miró a Lisa directamente a los ojos y, como de costumbre, ella se echó hacia atrás—. Corinne insiste en que vosotras dos necesitáis ropa y maquillaje de vuestra casa.

Lisa asintió, seria, con un gesto de la cabeza.

—Precisamente en este momento le estaba diciendo a Cullen que necesitaré varias cosas. Deberíamos ir esta noche antes de que vuelvan esos hombres.

—No creo que sea seguro, Lisa —respondió Dayan, con voz suave, sin dejar de tener cautiva su mirada—. Creo que deberías quedarte aquí con Cullen mientras yo voy a buscar todo lo que necesitáis.

—Conmigo —dijo Corinne, haciendo un esfuerzo—. Me puedes dar la lista a mí, Lisa —añadió, y se apartó la melena que le caía sobre la cara—. Yo también voy a ir, así que podré traerte todo lo que necesites.

—¿Es seguro? —inquirió Cullen, con mirada ansiosa.

—Desde luego que no lo es —replicó Dayan, sin inmutarse; sus palabras eran una clara reprimenda—. Estoy seguro de que vigilan la casa. Entrar en ella es una manifestación de locura en estado puro. Y ya deberíamos haber partido. Es del todo necesario que nos reunamos con los curanderos lo más rápido posible. Es la única manera de asegurarnos que Corinne volverá a tener un corazón fuerte.

—¿Qué curandero? —inquirió Lisa, y en su voz asomó un dejo de temor—. No quiero bajo ningún concepto que Corinne consulte con charlatanes. Lo digo en serio, Dayan. Ya hemos conocido a suficientes locos para toda una vida.

Dayan mantuvo la mirada clavada en Lisa.

—Ella no fue la que introdujo a esa gente en su vida, Lisa —dijo, con voz serena.

A Lisa se le llenaron enseguida los ojos de lágrimas.

—No quise decirlo en ese sentido.

Corinne empujó con fuerza contra el pecho de Dayan, furiosa.

—Claro que no lo decías en ese sentido, Lisa; nadie lo ha pensado. ¿Qué quieres que hagamos, cariño? Tú nos lo dices y nosotros lo haremos.

Dayan mantenía la misma actitud impasible y serena, y su semblante no cambiaba mientras seguía mirando directamente a los ojos de Lisa.

—Lamento causarte dolor, Lisa. Sé que quieres a Corinne. Será un placer para mí traerte cualquier cosa que necesites de la casa, y te aseguro que a Corinne no la tocará jamás un charlatán. Estamos empezando a ser amigos y a confiar el uno en el otro. —Hablaba con una voz deslumbrantemente bella, y en sus palabras se colaba una suave melodía, una cadencia pura y de un timbre perfecto, de modo que todos se esforzaron por seguirlo.

Corinne le cogió la cara a Dayan con sus dos manos pequeñas y lo obligó a mirarla.

—Estás haciendo algo que no me gusta. —Pronunció cada palabra bien clara—. No vuelvas a hacerlo.

—Puedes venir conmigo a tu casa —dijo él, muy serenamente, sonriéndole, y más atractivo de lo que ella quería reconocer. Dayan era capaz de quitarle el aliento. A Corinne le asombraba hasta qué punto llegaba a afectarle.

—Déjame en el suelo.

—¿Te puedes sostener de pie sin mi ayuda? —preguntó él, con voz suave, provocador, susurrándole al oído.

—Por supuesto que puedo —mintió ella—. Y, para dejar las cosas claras, Lisa —añadió—, *yo* soy quien le permite venir a la casa conmigo.

Lisa y Cullen soltaron una risotada.

—Eso parece —contestó ella.

La casa estaba a oscuras, imponente, y Corinne tuvo la sensación de que despedía vibraciones extrañas. Cuando miró hacia ella con la duda en el semblante, comenzó a temblar.

—¿Dayan? —susurró, de pronto presa del pánico.

Él se inclinó enseguida a su lado y le rodeó los hombros menudos con un brazo.

—No te preocupes, querida. No permitiré que te ocurra nada malo. Ni ahora, ni nunca.

—Ocurre algo malo, Dayan. Lo presiento. Salgamos de aquí. Quizá la policía debería entrar con nosotros.

—La policía jamás acabará con este grupo.

—No me importa si pueden acabar con ellos o no. Creo que, ahora mismo, se trata de no exponerse al peligro. Si se lo pedimos, ellos entrarán en la casa con nosotros —rogó Corinne. Al mirarlo, se dio cuenta de que se había comunicado mentalmente con él, y percibió su determinación. Dayan se enfrentaba al peligro con pasmosa tranquilidad, totalmente seguro de sí mismo. Corinne dejó escapar un suspiro—. Piensas entrar de todas maneras, ¿no?

—Claro que sí. Tú y Lisa necesitáis ropa.

Ella lo cogió por el brazo.

—Dayan, déjalo correr. Podemos comprarla. No hay nada que justifique ni el más mínimo rasguño. No me gusta la sensación que percibo. Creo que hay alguien dentro o que alguien la vigila.

Él se inclinó buscando su boca irresistible.

—Creo que estás en lo cierto. Están vigilando la casa, pero tú estás perfectamente a salvo aquí.

—No pienso esperar mientras tú entras solo. Si insistes en mostrarte testarudo, yo insistiré en acompañarte. Soy capaz de hacer cosas extraordinarias, Dayan. Sé que puedo ayudar. —No tenía ni la menor intención de dejar que, una vez más, se aventurara solo en su incursión.

Dayan sonrió, y sus dientes blancos brillaron en la oscuridad, lo cual le daba el aspecto de un predador. Corinne no tenía ni idea de por qué aquella imagen le vino a la mente, pero se estremeció de todas maneras. A intervalos, tenía visiones de un predador de la jungla. Cosas raras, como leopardos y bestias de la noche. Imágenes borrosas de niebla y bruma, de relámpagos y tormentas feroces. Todo estaba en la mente de Dayan, mezclándose con lo que él era, con su verdadera naturaleza.

Percibió imágenes de Dayan de pequeño, con otros niños de su edad, corriendo libremente por la jungla. Pero junto a ellos había leopardos, guardianes que parecían mantener un ojo vigilante a su alrededor. Corinne no sabía si las imágenes que recibía eran imágenes parciales de recuerdos verdaderos o una mezcla de recuerdos y fantasías. Era un mundo oscuro, no propio del poeta que ella veía en él. En aquellas visiones, Dayan era un predador siniestro que deambulaba con felinos de la selva en busca de presas.

Corinne guardó aquellas imágenes para mirarlas detenidamente más tarde. Era consciente de que Dayan, que tenía unas características psíquicas que lo hacían dueño de un gran talento, no era exactamente lo que parecía. Pero no tenía ni idea de qué cosas era capaz.

—Ya estás otra vez, cariño —dijo, y daba la impresión de que se divertía—, asustándote a ti misma sin motivo alguno. ¡Qué pensamientos te vienen a la cabeza! Quédate aquí mientras yo compruebo que no hay nadie en la casa.

—¿Hay alguien dentro o no? —Corinne tenía curiosidad por saber si Dayan era capaz de saberlo a esa distancia.

—En realidad, no hay nadie, pero percibo a un hombre vigilando en el jardín, oculto a nuestros ojos. Capto sus pensamientos. Hay otro hombre apostado en la puerta trasera. Está silbando para sí mismo. Hay un tercer hombre vigilando en la calle, fumando un cigarrillo, tres casas más allá. Si miras detenidamente, verás la lumbre del cigarrillo, allá, en el porche. —Dayan volvió a sonreír, esta vez sin asomo de humor—. Está fantaseando con una escena. Me temo que no puedo permitir que sus retorcidos sueños se hagan realidad.

—¿Puedes leerle el pensamiento a esta distancia? —inquirió Corinne. Le creía; sabía que decía la verdad. Con una parte de su mente procuraba juntar las piezas del rompecabezas, pero faltaban demasiados elementos. Confiaba en Dayan, aunque, en realidad, ni siquiera lo conocía bien. Pero se sentía como si hubieran estado juntos toda una vida, como si su destino fuera estar juntos, aunque sólo acabaran de conocerse.

Dayan se encogió de hombros con un sutil y fibroso movimiento de músculos. De amenaza. Presa de la ansiedad, Corinne se mordió el labio.

—Siempre pareces tan dulce, Dayan. Sin embargo, das la impresión de ser una persona muy peligrosa. A veces, pareces muy intimidatorio, ¿lo sabías? —Corinne intentaba deshacerse de la aprehensión por la vía del humor, pero percibía la violencia que latía en él, brasas ardientes por debajo de la superficie.

Él le rodeó los hombros delgados y la atrajo para estrecharla en sus brazos.

—Todos los hombres son capaces de volverse violentos, si amenazan a uno de sus seres queridos. Los machos carpatianos somos protectores natos, es una característica que nos es dada al nacer. Así hemos sido desde el comienzo de los tiempos. Tu seguridad y tu salud son mis principales preocupaciones.

¿Cómo era posible que todo lo que decía pareciera tan racional, cuando, en el fondo, no lo era? ¿Acaso era el ritmo hipnótico de sus palabras? ¿Su notable belleza? ¿Era la pasión y el deseo que irradiaba cuando se encontraba tan cerca de ella? Corinne sólo sabía que, estando a su lado, se sentía como si lo conociera de toda la vida, como si siempre debieran haber estado juntos. Con una mano, le acarició la barbilla, un roce suave con la punta de los dedos.

—Yo puedo mover objetos si me concentro en ello. Sé que puedo ayudarte.

Él le cogió la mano y se llevó los dedos a sus cálidos labios.

—Tienes un talento notable, amor mío, y te agradezco tu oferta, pero me aseguraré de que no estés expuesta al peligro cuando salgas de este coche. Para mí, es algo de la mayor importancia.

Ella tuvo que apartar la mirada de sus ojos hipnotizadores. Si bajaba la guardia, caería presa de aquellos ojos y quedaría atrapada para toda la eternidad. En el exterior, comenzaba a levantarse el viento trayendo consigo ligeras hebras de niebla. Brotaban del asfalto en largas volutas hasta que se convirtieron en una niebla espesa que se apoderó de toda la calle. Aquella niebla se formó rápidamente, como soplada desde el océano, cargada con olores de agua salada y algas. Corinne se obligó a dejar de mirar a Dayan y se volvió hacia la calle.

—Mira eso, Dayan. ¿Habías visto alguna vez la niebla juntarse tan rápido, y tan espesa? —De alguna manera, daba mucho miedo. Ella sabía que no podrían conducir con esa niebla cerrada; nadie era capaz de ver nada. La niebla misma tenía algo raro, como si unas formas y figuras extrañas cobraran vida en ella. Corinne oyó algo: un murmullo incesante de voces ocultas en la bruma.

—Estás temblando, Corinne. No temas, solo es camuflaje. No es más que eso. Así puedo moverme de un lado a otro sin que me detecten. —Dayan hablaba con voz queda, como de costumbre, pero había algo inquietante en ese comentario de pasada. Como si la espesa niebla fuera algo normal. *Como si fuera él quien le diera órdenes a la niebla.*

Corinne se lo quedó mirando con ojos desmesuradamente abiertos. En su expresión de fascinación asomaban las preguntas, y en la mirada serena que él le devolvía estaban las respuestas. Era la mirada de un gran felino de la selva, la mirada de un predador justo antes de saltar sobre su presa. Corinne se movió, como intentando una sutil retirada, pero Dayan no hizo más que apretar su asidero en ella. El corazón volvía a latirle de forma errática, ruidoso en medio del silencio nocturno con su manto de niebla.

—Corinne —dijo él, en un susurro. ¿O quién sabe si sólo lo había pensado para que el ruido tocara su mente como el roce de las alas de una mariposa? Su tono de voz era sensual. Tentador. Íntimo. Conseguía que ella se derritiera por dentro cuando él pronunciaba su nombre. Le cogió la mano y llevó la palma a su pecho, a la altura del corazón. Le cubrió la mano con la suya—. Calla, amor mío, escucha a mi corazón hablándole al tuyo. Tienes que aprender a relajarte y respirar. Ya sabes que respirar es algo esencial para tu vida.

Ella inhaló una bocanada de aire. Su corazón comenzaba a responder al ritmo regular de Dayan. Pensó en su manera de hablar de las cosas. Esencial para *tu* vida. Alzó sus largas pestañas para mirarlo a la cara. Físicamente, era un rostro bello, sensual, muy masculino.

—¿Acaso no es esencial para tu vida también?

Por un instante fugaz, en sus ojos asomó una nota de humor, sólo una mirada de soslayo, y luego su mirada se volvió oscura, profunda, insondable, como si ocultara mil secretos.

—A veces es del todo esencial, como ahora. Cuando te miro, me quitas el aliento. Sencillamente sucede así. Me doy cuenta de que no puedo respirar.

Corinne rió, a pesar de que se había propuesto no hacerlo. Dayan era increíble; la hacía sentirse bella en su embarazo.

—No me he dado cuenta de ese fenómeno en concreto. Tendré que prestar más atención.

—Eso quiere decir que tampoco te has dado cuenta de que haces que me tiemblen las piernas. —En la oscuridad, con la niebla arremolinada en torno al coche y esos murmullos extraños que conspiraban a su alrededor, Corinne agradecía la sólida presencia de Dayan, y también la risa que despertaba en ella.

—Creo que te inventas esas cosas sólo para que yo ría y me olvide de esos hombres que esperan en la oscuridad para hacerte daño. —Sin darse cuenta, Corinne le estaba frotando el brazo arriba y abajo—. Quiero ir contigo.

La mente de Dayan surgió como una sombra en el pensamiento de Corinne. Ella no temía por sí misma sino por él, y estaba decidida a acompañarlo.

—Derretimiento —dijo él. Fue una palabra apenas susurrada junto a su pulso, junto a su piel desnuda, hasta que ella lo sintió en lo más profundo de su ser. Era una palabra como una caricia de seda negra, un recurso de brujería.

Dayan sintió que, interiormente, él se había derretido y que su sangre se había convertido en lava candente. Espesa y caliente, recorriéndolo y despertando urgentes demandas. Ella lo era *todo*. Era luz y risas, serenidad y poesía, y sensualidad ardiente y apasionada. Corinne era una mujer con clase, de una gran dulzura; era la elegancia, como una noche a la luz de la vela, encaje y satén. Era la pureza de las espumosas cascadas y de los bosques sombríos y frescos. En lo más profundo de ella había algo salvaje, algo que salía a la superficie cuando estaba con él. Una naturaleza salvaje parecida a la suya. Él intuía que aquello la sorprendía porque no sabía que existía. Sin embargo, debería de haberlo sabido. Estaba presente en su música, cuando tocaba tan apasionadamente, en las canciones que escribía para que otros las cantaran.

Dayan la acercó aún más a él. Hasta que los corazones latieron al unísono y el de Corinne se acompasó con el ritmo más regular del suyo.

—Te quedarás dentro de este coche, querida, donde la niebla te protegerá y te mantendrá a salvo. Estos humanos no pueden hacerme daño. Me aseguraré de que se marchen.

Ella reconoció el «impulso» que imprimió a su voz, como una necesidad de obedecer que era casi imposible ignorar. Por mucho que la irritara, la intrigaba esa cualidad hipnótica de su voz. Antes de que pudiera reflexionar sobre ello, Dayan se había apoderado de su boca, alejándola en un torbellino de cualquier actividad sana como, por ejemplo, pensar, borrando todo pensamiento de su cerebro y reemplazándolo con puro sentimiento. Y, de repente, ya no estaba; se había deslizado rápidamente fuera del coche, dejándola sola y confundida.

Corinne se acurrucó en el asiento y se mordió una uña. Dayan. Se le había metido bajo la piel, se le había enroscado en el corazón y colado en su alma hasta que ya no podía dejar de pensar en él. No cesaban sus ganas de estar a su lado. Había algo diferente en él. Pero cada vez que creía estar cerca de la respuesta, la distraía. Lo hacía sin gran esfuerzo, tranquilamente.

Miró por la ventanilla hacia la espesa niebla. Ya no se veía nada, y la falta de referencias visuales le hizo tener la sensación de que flotaba en el aire, como amortiguada por las nubes. Nadie tenía la capacidad de reinar sobre los elementos del cielo ni del tiempo. ¿Por qué creía, entonces, que Dayan había hecho algo para desencadenar esa niebla misteriosa? No era natural. Había oído voces que susurraban, había visto aquellas siluetas moviéndose en la sombra. Daba miedo y, aún así, él había salido sin la más mínima muestra de temor, como si tuviera la certeza de que no sufriría daño alguno.

¿Por qué hablaba con esas palabras raras?, pensó, dándose golpecitos en el mentón con el índice. *Mortales*. Había usado la palabra como si fuera algo natural y tuviera un significado. Había dicho que los humanos no podían hacerle daño. *Como si él no fuera humano*. Corinne sacudió la cabeza, con la intención de sacudirse de encima aquella idea.

Desde luego que Dayan era humano. ¿Qué otra cosa podía ser? ¿Un animal? Sin duda había algo de animal en su manera de moverse. Como un gran felino de la selva, algo en sus ojos, en sus movimientos. ¿En qué pensaba? ¿En una especie de ser mítico, mitad humano, mitad felino? Corinne exhaló lentamente. Era demasiado absurdo permanecer ahí, sentada en medio de la oscuridad y dejando vagar la imaginación, mientras Dayan estaba ahí afuera en medio de una pandilla de asesinos. Él creía que no necesitaba protección, pero Corinne sabía que podía serle de ayuda si era necesario. Con gesto decidido fue a coger la manilla de la puerta. Pero, al hacerlo, le tembló la mano y se detuvo a medio camino. Empezó a sudar. Todo en ella le decía que debía quedarse dentro del coche.

Con mucho cuidado, se llevó las manos a la barriga con gesto protector. Le faltaba algo importante, una pieza del rompecabezas. Dayan era diferente. Tenía grandes poderes, pero era algo más que eso. Había pequeños detalles que no encajaban. Cosas que, al parecer, nadie más observaba en él. Cosas que ella veía cuando sus mentes se conectaban. Al comienzo, sólo oía su voz, pero cada vez había más detalles que penetraban en su mente. Imágenes raras. Hechos. Imágenes vivas y detalladas de la historia, de épocas pertenecientes a un pasado lejano. Eran imágenes borrosas, pero permanecían en su mente.

Dayan esperó junto al coche, en silencio, envuelto por la niebla, que lo cubría con su manto espeso. Volvió a contactar mentalmente con Corinne, y sonrió para sí mismo al observar que se abría camino hacia la verdad. Corinne. Su corazón y su alma, su aliento mismo. Corinne tocaba algo en su mente cada vez que conectaba con ella. Su pasado. La guerra y el desarrollo de las naciones, detalles vivos que permanecían incrustados en sus recuerdos. Hechos y proezas que hablaban de su fuerza. Diversos periodos históricos. Todo formaba parte de aquello que había forjado su carácter. Su familia. Darius. Los vampiros que atacaban a su familia debido a la existencia de las dos mujeres. Conciertos. Miles de conciertos, algunos en los que hacía de simple juglar, otros celebrados en enormes estadios de fútbol. Carros tirados por caballos y coches antiguos. Todos los recuerdos con la sombra que proyectaba la noche oscura. *Criaturas de la noche.* Su mundo.

Dayan colocó la mano sobre el techo del coche, justo por encima de la cabeza de Corinne, sabiendo que era del todo invisible y que ella se inquietaba por él. Intentaba resistirse a esa orden que él le había susurrado pidiéndole obediencia. Se le derretía el corazón ante la idea de que estuviera decidida a protegerlo; ella, tan pequeña y delicada, con una salud tan frágil. El amor que sentía por ella y que aumentaba a cada momento que pasaba en su compañía, comenzaba a convertirse en una realidad que lo abarcaba todo.

Se miró la mano, no sin antes fijar la mente en la imagen de aquello en lo que quería transformarse. La mano se le desfiguró y retorció. De sus uñas brotaron garras y la piel se volvió pelaje. Se alejó del coche a medida que se consumaba la transformación. Él la buscó, se dejó llevar por ella, disfrutó de la plena libertad. La criatura había estado en la mente de Corinne, compartiendo sus pensamientos. Mitad felino, mitad hombre. Le gustaba esa definición. Ella había tenido atisbos de su mundo, de las cacerías donde él se servía del cuerpo de un felino para procurarse sustento. Encarnado en el cuerpo compacto y elástico del leopardo, Dayan sonrió. Corinne estaba más cerca de la verdad de lo que sospechaba. Y aunque le pareciera inexplicable, él se sentía orgulloso de ella.

Con pasos sigilosos, el magnífico felino se desplazó sobre sus mullidas patas por la calle cubierta de niebla. Avanzó en silencio gracias a sus patas acolchadas, seguro de su oído increíblemente fino y de su visión nocturna. Aquel animal también reinaba sobre el siniestro ambiente en que se había sumido la noche, que era parte indiscutible de sus dominios. Dayan se servía del cuerpo del leopardo para «ver» los objetos a su alrededor. Sabía exactamente dónde se encontraba su presa. Se acercó poco a poco al objeto de su cacería. Los músculos bajo su piel elástica vibraban como cuerdas fibrosas a medida que se acercaba.

El hombre apagó el cigarrillo en la suela de la bota y se acomodó la escopeta sobre los muslos. La niebla comenzaba a inquietarlo, una niebla espesa a través de la que era imposible ver. Sin embargo, habría jurado haber visto unas figuras moverse. Se asomó inclinándose fuera del porche, aguzando el oído en busca de cualquier ruido que delatara a quien se acercaba. De pronto, se puso nervioso. Sintió un ligero temblor que comenzaba en lo más profundo de sus entrañas y que se le extendió al resto del cuerpo.

No había nada ahí fuera. Nada que pudiera ver, ni que pudiera oír y, aún así, se sentía amenazado. Acechado. Con paso nervioso, dejó el porche, agradecido de que los dueños estuvieran de vacaciones. Aquella propiedad era la atalaya más indicada para vigilar la casa de los Wentworth. El hombre se paseaba de un lado a otro. En ningún momento vio al felino que se le acercaba con el vientre pegado al suelo, avanzando centímetro a centímetro. Silencioso. Letal. Con los ojos dilatados fijos en su presa. En ningún momento el hombre sospechó que a pocos metros de él lo acechaba un enemigo mucho más poderoso que él. Cuando se produjo el ataque, fue rápido y explosivo. El animal ya se le había echado encima con una fuerza brutal, y con un zarpazo seguro clavó a su víctima y le abrió su vulnerable cuello en medio de un silencio absoluto.

El leopardo trepó hasta el techo de la casa llevando el cuerpo con él. Acomodó a su víctima entre una buhardilla y un ángulo agudo del techo en forma de cuña. Dayan tuvo que luchar contra los instintos del felino salvaje, ansioso de cobrar su presa. Había sido cada vez más difícil combatir la oscuridad que crecía y se disolvía en él. Sin embargo, gracias a Corinne, que había entrado en su vida y lo había completado, volvía a ser fuerte. Tenía alguien por quien vivir, alguien a quien amar. Alguien que hiciera que todo valiera la pena. Respiró profundo y condujo al leopardo de vuelta a la calle.

De un salto, el felino estaba en el suelo, y ahora se movía rápidamente por la niebla cerrada que cubría la calle hacia la casa de los Wentworth. Un hombre esperaba en el jardín trasero a que Corinne llegara a casa. Tenía un arma y un cuchillo, y sus órdenes eran llevarla al laboratorio o matarla. El felino olía al hombre a pesar de la espesa bruma. Un segundo hombre esperaba acurrucado junto a la puerta, con las mismas órdenes y la misma determinación. Los dos estaban con los sentidos muy alertas, incluso atemorizados. Dos de sus compañeros habían desaparecido sin dejar rastro. La sociedad quería respuestas, y las quería rápido. Las mujeres Wentworth se las proporcionarían.

El leopardo avanzó con la misma serena seguridad, con el mismo silencio con que había iniciado el acecho de su presa. De un brinco, salvó el obstáculo de la verja de hierro forjado y aterrizó sobre sus patas almohadilladas. La niebla empezó a desplazarse. Al principio eran sólo suaves remolinos, pero luego pareció cobrar vida propia. Rozó las piernas del hombre apostado en el jardín. Éste lanzó una mirada de desconcierto, como buscando algo vivo que parecía haberle tocado.

Lanzó una imprecación y empezó a ir de un lado al otro del jardín, mirándose los pies. La niebla volvió a agitarse, esta vez como una serpiente gigantesca, enredándole con sus anillos desde los pies a la cabeza. El hombre iba hacia la casa cuando se dio cuenta del extraño fenómeno. Con el corazón en la boca, intentó librarse del vapor, sólo para descubrir que su mano lo traspasaba. Sintió un alivio tremendo.

—¿Mike? —llamó a su compañero, de pronto deseoso de salir de aquella bruma opresiva. Era tan espesa que sentía que no podía respirar.

Junto a la puerta, Mike oyó la llamada en sordina, y se giró, intentando ver a través de la niebla.

—¿Drake? —Creyó ver una figura alta y pálida moviéndose en la niebla, pero era un perfil vago que se perdía en las sombras, aunque no de la misma complexión que su compañero. Entrecerrando los ojos, se inclinó para ver mejor a través de la tupida niebla, ahora seguro de que había más de una figura moviéndose. Levantó su arma intentando apuntar hacia las siluetas amorfas, casi transparentes.

Al final, decidió que era un animal, no una persona, y bajó el arma. Aguzó el oído, pero aquella niebla curiosa amortiguaba los sonidos y lo dejaba como aislado del resto del mundo. Aquellas formas decididamente no eran humanas, unas formas que, envueltas por el misterioso velo blanco, eran como siluetas de grandes felinos. Cuando los miró, desconcertado por el extraño fenómeno, los animales parecieron devolverle la mirada y fijaron en él unos ojos que lanzaban destellos, unos ojos rojos que se inflamaron y se le antojaron siniestros y amenazadores en medio de la bruma. Para asegurarse, Mike apretó con fuerza el arma que empuñaba y dio un paso atrás para aplastarse contra la pared, haciéndose lo más pequeño posible.

Si aquello era una ilusión, ¿por qué veía aquel gato que avanzaba hacia él, emergiendo de la niebla, mirándolo fijamente, ferozmente? Los pesados músculos oscilaban, ligeros como un fluido, por debajo de su piel moteada. Tenía la cabeza inclinada hacia abajo, pero en ningún momento desvió la mirada de su víctima. Mike intentó levantar el arma, y su dedo buscó desesperadamente el gatillo para acabar con aquella criatura, pero su mano estaba paralizada. El arma se había encasquillado. Nada funcionaba como era de esperar.

Seguía mirando reconcentradamente aquellos ojos destellantes cuando algo lo golpeó con fuerza en el pecho y él alcanzó a toser una vez. Fue el último ruido que pudo emitir. El leopardo era tan fuerte que cuando atacó le aplastó el pecho, al tiempo que sus garras afiladas como una navaja se hundían en su cuello para consumar el golpe. El leopardo arrastró al hombre lejos de la puerta hacia el jardín, donde se encontraba el tercer humano.

Drake intentó avanzar a través de las espesas volutas de niebla hacia donde creía que lo esperaba Mike. Tenía la impresión de que los tentáculos de aquella materia se enroscaban a su alrededor como si fuera una momia. Creía sentir que lo rozaban aquí y allá, por todas partes. Pero cuando intentaba apartarlos, su mano se hundía en la niebla insustancial. Era una sensación inquietante que daba miedo. Dentro de aquella bruma caldosa empezó a sentir una especie de claustrofobia, y le desconcertaronn los murmullos que venían del interior de ella.

—¿Mike? —Susurró esta vez, moviendo los pies con cautela, palpando por donde avanzaba en medio del césped. Buscó la silueta de una pared que le señalara que se acercaba a la casa. Con la punta de la bota, tocó algo sólido. No parecía duro como una pared. Lo tocó aquí y allá con el pie. Tuvo una sensación de náuseas en la boca del estómago—. ¿Mike? —volvió a susurrar cuando se inclinó para tocarlo con la mano.

En una fracción de segundo, se quedó sin aliento. Era su compañero. Drake tragó aire desesperadamente, se giró a un lado y luego al otro, empuñando el arma, buscando al enemigo con los ojos desorbitados. Con la mano que tenía libre, palpó el cuerpo buscando el pulso. De pronto, tocó una piel espesa. Aspiró bruscamente, y su mano siguió sola y palpó el contorno de un cráneo. Los bigotes, el hocico abierto con sus colmillos afilados. Drake quiso gritar, peo el felino ya había dado el salto, y le había clavado los colmillos en el cuello desprotegido antes de que pudiera emitir ni la más mínima señal de advertencia. Siguió un borboteo desesperado, que enseguida se desvaneció.

Dayan mutó de inmediato y cogió al hombre en sus brazos. Se guardó el arma bajo el cinturón y fue a coger el segundo cuerpo. Dio un par de saltos a la carrera con los dos cuerpos sobre los hombros. Su peso no era nada para él cuando se elevó por el cielo amparado por el manto de espesa niebla. Se detuvo un momento a recoger el tercer cuerpo del tejado y volvió a dirigirse al bosque, a varios kilómetros de la ciudad.

Tardó unos minutos en deshacerse de los cuerpos como lo había hecho con los otros dos. Los incineró con la descarga de un rayo antes de enterrarlos en lo profundo de la tierra y desparramar la hojarasca sobre el lugar para que pareciera no haber sido tocado jamás. Enterró las armas junto a las cenizas. Luego, volvió a donde lo esperaba Corinne, y emergió en silencio de la niebla que rodeaba el coche.

Capítulo 7

—*Estoy aquí contigo, querida.* —Dayan pronunció aquellas palabras antes de tocar la manija de la puerta del coche, temiendo que la asustaría. Era como una sombra en su mente, y sabía que Corinne ya estaba asustada y que temía por su seguridad. La bruma la oprimía. Él percibía lo incómoda que estaba, y también sintió que el bebé daba fuertes patadas, aunque a ella el corazón y los pulmones le funcionaban a duras penas. Él le transmitió mentalmente una cálida corriente de amor, intensa y poderosa, para asegurarle que se encontraba bien.

Corinne fue a abrir la puerta cuando él ya lo había hecho. Se lanzó enseguida a sus brazos, sin importarle lo que Dayan pudiera pensar.

—Estaba tan preocupada por ti —dijo.

Él la estrechó con fuerza, disfrutando de ese contacto con la frágil Corinne.

—Respira, querida. Me das un susto de muerte cuando tu corazón se esfuerza tanto. Nunca he estado en peligro. En ningún momento. Ya te lo he dicho. Tienes que escucharme cuando te digo cosas importantes —le dijo, y hundió la cabeza en su cuello suave e inhaló su fragancia, respirando regularmente, deseando que los pulmones de Corinne se acompasaran con los suyos.

Corinne apoyó la cara en su enorme pecho.

—Nunca sé qué es verdaderamente importante y qué es puro sinsentido —reconoció, de buen humor, intentando desesperadamente tomárselo a la ligera cuando, en realidad, estaba a punto de llorar de alivio.

Dayan rió por lo bajo, agradecido.

—Lo que dices halaga mi ego. Todos los demás me obedecen. Creo que tú deberías hacer lo mismo.

Muy a su pesar, ella se apartó de su abrazo y miró a su alrededor, asombrada al percatarse de la rápida desaparición del banco de niebla. Se había desvanecido como si nunca hubiera estado.

—Es a mí a quien todos obedecen, Dayan —señaló, todavía intrigada por el extraño fenómeno de la niebla.

Él entrelazó sus dedos con los de ella para traerla de vuelta a la realidad. La cogió firmemente por los hombros mientras caminaban hacia la casa.

—Y estoy seguro de que todos obedecemos. —Corinne encajaba perfectamente, más pequeña, caminando junto a él, suave y femenina, recordándole constantemente a Dayan sus maravillosas diferencias.

Ella alzó la mirada hacia él, escrutando sus rasgos, y luego inclinó la cabeza para ocultar su expresión. En los ojos de Dayan había calidez cuando la miraba, pero esa misma mirada se volvía implacable en cuanto la proyectaba a su alrededor. Parecía más animal que humano. Incluso sus movimientos, estilizados y poderosos, no parecían humanos. Corinne procuraba entender qué era exactamente lo que la intimidaba de él.

En lugar de seguir el ritmo de Dayan, el corazón de ella latía con fuerza a toda marcha. Tenía la boca seca.

—Dayan.

—¿Por qué tienes miedo de mí si te trato con tanta amabilidad? —preguntó él, con una voz tranquila que la serenó. Dayan nunca sonaba enfadado ni irritado por sus pensamientos. Le cogió de las manos las llaves de la puerta de la casa y abrió.

Corinne pensó un buen rato antes de responder. Concretamente, ¿cuánto miedo le tenía? Lo miró, observó las aristas duras de su rostro. La mandíbula fuerte. La boca y sus labios esculpidos.

—En realidad, no creo que te tenga miedo —dijo, como reflexionando en voz alta—. Tú tienes algo diferente, Dayan…, algo peligroso. Pero no para mí. No creo que la amenaza me incluya a mí —afirmó, alzando el mentón—. Sabes, siempre he detestado que todos me digan lo que tengo que hacer con mi vida debido a mi salud. Mi cerebro funciona a la perfección y puedo entender las cosas sin ayuda de nadie. Si tú decides estar conmigo y quieres cuidar de mí, conociendo perfectamente las consecuencias de lo que me puede ocurrir, y que probablemente me ocurrirá, que así sea. Es tu decisión, Dayan —dijo, y le cogió la cara con ambas manos—. Sólo tienes que saber que si tu afecto es grande, la muerte puede ser muy dolorosa para aquellos que deja atrás.

—¿Tú te darías por vencida, Corinne? —preguntó él, con voz queda, mientras su mirada oscura, casi siniestra, le escrutaba el rostro— Si fuera yo quien sufriera del corazón, ¿tú me dejarías?

Una sonrisa perezosa le curvó la boca a Corinne, le iluminó la cara e hizo desvanecerse la inquietud oculta en su mirada.

—Amo la vida, Dayan. Creo que hay que vivirla. Nunca dejaría pasar el amor o la risa, o la oportunidad de conocerte, por miedo al dolor. Sería un pequeño precio que pagar por tu compañía. Sin embargo, he sufrido dolores y he tenido experiencias que otros nunca han vivido. He aprendido el valor del amor y de la risa.

Dayan giró levemente la cabeza, pero mantuvo los ojos fijos en ella, devorándola con la mirada. Le besó la mano y deslizó un dedo en la húmeda cavidad de su boca.

Corinne sintió que se tensaba entera y miles de mariposas aletearon en la boca de su estómago. Dayan la hacía sentirse bella, sensual y muy deseada.

—¿Qué te propones? —Corinne lo miró con el corazón en los ojos, con el pecho agitado, subiendo y bajando, expectante.

Él le lamió el dedo en una lenta y sedosa caricia y luego, muy a su pesar, la soltó.

—Seducirte —dijo Dayan, sin remordimientos. Se inclinó para encontrar la boca de Corinne con la suya; la besó ligeramente, un beso largo y lento con el que intentaba decirle aquello que, al parecer, no sabía comunicar con simples palabras. Poeta o no, no había palabras para describir todo lo que ella significaba para él. No había palabras para decirle que la seguiría a donde fuera. Que para él ella era la vida misma.

—Lo expresas muy bien —dijo ella, murmurando las palabras en su boca, en su alma.

Dayan se tensó, se apoderó de ella, estrechándola con fuerza entre sus brazos. No había habido intercambio de sangre y, sin embargo, ella podía leer su pensamiento. Internándose como una sombra, diestra y hábil, entrando en un terreno donde sólo los carpatianos deberían penetrar. ¿Acaso había aprendido demasiado? El corazón no le latía más deprisa que de costumbre. Con cautela, tomó contacto mental con ella. Corinne ni siquiera se había dado cuenta de lo que había hecho.

Ella fue la primera en apartarse, una retirada leve y delicada que lo hizo sonreír cuando abrió los brazos para dejarla escapar.

—¿Qué es lo que tanto te atrae de la música? —preguntó Dayan, mirando los montones bien ordenados de revistas de música en la mesa de centro.

—La música me transporta a todos aquellos lugares donde mi cuerpo no puede llevarme —dijo Corinne, mirándolo casi con timidez. Con su asomo de sonrisa, ella le hacía flaquear las rodillas—. Soy capaz de recrear la sensación de saltar de un avión o de nadar a grandes profundidades; sólo me basta seleccionar la pieza indicada. Sin importar dónde esté, o lo difícil que sea respirar, si puedo escuchar música, sé que todo irá bien. —Su sonrisa tímida reapareció—. Es probable que a ti te parezca una tontería, pero tú eres fuerte y libre. Yo estoy prisionera de mi propio cuerpo. Lo que desean mi corazón, mi alma y mi mente son cosas que nunca viviré, así que me sirvo de la música para encumbrarme.

Dayan no dijo palabra. No podía hablar. El nudo en la garganta le impedía respirar. Era la manera de Corinne de vivir su vida. Aceptaba lo que le había sido dado y vivía plenamente, a pesar de sus limitaciones. Se había entregado a la vida. La había disfrutado y vivido. Dayan se la imaginaba surcando los cielos como un pájaro, por encima de los árboles. Siempre tendría que permanecer cerca de ella, cuidar de ella, o se lanzaría hacia las estrellas.

—No sientas lástima de mí, Dayan —dijo ella, con voz queda—. Verás, he tenido una suerte fantástica. Guardo como un tesoro cada día vivido. —Se giró para echar una mirada a su hogar—. He tenido tantas cosas en mi vida, tantas cosas inesperadas. Ven conmigo, mira esto. Lisa es una absoluta ignorante cuando se trata de instrumentos musicales, así que no supo apreciar esto para nada, pero tú sí lo apreciarás. —Lo cogió de la mano y tiró de él—. Sé que lo apreciarás.

Él cedió porque no tenía alternativa. La habría seguido hasta el fin del mundo. Corinne lo condujo a través del salón hasta una sala con un piano, y le enseñó las teclas de marfil. Le apretó con fuerza la mano para acercarlo al taburete, casi empujándolo.

—Escucha esto, escucha este sonido. —Sus dedos volaron sobre el teclado, aletearon y comenzaron una sonata que él reconoció en seguida.

Era un sonido muy bello, las notas eran reales. Dayan vio sus dedos desplazándose sobre el teclado. Corinne tocaba sin esfuerzo, con cierto abandono, perdiéndose completamente en la música. Tocaba de la misma manera que vivía la vida. Tal como lo amaría a él. Apasionadamente, con todo lo que había en ella. Dando, libre y generosamente. Una fusión absoluta de su cuerpo, su alma y su corazón.

A sus ojos, era muy bella. Con la cabeza inclinada sobre el piano, los ojos cerrados y el cabello revuelto y caído sobre su cara, conservaba una expresión de concentración y embelesado arrobo. Dayan se inclinó sobre ella y plantó las dos manos sobre el piano de modo que sus brazos crearon una barrera. Más abajo, encontró la tentación de su nuca. Su fragancia natural lo atrajo, se apoderó de sus sentidos hasta que sólo pudo pensar en Corinne. En su piel suave y en su cuerpo incitante. En la pasión que sentía por ella, en la magia.

Las manos de Corinne detuvieron su carrera sobre el teclado y se giró hacia su abrazo, levantándose apenas para encontrarse con su boca caliente. Encontró fuego y llamas. Una explosión de luz solar y un deseo más irresistible que la vida misma. Se alimentaron el uno del otro, se devoraron mutuamente, como si no pudieran acercarse lo suficiente. Dayan la besaba con sus labios ardientes y exigentes. Los labios de ella eran sedosos, pero tenaces. Corinne se perdió en su boca, en su sabor masculino. Él no acababa de tener suficiente, y se alimentaba de la dulce boca que ella le ofrecía como un hombre que desfallece de hambre.

Ella le deslizó las manos por debajo de la camisa, mientras él tiraba de la blusa de ella. Era un fuego explosivo, un calor casi infernal. No había pensamiento racional, sólo el contacto de las pieles, la de ella suave como el satén, la de él firme y definida por sus duros músculos. Dayan la hizo girarse e introdujo la rodilla entre sus piernas, hasta que ella quedó montada en su muslo, duro como un pilar.

Dayan emitió un quejido leve, una nota crispada de hambre desatada que brotaba desde el fondo de su alma. Fue una nota que a Corinne le llegó al corazón y se apoderó de su mente. Le rodeó la cabeza con ambos brazos, como acunándolo en su seno, dándoselo todo y cualquier cosa. Deseando ser lo que él necesitara. Acabó de tirar del todo de la camisa mientras ambos continuaban besándose, prendidos el uno del otro como en un seductor baile de tango.

La lengua de Dayan acariciaba, jugaba y bailaba con la de ella. Le mordisqueó el labio inferior, la comisura de los labios, le cubrió el hoyuelo. Dejó que sus labios vagaran por su piel, por el cuello y la garganta, dejando una estela de llamas a su paso. Él alzó la cabeza y respiró. Bebió de su esencia, hasta lo más hondo de los pulmones. Con los ojos semiabiertos, paseó la mirada por ella y se detuvo en sus pechos. Suaves, frescos. Firmes y tentadores.

El sujetador era de encaje color rosa oscuro, y le cogía primorosamente los pechos. Corinne oyó el cambio de ritmo en la respiración de Dayan cuando éste inclinó lentamente la cabeza hacia ella. El pelo largo de él se derramó sobre su piel, la acarició como si fueran hilos de seda. Con una extrema delicadeza, le cogió el ligero peso de un pecho en el cuenco de la mano y lo liberó de la copa del sujetador. Hizo bailar la lengua sobre su pezón. Aquella primera ola de sensaciones la meció, y luego la sacudió. La boca de Dayan, caliente y húmeda, se cerró en torno a su carne doliente. A Corinne casi le flaquearon las piernas. Se echó hacia atrás, hacia el piano, y de las teclas brotó una sucesión de notas al azar. Una descarga como un rayo penetró en su torrente sanguíneo y llegó hasta el centro mismo de su ser.

Corinne se tensó entera. Tenía el cuerpo humedecido. Cerró los ojos y se entregó al puro éxtasis de las sensaciones que él le desataba con su boca. Y con sus manos.

De pronto, una nota leve y discordante se apoderó de la conciencia de Dayan. Un susurro que insinuaba problemas. A Corinne le costaba respirar, y su corazón latía con dificultad. Él levantó enseguida la cabeza y ocultó la cara en el hueco de su hombro. Ella le acarició la espalda, lo llevó hasta el borde mismo de la locura, hasta que no tuvo otra alternativa que cogerla por las muñecas y mantenerla quieta.

Cuando recuperó el aliento, cuando volvió a estar tranquilo, alzó la cabeza para mirarla. Con su boca humedecida por los besos y con sus ojos enormes y desconcertados, Corinne le pareció tan bella que le dejó sintiéndose casi desarmado.

—Tu corazón y tu bebé —le recordó—. Unos minutos más y ya no habríamos podido parar. No quiero que te pongas de parto prematuramente. Tu seguridad y la seguridad del bebé es lo primero. Me he portado como un egoísta y te pido perdón. La verdad es que se me ha nublado el pensamiento.

Su voz era una mezcla de notas evocadoras, tan bellas que hizo brotar lágrimas en los ojos de Corinne. La envolvía en un capullo a salvo de todo, una oscura melodía de amor y apetito sensual.

—No hay nada que perdonar, Dayan. Hemos sido los dos. Yo te deseaba a ti tanto como tú a mí. Gracias por ser lo bastante fuerte por los dos —dijo, y se llevó las manos a la barriga con gesto protector. Lo miró sonriendo—. En realidad, a mí también se me ha ido la cabeza, y si de verdad me conocieras sabrías que eso no me suele pasar.

Dayan dejó vagar la mirada por su cara, una mirada intensa, hambrienta, derritiéndose bajo su calidez.

—Eres mi corazón y mi alma, Corinne. No me conoces, porque no puedes conectar mentalmente conmigo, pero yo puedo leer tus pensamientos y tus recuerdos. Te conozco como nadie te ha conocido jamás. No necesito días, semanas o meses para conocerte. Me basta entrar en contacto con tu mente para saber cómo eres. Sé lo inteligente que eres, y también sé lo mucho que significa este bebé para ti. Seremos mucho más prudentes a partir de ahora.

Con un gesto discreto, Dayan volvió a cubrirle los pechos hinchados y doloridos con la blusa. Ella le echó los brazos al cuello y se apoyó en él, dejando que sostuviera todo su peso.

—Lo siento, Dayan. No era mi intención hacer que las cosas se salieran de su cauce. Debería ser consciente de lo que hago. —Le deslizó las manos por el pecho y se detuvo en los tejanos—. No quiero dejarte de esta manera. —Corinne palpaba el bulto de su erección, cargada de deseo.

Él tembló de excitación y expectación, hasta ponerse aún más duro, sintiendo que la sangre se le espesaba. Tuvo que respirar profundo para recuperarse.

—¿Quieres decir de la misma manera que te he dejado yo a ti? ¿Adolorida y no saciada? Creo que por esta vez seremos solidarios, Corinne. Cuando yo sea capaz de responder a tus necesidades, tú podrás ocuparte de las mías —dijo, y le acarició la sien con un beso—. Estamos en esto juntos.

Ella se echó hacia atrás para mirarlo a los ojos.

—Lo dices en serio, ¿no?

Dayan asintió con un gesto de la cabeza.

—No soy ningún santo, Corinne. Me estás mirando con demasiada devoción. Pero ahora mismo, si pudiera, te devoraría. Creo que lo más sensato que podemos hacer es recoger tus cosas y las de Lisa y volver adonde ya no estaremos solos.

Corinne se inclinó acercándose más y lo besó en la comisura de los labios.

—Siento tener que decir esto, pero tengo cosas en mi habitación. —Rió suavemente, coqueta, y se apartó de él, sabiendo que a su lado estaba perfectamente a salvo. Aún no sentía las piernas del todo seguras pero consiguió caminar sin tropezar. Él la siguió hasta la habitación, observándola con sus ojos oscuros y reconcentrados. Ella sintió el peso de su mirada en ella mientras se movía de un lado a otro, y nada hizo para calmar la agitación de su propio deseo. Decidida, Corinne recogió sus cosas sin mirarlo. Él la despojaba de toda cordura y, por el bien de ambos, tenía que comportarse como una persona responsable. Después entró en la habitación de Lisa y se detuvo un momento. Se llevó una mano a la barriga. Dayan las había protegido a las dos, a ella y a su bebé.

—¿Te ha dado una patada? —preguntó él con voz suave. De alguna manera, su pregunta tenía algo de pecaminosamente íntimo.

Corinne asintió, aunque sin mirarlo, temiendo que si lo hacía se vería engullida por su portentoso deseo. Por su alma de poeta. Dayan se le acercó por detrás, sigiloso como un felino de la selva, y la rodeó con los brazos, cubriendo con una mano la leve protuberancia de su vientre. Inclinó la cabeza hasta acercar peligrosamente la boca al pulso de Corinne, que latía desbocado.

—Es un bebé muy fuerte —dijo—. Es un milagro. Hay gente en todo el mundo que de pronto se entera de que van a tener un bebé y, sin embargo, no aprecian el milagro que significa. Quizá si no tuvieran mujeres, o si no tuvieran bebés, entenderían aquello que, supuestamente, deberían valorar. A ti te valoro tanto como a esta criatura.

Corinne cerró los ojos y dejó que sus palabras penetraran en ella a través de los poros de su piel. ¿Cómo era posible que dijera cosas tan bellas? ¿Y cómo era posible que sus palabras fueran siempre tan perfectas? ¿Por qué lo había conocido ahora, cuando le quedaba tan poco tiempo? Por un momento, se apoyó contra él, lleno de fuerza, aspiró su fragancia salvaje e indómita, agradecida de poder contar con su enorme fortaleza, agradecida de sus palabras de poeta y de cómo la hacía sentir que su hija también era parte de él. Totalmente aceptada, sin ningún tipo de reparos.

—Quiero que te sientas así —dijo él, con voz suave, exhalando un aliento cálido y tentador—, sencillamente porque es la verdad.

—Eres la encarnación misma de la tentación —le riñó Corinne, aunque en su tono de voz se adivinaba su placer. Entonces le cogió ambas manos—. Podrías tener a la mujer que quisieras, Dayan. ¿Cómo se explica que estés conmigo? —La añoranza que sentía de él hacía que le doliera el corazón. No quería que sufriera un daño emocional.

—Sólo existes tú. No puedo ver a nadie más, ni tampoco la veré —respondió él, absolutamente seguro de sí mismo—. Tú lo eres todo.

Muy a su pesar, Corinne se apartó de él.

—¿Y qué pasaría si yo no sintiera lo mismo? ¿Qué harías entonces? —En su voz se adivinaba un gran interés, pero también cierto tono de picardía.

Él se inclinó para coger las dos maletas.

—Te olvidas de que puedo leer el pensamiento. Si de verdad no me quisieras, tendría que aceptarlo como un hecho, pero tú eres mi compañera eterna. No hay error posible. Ahora veo los colores y tengo emociones. Te miro y encuentro un sentido a mi existencia. Tú me devuelves la mirada.

Corinne sonrió, incapaz de reprimirse.

—Te devuelvo la mirada, eso no hay quien lo niegue. Y quiero estar contigo. A John lo conocí casi toda mi vida. Lo quería, pero no podía darle pasión, no podía darle mi alma. A ti te miro y todo lo que hay en mí te desea, desea ser todo lo que algún día necesitaste.

Dayan sacudió la cabeza. Corinne estaba confundida por la intensidad de sus emociones, por la intensa química que se desataba entre los dos. Y él no quería que ella se sintiera culpable por no haber compartido su pasión con su marido.

—Yo soy tu compañero. Tú me estabas destinada. Nos conocemos y reconocemos porque estábamos destinados a unirnos. Querías a John como un amigo del alma, pero tu lugar está junto a mí. Los compañeros no se mienten unos a otros. Te estoy diciendo la verdad.

Corinne estiró una mano para acariciarle el duro mentón, un leve roce de los dedos.

—Gracias, Dayan —dijo—. Volvió a echar una mirada por la casa—. Creo que lo tenemos todo.

Él cogió las maletas y se aseguró de que la casa quedara perfectamente cerrada antes de seguirla por el camino de tierra y cruzar la extensa superficie del impecable césped. De pronto, Corinne se detuvo y se quedó observando la miríada de estrellas por encima de sus cabezas. Estrellas que antes no habían podido ver.

—¿No te parecen bellas?

Dayan asintió con la cabeza y siguió hacia el coche. Ella estaba muy pálida, y él oía cómo se esforzaba por tragar aire. Se comportaba como si fuera una mujer fuerte y normal, pero Dayan comenzó de nuevo a alarmarse. Quería cogerla en sus brazos y surcar con ella los cielos nocturnos, llevarla hasta el curandero más cercano para que la sanara.

—Tienes que subir al coche, querida —le dijo, con voz serena.

Ella asintió con un gesto de la cabeza. Detestaba aquella debilidad que le impedía disfrutar de placeres tan elementales. De pronto, unas luces intensas la cegaron cuando un coche giró en la esquina y enfiló hacia ella a toda velocidad. Corinne se quedó paralizada, sintiendo que su corazón vacilaba y que el bebé lanzaba patadas al sentir la descarga de adrenalina que secretaba su madre.

Dayan soltó las maletas y se lanzó hacia ella a velocidad sobrenatural. La cogió en sus brazos seguros, saltó por encima del coche que se les abalanzaba y, con el impulso, se elevó por los aires. Allá abajo, el conductor hizo girar el coche sobre sí mismo. Los ocupantes lanzaban alaridos. Él los veía con claridad y, por primera vez, empezó a sentir que en su alma bullía una ira profunda. Empezaba a estar harto de que los humanos siguieran amenazando a Corinne. De su garganta surgió un gruñido sordo. Se inclinó sobre la cabellera sedosa de su compañera con la intención de susurrarle una orden.

Corinne se aferró al brazo de él mientras volaban por el cielo. Dayan ya no corría. Y ella estaba segura de que sus pies ya no tocaban el suelo. Nadie podía moverse así de rápido. Nadie. Sintió la calidez de su aliento en la oreja e intuyó que los dos se conectaban mentalmente; percibió las olas de seguridad, de amor y entrega.

—No me digas que olvide esto —contraatacó rapidamente—. *No me ordenes que olvide, Dayan. Todavía no. Déjame mirarte.*

Ahora lo veía por primera vez. Antes, había tenido un atisbo, detalles que se prestaban a una interpretación, pero no conseguía que las piezas encajaran. Ahora él compartía con ella sus pensamientos, y ella vio cosas, recuerdos, imágenes. Vio a Dayan en diferentes épocas. Eran imágenes que no tenían sentido para ella, aunque sabía que eran reales, que no habían sido sacadas de los libros de historia. Eran demasiado detalladas, demasiado vívidas. Y él la había salvado de ese coche lanzándose hacia ella, dando un salto en el aire y volando con ella en sus brazos.

—*Tu corazón debe acompasarse con el mío. Escúchame, Corinne, porque no pienso perderte. Respira conmigo y no tengas miedo.*

—No te tengo miedo —susurró ella, alzando la voz—. *No te tengo miedo.* —Corinne no quería que él utilizara su telepatía para despojarla de sus recuerdos. ¿Acaso ahora veía el motivo que explicaba la soledad de Dayan, una soledad tan abyecta en un mundo donde todos parecían sentirse atraídos por él? Él era del todo diferente. Dayan era capaz de hacer cosas mágicas.

Acto seguido la llevó hasta la seguridad de los tejados, y la depositó suavemente en el alero de una buhardilla. Lanzó una mirada al cielo y enseguida se formó un remolino de nubes por encima de sus cabezas, emergiendo rápida y furiosamente de la nada. Volvió a desplegarse un espeso manto de niebla junto con un tiempo inestable.

Corinne observaba con atención hasta el más mínimo movimiento de Dayan, y se percataba de que su expresión era exactamente la misma, aunque en el fondo de sus ojos brillaba una flama que anunciaba castigo.

—Vas a enfrentarte a ellos, ¿no?

—Quiero que te concentres en tu corazón, Corinne. —Dayan pronunció ese deseo como una orden, que transmitió con su voz de terciopelo negro—. Tiene que ser un ritmo regular. Escucha, y siente el mío. —Le puso a Corinne la palma de la mano en su pecho, justo por encima del corazón—. ¿Sientes ese ritmo? Hasta cierto punto, puedes controlarlo.

—¿Cómo has podido moverte a esa velocidad? —inquirió ella,

con los ojos desorbitados por la estupefacción. Para Corinne, que había sufrido toda la vida de su discapacidad física, las proezas de Dayan le parecían extraordinarias.

—Hablaremos más tarde, querida. Antes, tengo unas cuantas cosas de que ocuparme.

Ella se estiró y lo cogió por el brazo.

—Ten cuidado, Dayan. Ya sabes que a veces se puede pecar de demasiada seguridad en uno mismo.

Él se inclinó para rozarle la frente con un beso, y en ese mismo instante desapareció. Corinne pestañeó y él ya no estaba. Se sentó y plegó las rodillas, respirando lenta y profundamente, concentrándose en su corazón, tal como él le había ordenado. Por un momento, se permitió el lujo de pertenecer a Dayan, de saber que él la deseaba. Sólo a ella. *¿Qué era Dayan? ¿Quién era?*

Él sintió ese enorme poder que penetraba en su mente cuando se disolvió hasta convertirse en partículas de niebla. Avanzó serpenteando velozmente por el banco de bruma hacia el coche que hacía rugir su motor por las calles. Un rayo cruzó el cielo y la descarga cayó a tierra justo en el trayecto del vehículo. El coche dio un bandazo y pegó unos coletazos antes de seguir su carrera. Del cielo cayó granizo, trozos de hielo del tamaño de una pelota de golf que impactaron con fuerza en el techo del coche hasta abollarlo. La visibilidad disminuyó por una niebla espesa y por capas de hielo. El conductor pisó el freno y el coche se deslizó hasta detenerse del todo. Enseguida la niebla se apoderó del vehículo, penetró por las ventanas y ocupó el espacio vacío hasta expulsar todo el aire del habitáculo.

En el interior de la niebla se movía una extraña bruma, la huella de un vaho que dejaba una estela de sombras y que transmitía la impresión de una grave amenaza. El conductor quiso coger la manija de la puerta, pero ya era demasiado tarde. La niebla se le había enroscado en torno al cuello como los anillos de una serpiente. Aquel vaho de color misterioso le apretó cada vez con más fuerza, hasta que empezó a ahogarse, boqueando en busca de aire, poniéndose gris, luego azul, con los ojos en blanco.

Los dos hombres del asiento trasero se abalanzaron sobre las puertas al mismo tiempo. Aquella niebla parecía tener vida propia, como una masa fibrosa con tentáculos que se extendieron y se les enroscaron como nudos corredizos que no paraban de cerrarse. Entonces empezaron a contorsionarse, presas del pánico, y con cada movimiento el nudo se cerraba más estrechamente, hasta que quedaron boqueando, ahogándose, intentando quitarse los anillos que les estrujaban el cuello. Pero sus manos pasaban a través de la niebla como si no fuera más que eso: una cosa insustancial. Murieron en silencio, sin la más mínima posibilidad de gritar para pedir auxilio.

Dayan condujo el vehículo a través de la espesa niebla, sirviéndose de su peculiar radar para que la bruma siguiera cubriéndolo mientras sacaba el coche del barrio de Corinne. A aquellos hombres los encontrarían, pero sus muertes dejarían perplejos a los forenses. No había dejado marca alguna en los cadáveres. Se diría que los tres habían muerto ahogados o estrangulados, pero no había rastros de drogas en su organismo, ni huellas ni pruebas de violencia alguna. Dayan estaba cansado de ser el perseguido, y esta vez los miembros de la sociedad habían ido demasiado lejos. Estaban decididos a capturar o matar a Corinne y a Lisa, y él no podía permitir que la sociedad amenazara a su compañera. Dejando a los hombres muertos en su coche a unas cuantas manzanas de la casa de Corinne, mandaba un mensaje claro y abierto a los miembros de la sociedad. Si seguían adelante con la persecución, lo harían conscientes del riesgo que corrían. Corinne y Lisa estaban bajo su protección, y él destruiría a cualquiera que las amenazara.

Los negros nubarrones por encima de su cabeza empezaron a disolverse junto con los restos de niebla. Corinne estaba tendida sobre el tejado mirando los dibujos de las nubes, los relámpagos que descargaban sus arcos eléctricos entre un negro nubarrón y otro. Era un espectáculo magnífico, pero también daba miedo porque parecía una manifestación tan intensa, casi personal. *Como Dayan*. Todo en él era intenso. Exteriormente, era un ser sereno, tranquilo y, aún así, ella percibía algo mucho más poderoso por debajo de lo superficial. Algo que giraba y se arremolinaba como las negras nubes por encima de su cabeza.

Con la misma rapidez con que había desaparecido, volvió. De pronto, estuvo a su lado, imponente y poderoso. Ella parpadeó, presa de la incredulidad. Cerró los ojos cuando él se inclinó para cogerla. Alto. Elegante. Descomunalmente fuerte. Seguía teniendo ese aire salvaje, inseparable de él, como una amenaza letal. Era algo que ella no lograba definir pero que no dejaba de ser real.

—Te dije que mantuvieras estable los latidos de tu corazón —dijo Dayan, con voz serena, aunque se adivinaba la amenaza en su voz. La cogió en sus brazos y la estrechó contra su pecho, de modo que los corazones se acompasaran enseguida—. Dijiste que no tenías miedo de mí, cariño, pero tu pulso se ha disparado.

—Has salido de la nada —dijo ella a la defensiva, dándole en el hombro con el puño cerrado—. Soy un ser humano, ¿sabes? —Se lo quedó mirando con sus ojos grandes y serios—. ¿Tú eres humano, Dayan?

Él inclinó su cabeza en la oscuridad, y sus dientes brillaron.

—¿Tú qué crees? —Le murmuró suavemente las palabras a la oreja, junto al pulso—. ¿Tú me sientes como humano? —Su voz era la tentación en persona.

Corinne sabía que no tenía que prestarle oídos, sabía que la mera suavidad de su voz bastaba para embrujarla. Sus manos encontraron solas la masa espesa de su cabellera y enredó los dedos en sus sedosos mechones.

—¿Cómo lo haces con tanta facilidad? —le preguntó, sabiendo que su mirada habría delatado sus sentimientos aunque él no pudiera leer su mente. Le fascinaba estar junto a él, le fascinaba todo en él. Deseaba borrar esa mirada en lo profundo de sus ojos para toda la eternidad. Aquel vacío. Aquella soledad—. Empiezo a pensar que eres perjudicial para mi corazón, Dayan. Puedes hacer que una mujer se derrita a veinte pasos. Es verdad. Y has hecho que el tiempo cambie.

Él seguía explorandole con los labios la suave columna de su cuello.

—¿Eso he hecho? Debo tener mucho talento. Espero que con esa proeza me haya ganado tu admiración para siempre. —Dayan parecía ligeramente distraído, como si fuera más importante indagar en la suavidad de su piel que sostener una conversación—. Estás muy cansada, Corinne. Deberíamos partir para encontrarnos con los curanderos esta noche, pero creo que antes tendrías que descansar. Ya has tenido bastantes emociones por una noche.

Corinne apoyó la cabeza en su hombro, y sus largas pestañas abanicaron sus mejillas. Estaba más cansada que nunca. Cuando él se acercó al borde del tejado, avanzó con pasos suaves y ella se sintió flotar.

—Me encanta bailar contigo —murmuró, sin abrir los ojos, gozando de la brisa que le daba en la cara—. Me encanta tu manera de moverte.

—De modo que, finalmente, he hecho algún progreso —dijo él. Flotó con ella hasta el suelo sin dificultad, mientras su mente se fundía totalmente con la de ella para controlar sus impresiones de lo que ocurría, nublando su memoria poco a poco hasta que, al final, se desvanecieran del todo. Había querido revelarle qué era, quién era. Quería que Corinne lo aceptara, pero sabía que su organismo estaba débil y que el corazón le fallaba. Todavía no podía correr ese riesgo. Cuando descubriera la verdad, quería que el curandero le asegurara que su corazón aguantaría el impacto emocional. Mientras corría un tupido velo sobre los violentos acontecimientos de esa noche, hizo que destacaran ciertos recuerdos, como sus besos y la respuesta de ella. Recogió las maletas, se aseguró de que Corinne tuviera bien puesto el cinturón de seguridad y puso el coche en marcha.

Corinne permanecía sentada en silencio a su lado, asombrada del cansancio que se había apoderado de ella. Su organismo empezaba a acusar el peso del embarazo. Dayan conducía con cuidado por las calles, con la mano de ella en la suya y los dedos entrelazados.

—¿No te parece raro? —musitó—. Si alguien no le hubiera dicho a Lisa que tú tocabas en ese bar, nunca nos habríamos encontrado.

—Yo te habría encontrado —dijo Dayan, como dándolo por sentado, y lo dijo con una gran serenidad.

Corinne guardó silencio el resto del trayecto a casa. Tenía la mente en blanco, y se sentía bien así. Estaba cansada y extrañamente contenta sólo por estar junto a Dayan. Hacía unos minutos, había intuido su espíritu salvaje, pero ahora disfrutaba de su calma impasible que penetraba hasta el fondo de su alma. Él parecía feliz conduciendo en la noche, y canturreando suavemente para sí mismo. Era una melodía embrujadoramente bella, que ella nunca había oído.

Lisa les esperaba en el pequeño balcón, intentando aparentar que no estaba preocupada. Observó, inquieta, cuando Dayan abrió la puerta del coche para Corinne con gesto caballeroso. La habría cogido en brazos, pero ella era demasiado consciente de que la observaban.

—*No seas absurda.* —Había ternura en aquellas palabras que a

Corinne le rozaron el pensamiento—. *¿A quién le importa lo que piensen los demás?*

Ella hizo acopio de valor para contestarle mentalmente. Le agradaba la intimidad pura de su comunicación.

—*No quiero que crea que no me encuentro bien.*

—*La verdad es que no te encuentras bien* —señaló, él, sin alterarse.

Corinne lo miró desde debajo de sus largas pestañas, sólo una breve y dulce reprimenda antes de sonreírle a Lisa. Por encima de ella, Dayan se dio cuenta de que él también sonreía. Así era Corinne. Dulce y descarada a la vez.

—¿Te encuentras bien? —inquirió Lisa, con mirada inquieta.

—Claro que sí. Sólo estoy un poco cansada —reconoció ella—. Pienso que me vendría bien acostarme un rato. Y tú, ¿por qué estás despierta todavía?

—Te estaba esperando. —Lisa le lanzó una mirada fugaz a Dayan. No sabía bien por qué confiaba en él cuando estaba presente, y se volvía suspicaz en cuanto desaparecía de su vista. Tenía la impresión de que Dayan provocaba en Corinne un extraño comportamiento. De hecho, ésta nunca había mirado a los hombres tan detenidamente, ni siquiera cuando era soltera. Era una persona práctica, siempre ocupada en sus asuntos. No era el tipo de mujer que se enamoraría de una estrella de rock. Lisa intentó no lanzarle una mirada de irritación.

Dayan mostraba simpatía hacia ella, y Lisa se detestaba a sí misma por sentir celos. No quería que Corinne mirara a Dayan de esa manera embelesada. De hecho no quería que mirara de esa manera a nadie. No estaba dispuesta a cambiar su relación con Corinne de ninguna manera, pero no le gustaba reconocer que su actitud era demasiado posesiva.

—Casi ha amanecido —dijo Corinne, con voz queda—. Deberías estar en la cama, Lisa, no preocupándote por mí. Sabías que íbamos a buscar nuestras cosas. Era evidente que tardaríamos un rato.

—Entonces no habéis tenido problemas —dijo Cullen, estrechando a Lisa por los hombros para demostrarle su apoyo.

—Y bien… —Corinne parecía confundida, y un ligero ceño asomó en su pequeño rostro. Buscó a Dayan con la mirada, mientras se apartaba nerviosamente un mechón de su pelo oscuro de la cara.

Dayan enseguida se apoderó de su mente, la llenó de calidez y seguridad. Ella quedó desconcertada y desorientada por un momento, incapaz de recordar los detalles de lo sucedido. Buscaba en su memoria pero sólo encontraba una mezcla de recuerdos que la confundían.

—Nada que no pudiéramos solucionar —dijo él, tranquilo, sincero. Le puso una mano en la cintura a Corinne, anclándola a él—. Si hubiéramos sabido que estabas preocupada, Lisa, habríamos llamado.

—Es evidente que estaba preocupada —dijo ella, desafiante, alzando el mentón.

Corinne se apoyó con todo el peso en Dayan, sintiendo que el cansancio se apoderaba de su cuerpo.

—Lisa —dijo, con voz queda, como apelando a la confianza que había entre las dos.

Ésta dio un paso adelante y le cogió la mano.

—Ya estoy, otra vez buscándome problemas —dijo—. Ven y tiéndete, Corinne. No quiero que enfermes.

Dayan le señaló a Lisa la maleta con un gesto del mentón.

—Se encargó de ponerte todo lo que apuntaste en tu lista —dijo, mientras se dirigía con Corinne hacia la habitación donde ésta había dormido la noche anterior.

Corinne sabía que Lisa estaba inquieta por ella, pero ya no le quedaban energías para seguir tranquilizándola. Lo único que quería era tenderse y cerrar los ojos. Sentía el cuerpo pesado como el plomo y cada paso que daba era como caminar en arenas movedizas.

Lisa observaba hasta el último movimiento de Dayan, su manera de estrechar a Corinne con tanta delicadeza, su manera de mirarla con ternura, posesivamente. Dejó escapar un pesado suspiro y se acercó a Cullen. Él respondió estrechándola con más fuerza y ella alzó la mirada hacia él, sonriendo con tristeza. Su mundo empezaba a cambiar, y Lisa no era una persona que se adecuara bien a los cambios. Corinne parecía muy cansada y frágil. Lisa siempre se asustaba cuando la veía con ese aspecto. Su fragilidad demostraba hasta qué punto el corazón de su amiga estaba fallando.

—No podría soportarlo si algo le sucediera —le susurró Lisa a Cullen—. De verdad, no podría.

Gracias a su oído superior, Dayan escuchó su confesión en sordina. Sabía exactamente cómo se sentía y simpatizaba con ella. Él tampoco soportaba la idea de que algo le ocurriera a Corinne. Se inclinó para acariciarle la sedosa cabellera con un beso, pero no podía dejar a Lisa tan preocupada. Volvió la cabeza para captar su mirada ansiosa. Sólo tardó unos segundos, pero fue suficiente. Le transmitió seguridad y penetró parcialmente en su mente para inducir en ella un sentimiento de amistad hacia él.

Corinne se tomó su tiempo para prepararse para la cama. Dayan comenzó a tocar su guitarra, y ella se retrasó. La música parecía viva, como una parte de la armonía entre la tierra y el cielo, una balada de ensueño. Al comienzo, su voz era tan suave que Corinne no conseguía escuchar la letra. Salió deprisa del lavabo hacia la habitación para no perderse ni una palabra. Dayan cantaba con una voz mágica, bella, de ensoñación. De pronto la miró y fue como si el mundo hubiera dejado repentinamente de girar y se hubiera quedado quieto, de modo que el momento quedó grabado en sus recuerdos para toda la eternidad.

—*Me robas el aliento.* —Corinne pensó esas palabras para él, porque no deseaba interrumpir su canto, y porque no quería perderse ni una sola palabra de la balada. Era una canción sobre una triste soledad, de un hombre, un ser errante, un trovador buscando a lo largo del tiempo, siglo tras siglo, a la única mujer que podía amarlo.

Su boca sensual se curvó en una sonrisa, y su mirada pasó sobre ella antes de que bajara las pestañas y desplazara su mano por la guitarra. Sus dedos se movían tan rápido que ella no alcanzaba a seguirlos en su interpretación de la triste melodía. Dayan cantaba acerca de una sombra que se apoderaba de su alma, una mancha que no podría eliminar una vez que se extendiera sobre él. De una bestia poderosa que rugía sin cesar en su interior pidiendo ser liberada. A medida que pasaba el tiempo y no encontraba a su mujer, se desvanecían los colores y las emociones, junto con toda esperanza, dejándolo sólo con su guitarra y las letras de su canción.

Era una melodía oscura que hizo asomar lágrimas en los ojos de Corinne. Se acurrucó en la cama, con la mirada reconcentrada, fija en la cara de Dayan mientras éste tocaba. La luz le hería los ojos, así que la apagó con un leve gesto. Lo único que importaba en su mundo era Dayan y su voz perfecta entonando aquella canción triste y bella. Le entraron unas ganas repentinas de tenerlo en sus brazos, de ser la mujer que él necesitaba tan desesperadamente.

De pronto la música cambió, se introdujo una voz más esperanzadora, que creció hasta convertirse en un alegre *crescendo*. Corinne se dio cuenta de que sonreía en medio de la oscuridad, con la mirada fija en él. Dayan era un artista, un poeta sin parangón. A Corinne le fascinaba observar su expresión cuando cantaba, ver cómo la música se derramaba de su alma. Cerró los ojos hasta que las pestañas le tocaron las mejillas. Estaba muy cansada. Y Dayan estaba ahí con ella, sólido y real, increíblemente fuerte y saludable.

Por un instante, la guitarra guardó silencio cuando él se tendió a su lado con el instrumento sobre el pecho. Ella sonrió.

—¿Piensas tocar para mí hasta que me quede dormida?

—Claro que sí. —Ella escuchó la sonrisa en su voz—. Te deseo dulces sueños, querida. Que sueñes con nosotros dos juntos. —Dayan volvió a deslizar los dedos por las cuerdas, desgranando los acordes de una canción. Él la hacía sentirse viva y muy femenina. Incluso llegaba a fingir que su salud era buena. En medio de sus sueños, unas volutas de niebla comenzaron lentamente a tejerse entre las estrellas. Ella frunció el ceño, y luego sintió que Dayan le frotaba la frente suavemente con el dedo índice.

—Duerme querida. Quiero que duermas todo el día, hasta que se ponga el sol. —Le rozó la frente con un beso que le borró las arrugas de la frente—. ¿Me entiendes, querida? Duerme profundamente hasta que te llame para que te despiertes.

Corinne estaba más dormida que despierta.

—Vuelves a darme órdenes, ¿no es cierto?

—Sí, y espero que me obedezcas. —El sonido de su guitarra inundó la habitación, y a Corinne le llenó el corazón y el alma—. Sabes que eres mi alma. Sabes que lo eres. Dime que lo sabes.

—Desearía ser tu vida. —Corinne estaba casi dormida, y no estaba segura de lo que decía.

—Eres decididamente mi vida.

Corinne guardó silencio durante tanto rato que Dayan pensó que se había quedado dormida. Se tendió a su lado, mientras sus dedos seguían moviéndose sobre las cuerdas de la guitarra, junto a ella. Deseaba que aquel momento durara para siempre. Corinne estaba a su lado, donde correspondía. La luz comenzaba a abrirse paso en la oscuridad, convirtiendo el negro tinta en gris. Se quedó junto a ella, disfrutando de la sensación de tenerla a su lado, añorando su voz, su risa, su manera de hacer bailar los ojos cuando lo provocaba. Su manera de mirarlo como si fuera el único hombre en su mundo. Corinne. Ahora sabía en qué se inspiraban los poetas. Sabía por qué su alma la había llamado. Sabía por qué había esperado siglos a que llegara ese momento.

—Dayan —farfulló ella, con voz adormecida—, ¿eres humano?

Sorprendido, éste la miró. Corinne tenía los ojos cerrados y respiraba como si durmiera. Había corrido un velo sobre sus recuerdos, sin borrarlos del todo, porque deseaba que pronto pudiera enterarse de la verdad. No quería que aquella verdad la espantara, ni podía arriesgarse a ese tipo de reacción debido a su corazón enfermo. Quería que tuviera los recuerdos para traerlos a su conciencia cuando los necesitara, pero su orden le impediría que se hiciera preguntas.

Examinó sus pensamientos mientras ella seguía tendida a su lado. Corinne pasaba de la conciencia al sueño, en medio de un agradable estado de ensoñación. No tenía miedo. Dayan se relajó y una sonrisa lenta le curvó la boca. Corinne se acercaba a la verdad. Y estaba más cerca de aceptarlo.

—*Duerme, cariño, mientras te visito en tus sueños.* —Y eso haría. No soportaba la idea de estar lejos de ella, ni siquiera mientras los dos dormían. Él se vería obligado a buscar refugio en las entrañas de la tierra ahora que salía el sol, pero no se atrevía a proteger a Corinne y a su bebé con las medidas de seguridad habituales. Si ella intentaba salir de la casa a pesar de las barreras, el estrés podría provocarle más daños a su corazón debilitado. Tal como estaban las cosas, temía que si se alejaba demasiado de él, empezaría a sentir los efectos de la separación con su compañero. Aunque no había pronunciado las palabras rituales ante ella, él y Corinne ya estaban unidos en corazón y mente.

Dayan se inclinó una vez más para besarla, deseoso de tocarla, de quedarse con ella a pesar del peligro que representaba para él. Sabía que le era imposible quedarse, pero eso no le impedía tener ganas de estar con ella.

—*Duerme hasta que yo despierte, Corinne. Duerme a salvo.* —Murmuró la orden en silencio. Tenía que tener una manera de protegerla mientras él dormía.

Cuando estuvo satisfecho viendo que ella le obedecía, permaneció tendido en silencio, liberó su mente y buscó a sus hermanos.

—Darius, nuestra necesidad de un curandero se vuelve más acuciante con cada minuto que pasa. Esta noche Corinne está mucho más débil. No sé cuánto más podrá aguantar.

Siguió un momento de espera y Darius se manifestó. Fuerte. Seguro. Calmado, como era habitual.

—Contacta mentalmente con ella. Nosotros nos uniremos... Julian, Desari, Tempest y yo. Tú trabaja y nosotros te prestaremos toda la ayuda posible para mantenerla con vida hasta que podamos reunirnos.

Dayan espiró lentamente. Debería haber entendido que Darius pensaría en la fuerza de toda la familia. Como siempre, la familia estaba ahí para apoyarlo a él, Dayan, hombro con hombro para luchar por su compañera y su bebé. Dayan esperó el instante y se conectó con ella, se entregó a su familia y dejó ir su cuerpo físico para intentar, una vez más, sanar a Corinne. Esta vez contaría con ayuda.

Capítulo 8

Desari, la voz principal del grupo de Los Trovadores Oscuros, tamborileaba un ritmo nervioso con un dedo mientras observaba a su hermano.

—La compañera de Dayan no durará mucho tiempo más, Darius. Esta situación no me gusta nada. Dayan no puede reclamar a su compañera eterna como suya ni ayudarla mientras esté embarazada. ¿Qué ha dicho Gregori, Darius?

Julian le rodeó a Desari la cintura con el brazo, y luego se inclinó para estampar un beso breve y tranquilizador en la sien de su compañera.

—Gregori y Shea son realmente buenos, Desari. Ellos se ocuparán de ayudar a Dayan. El trabajo de Gregori es impresionante; y es tu hermano, pertenece a tu mismo linaje, y ya sabes el poder que eso le confiere. Es una pena que Gregori y Savannah no llegaran a la boda de Lucian. Su encuentro con el vampiro los retrasó, y ahora estas noticias harán que su reunión con Lucian sea más breve.

—No estoy segura de que se reunirán con Dayan a tiempo. Barack y Syndil regresan de los montes Cárpatos. Eso queda muy lejos, Julian. —Desari, que no ocultaba su inquietud, se mordió el labio inferior.

Julian se inclinó para rozarle la sien con un beso que la tranquilizara.

—Vienen con Shea y su compañero, Jacques, hermano del príncipe y un carpatiano poderoso. Tú estás acostumbrada a confiar en tu familia cuando se trata de estos asuntos, pero, en realidad, ahora son muchos más, parientes y hermanos, los que han venido para ayudarnos.

Darius encogió sus anchos hombros cuando miró a su hermana, unos ojos oscuros y tranquilos, inmutables.

—No podemos hacer otra cosa que ayudar a Dayan hasta que ellos vengan. Gregori y su compañera no tardarán en llegar, y juntos viajaremos para reunirnos con Dayan y con aquella que ha de incorporarse a la familia. Dayan no tiene otra alternativa que mantenerla con vida, y eso es lo que hará.

Julian asintió con un gesto de la cabeza.

—Tanto Gregori como Shea creen que es demasiado peligroso que Dayan realice un intercambio de sangre con ella mientras tenga al bebé en su seno. Dayan ha dicho que el bebé es una niña y que tiene grandes virtudes psíquicas. Eso nos ayudará, pero hasta que los curanderos lleguen para ayudar al feto, no nos atrevemos a intervenir.

Desari frunció el ceño.

—Si a la compañera de Dayan le falla el corazón, los perderemos a los dos.

Julian la estrechó por la cintura.

—Dayan no permitirá que eso ocurra. El corazón de su compañera está muy débil, pero entre todos deberíamos conseguir que siga viva hasta que los curanderos estén en condiciones de ayudarla a ella y a su bebé. —Por encima de la cabeza de su compañera, se encontró con la mirada de Darius. La situación era grave. Barack y Syndil volvían a toda prisa, junto a Shea Dubrinsky, la compañera eterna de Jacques. Shea era una carpatiana extraordinaria, médico e investigadora, y una curandera de gran talento. Con ellos viajaba un hombre. Como amigo de los carpatianos, Gary Jansen ayudaba a Shea en sus investigaciones para encontrar una manera de mantener a los niños carpatianos vivos durante el primer año de vida, un primer año decisivo para ellos. Gregori había mandado información acerca de él antes de su llegada, pidiendo que todos los carpatianos protegieran a aquel humano. Los miembros del grupo no conocían a Gary, pero en el mundo de los carpatianos la palabra de Gregori sería obedecida sin hacer preguntas.

—Casi ha amanecido —dijo Darius, como pensando en voz

alta—, pero si es necesario podríamos seguir un par de horas más bajo la protección de una tormenta.

—Dijimos que nos encontraríamos con ellos aquí —protestó Tempest—. Y este campamento está apartado. Es un buen lugar para descansar en la tierra.

Darius se frotó el puente de la nariz con gesto pensativo y miró a su compañera con una sonrisa. Tempest lo miraba con los brazos en jarras y con ese ceño fruncido que siempre despertaba en él el deseo de llevarla a algún lugar apartado y besarla hasta borrárselo de su expresivo rostro.

—Barack y Syndil también regresan, querida. Nos alcanzarán en la casa de las Cascadas. Tenemos que viajar rápido si queremos llegar a tiempo donde está Dayan.

Tempest inclinó la cabeza a un lado, y su cabellera rojiza brilló a la luz de la luna.

—No hemos dicho que nos reuniríamos con Barack y Syndil, Darius, ¡lo sabes perfectamente bien! Nos encontraremos con Gregori y Savannah aquí. Tú quieres partir porque vendrá tu *otro* hermano mayor, y pensar en el reencuentro te pone nervioso. Julian te ha contado tantas historias sobre aquel que llaman el Oscuro que probablemente estás teniendo pesadillas con él. —Puede que Darius no las tuviera, pero a Tempest no le ocurría lo mismo. Y no podía abstenerse de provocar a su marido cada vez que tenía la oportunidad. Sólo llevaban unas pocas semanas juntos y él todavía le robaba el aliento con sólo una sensual mirada de sus bellos ojos. Para Tempest, siempre sería así.

En opinión de Darius, ella sonaba demasiado presumida. Le lanzó una dura mirada de advertencia, y en su rostro apareció un ceño pronunciado.

—¿Nervioso? —Nunca he tenido esa experiencia. He oído leyendas sobre aquel que llaman el Oscuro, el hombre del saco que los mayores inventaron para asustar a los pequeños. Son historias impresionantes, pero sin duda es solo un hombre.

Ahora fue Julian el que frunció el ceño.

—¿Simplemente un hombre? —preguntó, con una sonrisa burlona—. He oído muchas maneras de describir a Gregori, pero nunca había escuchado «simplemente un hombre».

Desari se acercó a su hermano.

—Darius, ¿te parece extraño pensar que tenemos otros hermanos, después de tanto tiempo? Primero conocimos a Lucian y Gabriel, los gemelos oscuros de la leyenda, historias que nos contabas cuando éramos pequeños. Y ahora, Gregori, el curandero oscuro. A mí me parece asombroso que estén los dos vivos. Lucian y Gabriel eran seres maravillosos. Estoy ansiosa por conocer a Gregori.

—Nunca los hemos visto —señaló Darius—. Lucian y Gabriel habían desaparecido hacía tiempo, y su existencia no era más que un mito. Y Gregori tenía todo el poder, y muchas responsabilidades. Tú no eras más que un bebé y yo tenía seis años cuando nos perdimos. Él ya era un macho totalmente desarrollado, había crecido en porte y fuerza. Dudo que haya pensado demasiado en nosotros. —Volvió a encogerse de hombros, como si no tuviera importancia. Él no había dejado de pensar en su hermano mayor en aquellos días, hacía ya tanto tiempo. Lo había admirado como un héroe, y escuchaba todas las historias que se contaban de él; se las guardaba para sí y las recordaba más tarde cuando estaba solo.

Tempest deslizó su mano en la de él en un gesto silencioso de devoción. Penetró en la mente de su compañero y vio que él sólo hablaba de los hechos tal como los veía. No emitía juicios. Darius había vivido mucho tiempo sin emociones hasta que ella entró en su vida, y poseía una voluntad de hierro y una disciplina ejemplar. Tempest se apoyó en él y buscó su boca con la suya. La aparente falta de emociones de él todavía la intimidaba de vez en cuando. Tempest empezaba a conocer los modos de vida de los carpatianos, y todavía se esforzaba para formar parte de una familia después de haber vivido como una solitaria toda su vida.

Darius respondió como de costumbre, y su beso fue caliente y posesivo. Tempest se derritió en sus brazos y se volvió del todo dócil. Le echó los brazos al cuello.

—Pienso demasiado en ti —dijo.

—Temo por Dayan, Tempest. Se trata de un problema difícil. Francamente, no sé si podremos salvar a su compañera. —Darius pensó que, por esta vez, dejaría que Tempest se inmiscuyera. Cuando estaba con ella, podía demostrar su enorme amor por su familia—. Si fueras tú, … —dijo, y su voz se desvaneció. Darius se quedó con la sensación de tener un nudo en el estómago.

—No se trata de mí —advirtió Tempest—. Yo me siento fuerte y tengo buena salud. Y tú no le fallarás a Dayan. Lo has ayudado a lo largo de los siglos, y ahora serás la roca en que encuentre apoyo.

Corinne se dio media vuelta y se acurrucó más cerca del calor. Sabía que él estaba tendido a su lado y no se molestó en abrir los ojos.

—Dayan, no estás durmiendo. Lo sé por tu manera de respirar. Dime que ocurre.

Dayan se puso tenso. La voz de Corinne era somnolienta y sensual, y enseguida lo excitó a pesar de estar totalmente relajado.

—Se supone que debes dormir hasta que yo me levante. —Lo decía literalmente, porque él mismo le había dado la orden.

Corinne frotó la cara contra su pecho y rió por lo bajo.

—Tienes que reconocer que tu manera de pronunciar la orden ha sido un poco rara. Se suponía que yo tenía que dormir tranquilamente hasta que tú te levantaras. ¿Qué quiere decir eso, exactamente? —preguntó, en medio de un bostezo somnoliento y tapándose la boca—. Si tú no te duermes y te quedas toda la noche tendido mirando el techo, ¿significa eso que yo no te tengo que obedecer? ¿O significa que tengo que seguir durmiendo hasta que tú te levantes literalmente de la cama?

Dayan se dio cuenta de que le sonreía al techo. Había permanecido a su lado, tendido, simplemente disfrutando por encontrarse en la misma habitación que ella, pensando en la belleza de la noche. Fuera de la habitación, oía deambular a las criaturas nocturnas. El viento arremetía contra los árboles y él se sentía sumamente vivo.

—Para tu información, no estaba mirando al techo. Te estaba mirando a ti. —Se inclinó y la besó en la comisura de los labios, y rió por lo bajo—. Pequeña bruja. ¿Cómo has conseguido despertarte cuando se suponía que tenías que estar dormida?

—Era una orden bastante poco convincente, Dayan —señaló ella, y alzó las pestañas de modo que sus ojos verdes pudieran reírse de él en la oscuridad—. Quiero decir, oí que me dabas la orden, que me la imponías, y digamos que me permití seguirte el juego, aunque todo el rato pensaba que no tenía por qué obedecerla necesariamente.

—¿Poco convincente? No era poco convincente. Tenía que cuidar de tu… eh… condición. Actuaba con sensibilidad. Protesto enérgicamente por tu uso de la expresión poco convincente. He sido firme, pero delicado.

Ella se giró para apoyar la cabeza en su hombro.

—Me subestimaste, Dayan. Reconócelo. Estás tan acostumbrado a que todos hagan lo que tú quieres que no se te ocurrió pensar que yo podía resistirme.

—Lo has hecho a propósito —dijo él, frunciendo el ceño.

—Claro que sí. No puedes ir por ahí obligando a la gente a hacer lo que a ti se te antoje. —Se giró hasta que las narices casi se tocaron, y le lanzó una dura mirada—. Como ocurre con Lisa. Tienes que dejar de influir en ella, Dayan. Y no lo niegues, porque sé que lo has hecho.

—No pensaba negarlo. Te lo he dicho; es importante que ella me acepte como parte de tu vida. —Dayan apoyó la cabeza en las manos entrelazadas—. Lisa muestra una resistencia particularmente fuerte a mi persuasión.

—Porque no es como el resto de las mujeres. A su manera, ella también es diferente —explicó Corinne—. Es una mujer intrínsecamente buena, y diría que está dotada de una especie de protección. Tienes que dejar que asuma la relación contigo a su manera —dijo, y le siguió la línea de los labios con la yema del dedo—. A veces eres muy implacable, ¿no?

Él entreabrió los labios y le lamió el dedo.

—Tengo que estar en los escenarios, noche tras noche, rodeado de gente que no me conoce. Necesito espacio. ¿Acaso es tan malo pedir ese espacio, después de dar lo mejor de mí mismo? Yo no les hago daño, sólo pido un poco de consideración.

Corinne le sonrió.

—Y yo te pido que tengas consideración por Lisa. Dale tiempo. Al final, te aceptará. Ella quiere que yo sea feliz. Si yo estoy contenta con la decisión que he tomado, ella se alegrará de mi elección.

—¿Soy yo tu elección, Corinne? —Dayan le mordisqueó el dedo, tentándola con sus pequeñas dentelladas, dejándole una estela de pequeñas flamas en la piel.

—Tú, además de despiadado, eres un arrogante —señaló ella.

—Si quieres también puedes agregar a esa larga lista de mis pecados que soy un ladrón, ya que veo que estás haciendo un inventario. —Deslizó la mano por dentro de su camisa y sacó una pequeña libreta—. No podía dejar las canciones de C.J. Wentworth. Habías dejado este tesoro tirado sobre tu cama.

Corinne tuvo que apartar la mirada de aquellos ojos que la hipnotizaban. Dayan era un milagro, un genio de la música y, aún así, la elogiaba a ella por su trabajo. Sabía que estaba radiante. ¿Cómo no estarlo? Alabar su música era uno de los mayores cumplidos que podía hacerle.

—Qué tonta eres —dijo Dayan, con voz tierna. Levantó la cabeza para besarla delicadamente en la boca—. Debes saber que espero que te integres a nuestro grupo. Serías un gran fichaje. Puedes tocar varios instrumentos, y las letras de tus canciones son estupendas.

—No estoy ni cerca de ser una leyenda como tú —dijo ella—, pero te agradezco esas palabras tan elogiosas.

—He estado tendido aquí a tu lado leyendo las maravillosas canciones que has escrito. Te observaba mientras dormías, Corinne, y me preguntaba qué habré hecho en mi vida para merecerte.

Corinne sintió la calidez que se derramaba en su interior con aquellas palabras tan dulces.

—Escribo sobre lo que hay en mi corazón, acerca de todas las cosas que importan en la vida. De todas las cosas que encontramos en el camino. Hay tal belleza a nuestro alrededor, Dayan. Todos tienen que lidiar con los problemas cotidianos. El dinero, las enfermedades, incluso la muerte, o amar a alguien que no nos corresponde —dijo, e hizo girar el anillo en su dedo—. Sin embargo, podemos seguir viviendo la vida y ver la belleza a nuestro alrededor. Está ahí, para nosotros. Sobre eso intento escribir cuando hago música. La esperanza en medio de los males del corazón. La alegría en medio del dolor. Vivir la vida, no mirar cómo pasa a nuestro lado.

Dayan se estiró lentamente, le cogió la mano a Corinne y se la llevó a los labios, como si el gesto fuera un tributo.

—Jamás he conocido a nadie que viva la vida tan plenamente como tú, Corinne. Y ya me has enseñado muchas maravillas. Cuando observo algo pequeño, como las hojas de un árbol, descubro que todo es mucho más bello de lo que jamás había imaginado.

—Las hojas brillan como plata bajo la luna —dijo ella—. Suelo sentarme en mi jardín trasero y observar cómo la brisa las hace titilar las noches de luna llena. —Corinne se reclinó, temblando, acurrucándose junto a él como si la conversación sobre la noche le hubiera dado frío—. Hace frío —dijo. Hizo un gesto con la mano hacia un armario. La puerta doble se abrió de golpe y cayó al suelo un edredón grueso. Onduló como una alfombra mágica al flotar por la habitación y extenderse sobre la cama.

No hacía frío, pero Corinne no conseguía regular adecuadamente su temperatura corporal. Dayan reprimió la aprehensión que asomó en su mente, y se obligó a sonreír.

—Lo que estás haciendo es presumir, Corinne. Se supone que deberías estar durmiendo para recuperar tus fuerzas pero, por contra, te dedicas a hacer malabarismos y a mover edredones por el aire.

Ella le sopló en el cuello con el aliento. Cálido. Intrigante. Tentador. Corinne rió por lo bajo, un ruido que alegró la quietud de la habitación. De pronto, la sonrisa de Dayan fue auténtica.

—Por la noche, cuando era muy pequeña, solía imaginarme a mí misma sobre una alfombra mágica. No me atrevía a hacer flotar las mantas. Me daba miedo que me descubrieran.

—Y entonces, ¿qué hacías? —le preguntó él.

—Leía, desde luego. Leía todo aquello de lo que podía echar mano. Los libros me llevaban a lugares a los que nunca podría ir por mis propios medios —dijo, siguiendo con un dedo la hendidura en su barbilla—. He leído muchos libros de ficción y no ficción, enciclopedias, cualquier cosa de que pudiera apropiarme.

—¿Cómo conseguiste aprender a tocar, sobre todo si pasabas la mayor parte de tu vida en la calle? —Dayan la hizo volverse y la abrazó, haciendo encajar su cuerpo por detrás de ella hasta que los dos quedaron perfectamente ensamblados.

La risa de Corinne era suave, como la lluvia en el tejado.

—Había un pequeño club, un bar donde los grupos tocaban siempre en vivo. Los candados no significaban nada para nosotros, y solíamos dormir en el cuarto trastero. Siempre dejaban algún instrumento. Yo veía tocar a un grupo y luego practicaba hasta que aprendía a tocar el instrumento que se habían dejado olvidado y reproducía los sonidos de los músicos en el escenario. Tengo la suerte de tener buen oído, y recordaba la música con facilidad. El piano era el más fácil para mí porque observaba los dedos de los intérpretes y veía cómo tocaban cada pieza.

—¿Te das cuenta de lo raro que suena eso, Corinne?

—Tenía muchas horas para practicar —dijo ella, sonriendo.

Dayan le deslizó una mano por las costillas hasta el vientre.

—Se está moviendo —dijo—. Vosotras dos necesitáis dormir un buen rato y yo te estoy manteniendo despierta.

Corinne sintió que se derretía por dentro cuando él puso su mano sobre el bebé con gesto protector. Sabía intuitivamente que eso era lo que hacía Dayan. Se sintió cerca de él, conectada con él, contenta de estar a su lado, oír su voz y sentir el calor de su cuerpo. Era una de las cosas que consideraba bellas en este mundo. Una de las cosas que agradecía haber vivido.

—Así que… —Los ojos plateados de Gregori brillaron mientras miraba a su hermano—. Tú eres Darius. He oído mucho de tus proezas. El milagro de mantener a tantos niños con vida, incluidas a dos hembras. —Estrechó a Darius por los brazos, justo por encima de los codos, como en el saludo formal de dos guerreros.

Gregori irradiaba fuerza por todos los poros. Tenía el pelo largo y negro, como Darius, y una contextura más robusta y musculosa que la mayoría de machos cárpatos. Sus ojos eran de penetrante color plateado, y ahora que se posaron en aquel hermano que no había visto en siglos, en sus profundidades asomó un brillo afectuoso.

Mientras lo miraba, Darius se había quedado sin palabras. Guardaba recuerdos de aquel hombre, recuerdos atesorados cuidadosamente donde nunca quedarían empañados. Siempre se había sentido orgulloso de ser el hermano de Gregori. En los tiempos antiguos, cuando la vida era dura y Darius luchaba por proteger a los demás niños, se había apoyado no pocas veces en aquellos recuerdos del hermano legendario. Había forjado su voluntad de hierro comparándose con su hermano, pensando que Gregori lo observaba y juzgaba sus actos. De pequeño, perdido en la selva y responsable del cuidado de los demás, Darius había hecho lo posible por estar a la altura de la imagen legendaria de sus hermanos. Los gemelos eran un mito: los cazadores de vampiros más implacables conocidos entre los carpatianos. Gregori era para él tanto más real.

Gregori no se inmutó ante la mirada fija de su hermano.

—Nadie podría estar más orgulloso que yo por todo lo que has conseguido. Es de verdad un milagro que hayas salvado a las dos niñas y logrado que Dayan y Barack sobrevivieran a los largos siglos de oscuridad. Te agradezco por devolverme a mi hermana. —Se giró para mirar a Desari. Era una mujer alta y se tenía bien erguida; su voz era parecida a la de los ángeles—. Un verdadero regalo para el mundo.

Desari se acercó y lo abrazó, y en sus ojos negros asomaron unas lágrimas.

—Es un honor conocerte, por fin.

—El honor es mío. —Gregori la abrazó fuerte un rato largo antes de devolvérsela al guerrero alto y de pelo dorado que esperaba para saludarlo. Gregori llamó a su compañera, la trajo a su lado y la abrazó—. Quiero presentaros a mi compañera eterna, Savannah. Mi hermana Desari y mi hermano Darius —dijo, y había un orgullo latente en sus palabras.

—Y quizá conozcas a Julian —dijo Desari, cogiéndole la mano a su apuesto compañero—. Él sabe mucho de ti.

Savannah rió al ver la expresión de Gregori.

—Tendré que insistir en que hablemos tú y yo, Julian —dijo. Besó a Desari en la mejilla y volvió a reír cuando Gregori la apartó firmemente del alcance de Julian.

—Mantente alejada de él. —Gregori clavó una mirada dura en su hermano—. ¿Cómo has podido permitir que nuestra hermana se juntara con este bárbaro?

Darius arqueó las cejas.

—Sí, tenía la intención de llamarte la atención por tu falta de juicio. ¿Qué fue lo que te llevó a mandárnoslo? Tu falta de previsión me asombra. Como puedes ver, se aprovechó de la situación. Te tengo a ti por responsable.

Julian miró a los dos hermanos con una sonrisa displicente.

—Fue una suerte que yo estuviera para proteger a las mujeres de nuestra raza mientras vosotros dos andabais cazando vampiros, intentando perfeccionar vuestras destrezas. Al final, no tuve otra alternativa que quedarme y proteger a las mujeres, tan preciadas para nuestra raza. Debo señalar que mi relación con Desari me convierte oficialmente en vuestro hermano —dijo, y volvió a lanzarles una sonrisa complaciente.

—Tenía la esperanza de que lo hubieras hecho entrar en razón a fuerza de latigazos —dijo Gregori, con un suspiro—. Pero veo que es imposible. Jamás obedeció ley alguna.

—Me lo enviaste a mí para deshacerte de él —dijo Darius, fingiendo una reprimenda. Había aprendido a respetar a Julian por su manera independiente de ser y lo había acogido en su familia.

Gregori se acercó a saludar a Julian como un guerrero que da muestras de su respeto.

—Te agradezco todo lo que has hecho por mi familia. En verdad puedo dar gracias porque seas tú quien cuida de mi hermana.

—Y yo estoy muy agradecido por llevar a cabo esa tarea —dijo Julian, sonriéndole.

—Espero que tu hermano, Aidan, se encuentre bien y que sepa por qué has decidido separarte de él. —En la voz de Gregori asomaba una ligera crispación—. Si hubieras hablado con Mijail o conmigo, te habríamos ayudado en tu lucha contra el vampiro. Eras sólo un niño, Julian, y tenías la percepción de un niño de lo que era la culpa y la responsabilidad. Mijail y yo estamos orgullosos de las decisiones que has tomado para proteger a tu pueblo y a tu hermano. Habrás hablado con Aidan. —Era más una afirmación que una pregunta.

Julian sonrió con expresión tímida.

—Llevé a Desari a conocer a Aidan y a su compañera eterna, Alexandria. Tenía mucho que decir a propósito de la protección que yo le brindaba. Es evidente que ha compartido contigo más tiempo de lo que había pensado. Aidan está bien, y su compañera también.

—Te presento a Tempest —dijo Darius, acercando a su compañera pelirroja—. No lleva mucho tiempo viviendo con nosotros.

Desari se movió enseguida para situarse junto a la mujer más baja. Julian se le acercó, como protegiéndola, y toda la familia cerró filas para disipar los temores de la última mujer que se había integrado en el grupo.

—Tempest es muy valiente. Sin ella, no tendríamos a Darius. Nuestra familia tiene una gran deuda con ella.

—Bienvenida a nuestra familia, pequeña hermana —dijo Gregori—. Te agradezco la vida de mi hermano. Sería un mal asunto perder a alguien tan valioso.

Tempest sonrió tímidamente, agradecida por el apoyo de Desari y Julian. Se sustentó en Darius, intentando que no la intimidara ese poder avasallador que irradiaba Gregori con sus ojos, unos ojos extraños que veían hasta el alma.

—Es un placer conocer al resto de la familia de Darius. Hemos hablado a menudo de vosotros y teníamos muchas ganas de que nos visitarais.

Savannah se inclinó para besarla en la mejilla.

—Sé que todo esto debe ser nuevo para ti, y quizá te asuste un poco, pero veo que todos te estiman.

—Desari y Syndil me han acogido como a una hermana, y Dayan, Barack y Julian son como hermanos mayores que me protegen. —Tempest le lanzó una sonrisa cargada de ternura a Darius—. Y Darius hace que todo valga la pena. No tengo miedo, sólo estoy un poco abrumada. Y algún día quiero tener hijos, así que deposito mi fe en ti, Gregori, para solucionar los enormes problemas a los que nos enfrentamos.

—Prometo hacerlo lo mejor que pueda —dijo Gregori, e inclinó la cabeza—. Si trabajamos todos juntos, encontraremos respuestas más rápidamente. Gary Jansen ha investigado en los diferentes linajes, intentando saber con qué frecuencia nacían los hijos en una pareja de carpatianos. Con la excepción de unos cuantos linajes, al parecer la mayoría de los hijos han nacido con una diferencia de entre cincuenta a cien años. El caso de Savannah es una excepción por el lado de la abuela. Sarantha, la madre de Mijail, tuvo cuatro hijos muy seguidos, tres niños y una niña. Y mi madre también os tuvo a vosotros dos, Desari y Darius, muy seguidos. Sin embargo, Desari es la única mujer sobreviviente de nuestro linaje. —Gregori le sonrió a su hermano—. Gracias a ti, Darius, a quien tanto debemos.

—Somos muy pocos —dijo Desari, con expresión triste.

—Sin embargo, nuestras filas crecen a medida que descubrimos a antiguos carpatianos desperdigados por el mundo —replicó Gregori con voz queda—. Gabriel y Lucian aún viven. Viven y han encontrado a sus compañeras. Francesca, la compañera de Gabriel, ha enviado uno de sus edredones curativos para Corinne. Nos habría gustado pasar más tiempo con ellos antes de volver a los montes Cárpatos.

Desari tendió la mano para encontrar la de su compañero.

—Julian me contó la triste historia de esos héroes. Ha sido un privilegio conocerlos en la boda.

—Son verdaderos antiguos. Mijail espera que podrán ayudar a Shea y Gary en su investigación sobre la alta tasa de mortalidad de nuestros hijos —dijo Gregori—. Yo llevo tiempo buscando la respuesta a este problema, pero todavía no he conseguido derrotar a nuestro peor enemigo.

—El hecho de que no tengamos hijas —suspiró Savannah—. Y la dificultad de mantener vivos a nuestros hijos más allá del primer año. Solucionarás el misterio, Gregori. Ya no estás solo. Tienes a Shea y a Gary, y ahora también cuentas con Francesca. Encontrarás la respuesta y nosotras tendremos los hijos que vosotros deseáis.

—Gemelos —suplicó Julian—. Dos pequeñas que corran libres, con su padre persiguiéndolas—. Por lo visto, era una idea que le agradaba.

Gregori sonrió a Julian al otro lado de la mesa, mostrando una hilera de dientes blancos.

—Veo que te diviertes bastante a mis expensas, Julian, pero recuerda que te conozco desde hace muchos, muchos años. Desari, joven hermana, tenemos mucho de que hablar.

—Me gustaría que hablaras con ella, Gregori —dijo Julian, riendo—. Tiene unas habilidades sorprendentes, como Darius y yo hemos descubierto —advirtió, y besó a su mujer—. Supongo que no querrías cantar hasta que tu hermano quede transformado en un tronco de árbol, ¿no?

Gregori arqueó las cejas, un gesto que compartía con Darius a pesar del tiempo que habían estado separados.

—¿Desari usa su voz para ese tipo de cosas?

Desari rió, y sus mejillas se tiñeron de un rubor rosáceo.

—Desde luego que no. Julian exagera. Utilizo mi voz para calmar y sanar a los demás, para traerles alegría.

—O para reñir a los hermanos mayores y al compañero cuando éstos hacen cosas con las que ella no está de acuerdo —acotó Darius.

Cuando Gregori posó su mirada plateada sobre su hermana con semblante pensativo, Desari suspiró.

—Vale, es verdad que en una ocasión utilicé una red para tenderles una trampa. —Les lanzó una mirada de complicidad a las demás mujeres—. A medida que envejezcáis, os haréis dueñas de vuestros poderes, y éstos os servirán de maneras que nunca habíais imaginado.

Gregori acercó a Savannah para estrecharla.

—Tendré que llevarte de vuelta a nuestra tierra, donde nunca escucharás este tipo de cosas de boca de las mujeres.

Ella se apoyó en la punta de los pies para besarlo con firmeza en la marcada comisura de los labios.

—Ahí vive mi madre y, según recuerdo, tú me contaste que mi padre la dejaba correr libre y desbocada, y que por eso iba sembrando el caos y haciendo estragos por donde pasaba.

—Me gustaría conocer a tu madre —dijo Desari, y se cogió del brazo de su hermano—. ¿Por qué no organizamos un viaje a Europa? Podemos ir a casa, a las montañas. Sería muy divertido. Barack y Syndil tenían muchas ganas de quedarse, y estoy segura de que Dayan querría venir con Corinne para que todos la conozcan.

—Antes que nada, tenemos que asegurarnos de que Dayan pueda venir con nosotros —le recordó Darius.

—La situación parece grave —observó Gregori.

Darius asintió con un gesto de la cabeza.

—Dayan está preocupado —dijo—, y tiene buenos motivos. Jamás pensé que me enfrentaría a un problema como éste. Dayan no puede convertir a su compañera eterna mientras el bebé no haya nacido. Pero el corazón de Corinne ha crecido anormalmente y está cansado. Dudo que pueda aguantar hasta que la criatura esté lo bastante madura para nacer, y estoy seguro de que le fallará durante el parto.

—¿Cuánto crees que aguantará su corazón? —preguntó Gregori. Su oscuro ceño fruncido era una expresión de su inquietud—. Tú la has examinado a través de tu vínculo con Dayan. ¿Crees que tenemos tiempo suficiente?

—Francamente, no lo sé —reconoció Darius. Aquello de tener emociones tenía sus desventajas, según empezaba a descubrir. Darius amaba a Dayan como hermano. Sentía su dolor, su constante malestar, y estaba dispuesto a hacer lo necesario para aliviar el sufrimiento que sentía.

Gregori dejó escapar un largo suspiro. Había llegado a creer que había perdido a Darius y a Desari para toda la eternidad. La alegría de volverlos a ver, el afecto que lo embargaba, todo aquello era de por sí aplastante, pero sobre todo lo abrumaba la idea de que pudiera fallarles cuando ellos más lo necesitaban.

Savannah, que había leído su pensamiento, se acercó para tranquilizarle, frotando con la yema del dedo las arrugas que aparecían en su frente.

—Tú la salvarás. Sé que la salvarás, Gregori. —Percibía el poderoso flujo de las emociones que lo embargaban mientras miraba a sus hermanos, que había creído perdidos para siempre.

Gregori la rodeó enseguida por la cintura, anclándola bajo su poderoso hombro.

—No me puedo imaginar lo que siente Dayan ante la amenaza que se cierne sobre su compañera —dijo, y su mirada argéntea se fijó en Savannah—. Hay pocas amenazas que me turbarían, pero si tú corrieras un peligro de esa naturaleza, yo me pondría muy nervioso.

Una ligera sonrisa curvó la dulce boca de Savannah, y sus ojos brillaron como piedras preciosas. Estaba dispuesta a hacerlo reír, a bromear con él para mitigar sus intensas emociones. Ella era su compañera eterna, y él quien estaba al cuidado de ella, por mucho que Gregori creyera que era al revés.

—¿Sólo te pondrías muy nervioso? Me encanta como dices las cosas. De hecho, si yo me doy un golpe en el dedo del pie ya te pones nervioso.

Darius arqueó las cejas y Julian soltó un resoplido, sonriendo burlonamente.

—Me gustaría ver eso, Savannah. Ver al Oscuro perdiendo la calma sería una imagen que guardaría durante algún tiempo —dijo, y cruzó una sonrisa con Darius—. Por lo que recuerdo, Gregori solía sermonear a Mijail sobre cómo una compañera eterna debía obedecer a su amo.

Savannah se giró y le clavó a Gregori una mirada dura, digna de su linaje.

—¿A su amo? ¿Obedecer a su amo?

Los ojos plateados se fijaron en Julian, mortíferos, anunciando su promesa de venganza.

—Estoy seguro de que nunca he utilizado la palabra «amo».

—Creo, Savannah, que en algunas ocasiones Gregori se mostró más bien severo con tu padre por la libertad que éste le otorgaba a Raven —le informó Julian—. Y, en realidad, estoy seguro de que la palabra «amo» fue utilizada más de una vez. Al menos estoy seguro de que se usó la palabra «obedecer» —dijo, e inclinó la cabeza a un lado—. Podrías hablar con tu hermana, porque todavía no ha entendido el concepto de obediencia.

Desari miró con expresión de sorpresa.

—No dejes que te engañe, Savannah. Julian y yo tenemos una relación de verdaderos compañeros. A él le gusta refunfuñar, pero todo funciona bastante bien.

Savannah alzó la mirada hacia Gregori y le sonrió.

—Eso me da esperanzas. Sólo tengo que acostumbrarme a mis poderes.

—Y entonces, ¿qué? —Gregori la cogió por los hombros y la sacudió ligeramente—. Sólo pensar que tu poder pueda ser superior al que ya tienes me aterroriza. No puedo ni imaginar lo que estás tramando.

—Ayudarte, desde luego —dijo Savannah, dándole un golpecito en el hombro fornido.

—Tenemos mucho de que hablar —dijo Darius—, y poco tiempo para estar juntos. Ahora mismo siento la ansiedad de Dayan, a pesar de la distancia. Pensé que podríamos seguir viaje durante el crepúsculo para acercarnos a ellos, aunque éste es un lugar seguro para descansar en las entrañas de la tierra.

—Comúnicate con Dayan, y yo contactaré contigo. Quiero examinarla personalmente y ver con qué tendremos que lidiar —decidió Gregori—. Si todos nos unimos, deberíamos tener fuerza suficiente para llevar a cabo una revisión.

Darius asintió con la cabeza y enseguida buscó, a través del tiempo y el espacio, la comunicación con Dayan.

—*Dayan. El Oscuro ha llegado. Es fuerte y diestro, y quisiera «ver» a qué problema se enfrenta. Percibo tu ansiedad. ¿Ha sucedido alguna otra cosa que aumente tus temores?*

Dayan miró a Corinne. Estaba semidormida y semidespierta, flotando en alguna parte, en un estado de ensoñación.

—*Esta noche está agitada, incluso después de una sesión de sanación. Y su organismo es incapaz de regular adecuadamente la temperatura corporal. Siento que se está alejando de este mundo y acercándose a la otra vida.*

—*Comunícate con ella y deja que Gregori vea lo que ocurre* —dijo Darius, con voz serena y segura. Dayan tenía que creer que podían mantener a Corinne con vida.

Se produjo una ligera vacilación.

—*¿Tú confías en este hombre?*

—*Es mi hermano, y el compañero de Savannah, hija del Príncipe* —dijo Darius, para darle seguridad—. *Yo estoy contigo, Dayan. Gregori ha venido desde muy lejos para ayudarnos.* —Darius hablaba deliberadamente en plural, recordándole a Dayan que eran una familia, que se mantenían unidos frente a todas las adversidades. Dayan poseía todos los instintos de un macho carpatiano que protege a su compañera eterna. Gregori era un extraño para él y, por lo tanto, un sospechoso.

—*Entonces no puedo sino estarle agradecido* —dijo Dayan, estrechando a Corinne. Observó que en su boca aparecían unas diminutas rayas blancas, unas marcas que lo alarmaron. Dayan le trasmitió aquel detalle preocupante a Darius mientras se liberaba de su propio cuerpo. Se convirtió en luz y energía, en un espíritu sanador que sólo deseaba actuar desinteresadamente, entregándose por completo en ese momento para convertirse en cualquier cosa que Corinne necesitara.

Dayan percibía a Darius junto a él. Una figura familiar. Fuerte. Resistente. Darius tenía una manera de comunicar una confianza absoluta, y siempre había sido así, desde que Dayan tenía uso de razón. Darius había sido para él el padre y madre, el hermano mayor, el mejor amigo y el líder. Y ahora le agradecía que estuviera presente en ese momento. Al parecer, Darius no dudaba de que salvarían a Corinne. Su salvación era necesaria, de modo que ya se daba por hecho. Procuró alimentarse de aquel espíritu pragmático de Darius.

La fuerza que nacía del poder combinado de los dos carpatianos era notable. Dayan lo percibió cuando se fundieron con él. Sintió al Oscuro moverse por su interior, mientras veía lo mismo que él, a saber, la enormidad de la tarea.

—*El corazón se está deteriorando rápidamente. Será necesario calmarle el pulso hasta que podamos reunirnos con vosotros.* —Aquella voz serena le recordó a Darius. Irradiaba la misma seguridad—. *Repararé lo que pueda. Tiene que despertar pronto a nuestro mundo. El bebé goza de una increíble buena salud. La mayor parte del oxígeno y de nutrientes va destinado a su cuerpecito. En realidad, es una niña con grandes poderes psíquicos. No debemos perderla ni a ella ni a su madre.*

Dayan sintió la fuerza y la energía cuando el curandero empezó a trabajar, moviéndose cuidadosamente en torno al corazón. Trabajaba para que la sangre fluyera con más fuerza y llevara el precioso oxígeno a todo el organismo.

—*Es todo lo que puedo hacer por ella a esta distancia. Hazla dormir. Incluso cuando viajes, intenta mantenerla dormida, pero ten cuidado de no sobrecargarle el corazón si manifiesta alguna resistencia. Tiene barreras muy fuertes. Nos encontraremos pronto, Dayan, y nos ocuparemos de que tu compañera sobreviva, si hay alguna manera de conseguirlo.*

—*Te lo agradezco* —respondió Dayan, con voz grave, mientras se reincorporaba a su propio cuerpo y sentía la retirada de los otros. Utilizar esa energía a tanta distancia no era cosa fácil. Sabía que su familia y el curandero buscarían el contacto con la tierra rejuvenecedora, y que él debería hacer lo mismo. A su lado, Corinne se agitó, captando toda su atención.

—¿Por qué me siento tan diferente? —preguntó Corinne, mirando a Dayan. Tenía la mirada despejada y respiraba con mucha más facilidad. Las diminutas líneas blancas de tensión alrededor de la boca habían desaparecido.

Dayan sintió un alivio indescriptible. Tendido junto a ella, temblaba de esperanza y alegría.

—El curandero está cerca. Se ha unido con Darius y los demás para darte fuerzas. Ha trabajado para sanar tu corazón.

Corinne guardó silencio un momento, sorprendida de la fe que tenía en Dayan. Y de las extrañas artes de su familia. Cada vez que Dayan utilizaba su telepatía para ayudarla, ella se sentía mejor. No podía negar que, fuera lo que fuera, daba buenos resultados.

—Ahora quiero que duermas, Corinne —dijo Dayan—. Ha llegado el alba y tienes que descansar. Yo también me iré a dormir pronto. El descanso te permitirá sanar adecuadamente.

—Estoy cansada —reconoció ella, y le lanzó una sonrisa somnolienta—. A pesar de que sospecho que utilizas tus poderes para impulsarme en esa dirección.

—Si eso es lo que hago —dijo Dayan, sin inmutarse—, es poca cosa. —La estrechó con fuerza entre sus brazos—. Me fascina abrazarte, Corinne, y tenderme a tu lado. El bebé esta tranquilo, ¿te has dado cuenta? Antes daba patadas, pero ahora flota tranquilamente en su propio mundo.

—Adoro escucharte cuando hablas de ella —dijo Corinne, con voz suave, somnolienta, a medida que su conciencia se deslizaba hacia el sueño.

—Siempre te gusta escucharme —respondió Dayan, con gesto de suficiencia, y le rozó la sien con un beso—. Ahora, duérmete, amor mío, y despiértate cuando yo te llame.

Capítulo 9

Corinne. —La voz penetró a través de profundas capas de sueño, trayéndola de vuelta de un mundo onírico lleno de sombras. Alguien la sacudía por el hombro y le decía que se despertara enseguida. Transcurrió un momento antes de que la desesperación en la voz penetrara en las sombras. Cundió la alarma, y Corinne se obligó a abrir los ojos.

—Cullen, ¿qué ocurre? —El corazón le martilleaba y sentía una fuerte presión en el pecho—. ¿Le ha ocurrido algo a Lisa?

—Se ha ido. Me he despertado y ya no estaba. Te ha dejado una nota —dijo Cullen, poniéndole un trozo de papel ante los ojos.

Corinne cogió la carta con manos ligeramente temblorosas y retorció los bordes de la hoja color lavanda pálido. No tenía que leerla para saber adónde había ido. Ella la conocía, sabía cómo pensaba. Normalmente se despertaba temprano, y habría pensado que debía cumplir con el contrato que había firmado, después de convencerse a sí misma de que no correría ningún peligro. Ella no quería correr peligro alguno, así que le resultaba bastante fácil quitarse la idea de la cabeza. Así era Lisa. El mundo era un lugar donde ella cambiaba aquello que no le gustaba. Se suponía que las personas tenían que ser bien educadas y amables, así que sencillamente se imaginaba que eran así. Cuando no les agradaba a otras mujeres debido a su aspecto, se sentía muy dolida y hacía todo lo que estaba en su poder para que cambiaran de opinión sobre ella.

Irritada consigo misma por no haber previsto esa posibilidad, Corinne lanzó las mantas a un lado y buscó su bata. Ésta voló hacia ella después de desprenderse de un tirón del gancho de detrás de la puerta, y cruzó la habitación hasta sus manos. Al parecer, Corinne no se dio cuenta de lo que había hecho mientras se ponía el albornoz y comenzaba a ir y venir por la habitación.

—¿Qué ha sido eso? —inquirió Cullen, con una mirada de asombro.

Corinne alzó la mirada y lo vio observándola, azorado.

—¿Qué? —preguntó antes de caer en la cuenta de aquella acción inconsciente. Desde luego, Lisa no le habría contado nada a Cullen acerca de ella, ya que no le gustaba que a Corinne la trataran de manera diferente a las demás personas. Se encogió de hombros, fingiendo que no tenía importancia—. Es un pequeño truco que hago, nada del otro mundo. Sal de la habitación para que pueda vestirme. Sé dónde ha ido e iré a buscarla.

—La sesión de fotos —adivinó Cullen, con un gesto de contrariedad—. No quería renunciar a aquella sesión. Pensé que había llamado para cancelarla —dijo, y se mesó el pelo—. Es una chica tan indefensa, ¿por qué no me lo habrá dicho? Sabía que, en mi opinión, se exponía al peligro. Tendría que haberme hecho caso.

—Lo hizo, Cullen. Lo que pasa es que no te ha escuchado. Ya verás que Lisa dice cosas para tranquilizarte porque no le gusta discutir, pero al final hace exactamente lo que quiere —le advirtió Corinne. Había sacado su ropa de la maleta y corrió al lavabo.

—Sabía lo peligroso que era —dijo Cullen, como si quisiera convencerse a sí mismo—. Puede que no haya ido. Quizá salió y luego cambió de parecer.

Corinne se puso los pantalones vaqueros y lo llamó desde el otro lado de la puerta del lavabo.

—No, Cullen. Ha fingido que nos creía porque era lo que todos queríamos escuchar, y a Lisa no le gusta contrariar a nadie. Te lo he dicho, ella no discute. Es culpa mía. Tendría que haber sabido que haría algo así. No te preocupes. La traeré de vuelta —dijo, mientras se abrochaba a toda prisa los pequeños botones de perla de su blusa, alisando la tela. Por un breve instante dejó descansar la mano sobre su barriga, sobre su bebé. Miró su reloj. Eran las cuatro y media de la tarde. ¿Cómo era posible que hubiera vuelto a dormir todo el día?

Intentó despejarse la cabeza mojándose la cara con agua fría. Estaba extrañamente cansada. ¿Acaso era su corazón que ya comenzaba a dar muestras de cansancio? Dejó bruscamente aquellas reflexiones sobre su condición de mortal y se concentró en el problema que tenía entre manos. Lisa corría peligro y en ese momento nada más importaba.

Corrió descalza de vuelta a la habitación, se peinó de cualquier manera y se recogió el pelo en una coleta.

—¿Dónde están mis zapatos? —Mientras hacía la pregunta, se concentró en los objetos que no estaban y los llamó hacia ella. Los zapatos salieron solos de debajo de la cama y se deslizaron hasta llegar a sus manos. Cullen se la quedó mirando boquiabierto. Sin prestarle atención, Corinne se sentó en la cama y se puso las sandalias—. Deja de mirarme, Cullen —le ordenó—. No tenía ni idea de donde estaban los malditos zapatos. Lisa tiene que haber cogido un taxi. Tendremos que utilizar tu coche, el mío todavía está en la casa. ¿Dónde lo has aparcado?

—Está en la calle. Y no lo traigas hasta aquí —respondió él, seco.

Corinne lo miró fugazmente con sus ojos verdes, y luego lo hizo como si la idea le pareciera divertida, a pesar de la gravedad del momento.

—Me pregunto si podría. ¿Dónde está Dayan? —Estaba con ella cuando se quedó dormida. Recordaba ese detalle con toda nitidez.

Cullen carraspeó.

—Aún es temprano para él, pero sabrá dónde hemos ido cuando se despierte. Siempre lo sabe —dijo, intentando transmitir seguridad.

Corinne quedó quieta, sosteniendo la correa del bolso que llevaba al hombro.

—¿Por qué no lo despiertas? —Algo en el comportamiento de Cullen despertó sus sospechas, aunque no sabía de qué sospechaba.

—No ha pasado la noche aquí. Después de que te dormiste, se marchó. Es muy celoso de su privacidad —añadió Cullen, con gesto tímido.

—Qué curioso —murmuró Corinne—, porque no le cuesta nada invadir la mía. —Apretó su bolso y se dirigió decididamente a la puerta—. Vamos, si piensas venir. Quiero asegurarme de que Lisa está sana y salva.

—Claro que voy. Y pienso decirle unas cuantas cosas cuando la vea —añadió Cullen, mientras sostenía la puerta abierta para Corinne.

—No sirve de nada enfadarse con Lisa —le aconsejó Corinne cuando estuvo instalada en el asiento del pasajero—. Ella no ve las cosas como el resto de la gente. Gritarle no sirve de nada, sólo la abrumarás. No quiero que le hagan daño, Cullen.

—¿Acaso no es eso lo que queremos impedir? —preguntó él, con las mandíbulas tensas.

—No me refiero a eso. Lisa es muy vulnerable. Seguro que te habrá contado lo de la muerte de su hermano.

—Razón de más para que se tome esto muy en serio —señaló él—. Es demasiado confiada.

—No hay nada de malo en eso, Cullen —dijo Corinne, con voz queda—. Es lo que hace que Lisa sea Lisa. Es una persona confiada, verdaderamente dulce y buena. —Corinne le lanzó una mirada a Cullen, que parecía inflexible—. Nunca la he visto con un hombre como cuando está contigo. Habla mucho, pero, en realidad, nunca se enamora de nadie. No hagas nada que pueda hacerle daño.

Inesperadamente, Cullen rió.

—Me parece que ella había pensado tener exactamente la misma conversación con Dayan acerca de ti.

Corinne giró bruscamente la cabeza y su caballera rozó levemente la ventanilla.

—Soy perfectamente capaz de cuidarme sola. Lisa, por el contrario, no lo es —dijo, y le lanzó una dura mirada de advertencia.

—Te entiendo, Corinne —reconoció Cullen, apenas sonriendo—. Y yo no soy ningún playboy. Ni siquiera puedo creer que Lisa me haya mirado dos veces. Y las mismas personas que mataron a tu marido me buscan a mí. Los conozco. Yo no habría respondido jamás a mis sentimientos si ella no hubiera estado en peligro. En cuanto la conocí, me sentí atraído. Jamás pensé que alguien como yo tendría algún interés para ella. —Cullen conducía velozmente, pero con pericia. Después de la loca manera de conducir de Lisa, Corinne apreció su destreza—. Podría fácilmente enamorarme de Lisa si me permitiera a mí mismo pasar un rato con ella. En los últimos años, nunca he mirado a una mujer de esa manera. —Siguió un breve silencio—. Jamás pensé que podría... que me volvería a ocurrir.

—¿Cómo es Dayan? —le preguntó Corinne, a pesar de sí misma.

Cullen se encogió de hombros con un calculado gesto de indiferencia.

—Dayan tiene su propia ley. Nadie puede predecir lo que hará. Es genial cuando tiene un instrumento en las manos, y tiene una voz muy bella. A veces, peca de excesiva fidelidad, pero no es un hombre que uno quisiera encontrarse en el camino. No sé cómo describir a Dayan. Pero nunca lo he visto ponerse así con una mujer. Sea lo que sea que siente por ti, es auténtico. No es un mujeriego.

—¿Por qué me parece haber escuchado un «pero»? —preguntó, ingeniosa, Corinne.

—Yo no he dicho «pero» —negó él.

—Tienes tus reparos para con Dayan —adivinó Corinne—. ¿De qué se trata?

Cullen le lanzó una mirada sobria, concentrado en cómo expresar con palabras su vaga inquietud. Finalmente, se encogió de hombros y sacudió la cabeza.

—Sencillamente, es diferente. Puede que peligroso. No sé cómo explicártelo. Todo el grupo es diferente. Darius es uno de los que da miedo. Lo digo en serio, Corinne, Dayan es diferente. No sé qué más decir. Toda la familia… —dijo, y guardó silencio, como si no supiera cómo seguir. No había palabras para describir adecuadamente a la familia de Dayan.

—¿Peligroso para mí? No es el tipo de hombre que le haría daño a una mujer. —Corinne lo creía con todo el corazón, lo *sabía* con cada fibra de su ser—. ¿Qué es lo que no me cuentas, Cullen? ¿Tiene algo que ver con mi corazón? ¿Con el embarazo? ¿O tiene algo que ver con el hecho de que Dayan haya desaparecido cada vez que yo me despierto?

Cullen la miró y se percató de su seriedad.

—Corinne, Dayan no desea estar con nadie más. Si crees que tiene otra mujer en alguna parte, estás equivocada. No me preocupa demasiado tu problema del corazón. Incluso he intentado tranquilizar a Lisa, porque tiene mucho miedo. Sin embargo, la familia de Dayan es capaz de hacer milagros.

»Nunca me había imaginado a Dayan con una mujer, tan protector y… —Guardó silencio y sacudió la cabeza—. Sin embargo, lo he observado antes en otros miembros del grupo. Deberías conocer a Darius. Ése sí que da miedo. Pero cuando está con Tempest, su actitud es completamente diferente, lo mismo que le sucede a Dayan contigo.

Exasperada con Cullen, Corinne miró por la ventanilla hacia los coches que pasaban. Era evidente que le preocupaba algo, y que no pensaba decírselo. Quizá no tuviera nada que ver con Dayan y todo que ver con ella. Quizá no quería que su amigo se entregara a alguien como ella. Estaba embarazada, enferma del corazón y movía los objetos de un lado al otro con el pensamiento.

Con cada kilómetro que pasaba, Corinne se sentía más cansada, más tensa, hasta que su corazón empezó a latir con tanta dificultad que le costó respirar. Y pensaba en Dayan. Le preocupaba él, cuando en realidad tendría que preocuparse por Lisa. ¿Qué habría pasado si Dayan hubiera vuelto a su casa y alguien le hubiera hecho daño? Quizás estaba herido en algún sitio, indefenso, y necesitaba su ayuda y ella no lo sabía.

—Dayan no volvería a mi casa anoche, ¿no? —En su voz asomaba cierta irritación que no pudo evitar.

Cullen sacudió la cabeza.

—Ni la más remota posibilidad. No tenía motivos para ello. Te acompañó para que sacaras lo que tú y Lisa queríais. Por cierto, me sorprendió que lo hiciera. Habría apostado hasta el último centavo a que te habría dejado atada en nuestra casa para mantenerte a salvo. ¿Cómo lograste convencerlo de lo contrario?

—Es una persona muy razonable. —Mientras decía esas palabras, el coche la alejaba cada vez más de él, y su corazón latía cada vez con más dificultad.

—¿Estas seguro de que no volvió a la casa? Tuvimos algunos problemas… ¿Dayan te lo contó? —se lo preguntó como si lo diera por sentado.

Cullen la clavó con una mirada desconcertada.

—No, no me dijo ni una palabra. ¿Qué tipo de problemas?

Corinne se frotó las sienes adoloridas. Se sentía enferma y tenía náuseas. Y a cada kilómetro que pasaba aumentaba la espantosa sensación.

—Cosas. Un banco de niebla muy raro. Había alguien en la casa. Dayan salió en medio de la niebla y luego entramos en la casa. Había un coche… —dijo, y su voz se desvaneció, intentando aclarar el recuerdo en su mente borrosa—. No puedo pensar… Tengo náuseas.

—¿Llevas alguna medicina que puedas tomar? —A Cullen comenzó a preocuparle el color de su cara. Corinne estaba mortalmente pálida.

Se acercaban al enorme parque donde Lisa tenía que acudir a su sesión de fotos. A su izquierda, vio varios coches aparcados. Había un área aislada para los fotógrafos y el equipo. Corinne se llevó ambas manos a la barriga con gesto protector. Se sentía muy enferma, y hacía un esfuerzo para que su respiración sonara normal.

—¡Corinne! —exclamó Cullen, con voz seca—. ¿Llevas algún medicamento que puedas tomar?

Ella señaló hacia su bolso. El corazón le golpeaba con fuerza, errático. El bebé se movió, alarmado. Cullen le puso dos pastillas en la palma de la mano, temiendo por Corinne. Jamás debería haberla traído con él.

—*Corinne.* —La voz era suave y serena, un roce como las alas de una mariposa en su cabeza—. *¿Qué le ocurre a tu corazón? Debes serenarte.*

La voz de Dayan consiguió calmarla. ¿Dónde estaba? El solo hecho de ponerse en contacto con ella le decía que estaba vivo y a salvo. Corinne se tragó las píldoras e hizo un esfuerzo para respirar acompasadamente.

—*Ahora estoy bien, Dayan.*

—*No estás donde yo te dejé.* —Era una clara reprimenda—. *¿Dónde te encuentras?*

—¿Corinne? —preguntó Cullen, inquieto—. No debería haberte traído. Si algo llegara a ocurrirte, Lisa y Dayan me matarían.

Era raro mantener dos conversaciones al unísono.

—No me pasará nada, Cullen. Ya ves, estoy mucho mejor. *Hemos venido a buscar a Lisa. Está en un parque donde van a hacerle fotos.*

—*¡No! No es seguro. Todavía no puedo ir a reunirme contigo. ¡Abandona enseguida ese lugar!* —Era una orden sin ambages, y la había pronunciado añadiéndole un fuerte impulso mental.

Corinne quería obedecerle. Necesitaba obedecerle más que cualquier otra cosa en el mundo. Todo en ella le pedía que hiciera lo que él le decía, pero también pensaba en Lisa. Por mucho que quisiera cumplir aquella orden con todo su corazón y su alma, no podía irse sin ella.

—*No te enfades, Dayan. Volveré a casa en cuanto tenga a Lisa a salvo con nosotros. Cullen también ha venido.*

Dayan se encontraba alojado en las entrañas de la tierra, hirviendo de rabia, presa de un miedo que bien podía definirse como terror. No se atrevía a impartir una orden más poderosa. Corinne tenía mucha fuerza de voluntad, y ahora se resistía. Su lealtad hacia Lisa le exigía llevar a su hermana a un lugar seguro. Dayan sabía que su corazón no aguantaría un enfrentamiento con él. Decidió aflojar la presión y permanecer como una sombra en el pensamiento de Corinne. Los minutos que faltaban para la puesta de sol pasaban con exasperante lentitud.

—Quizá sea mejor que te quedes en el coche —dijo Cullen, incómodo. Dayan trabajaba ahora en su mente, presionándolo para que Cullen pensara que era de vital importancia proteger a Corinne—. No tardaré demasiado en ir a buscarla.

—No conseguirás pasar la barrera de seguridad —dijo Corinne, y abrió decididamente la puerta. Bajó del coche antes de que su cuerpo, vacilante, se negara a hacer lo que ella quería.

Cullen salió del coche a toda prisa y dio la vuelta corriendo para cogerla por el brazo. Ella siguió sin vacilar por la acera hacia el sendero que se adentraba en el parque. En el área acordonada para los fotógrafos, le hizo señas al guardia de seguridad más cercano y le lanzó una sonrisa.

—¡Frank! No sabía que estabas trabajando hoy o habría venido más temprano. ¿Cómo le va a Lisa?

El hombre de uniforme le sonrió.

—¡Corinne! Mi mujer preferida. Me he sentido como un infeliz al ver que no estabas. Ya sabes cómo le va a Lisa. No podría cometer un error ni aunque se lo propusiera. —Se inclinó hacia el cordón para soltar el gancho y dejarla pasar.

Dentro de la mente de Corinne, Dayan se quedó de pronto muy quieto. No estaba acostumbrado a la descarga de adrenalina que saturó su organismo, como un flujo de oscuros celos desatados por las palabras de aquel desconocido o por el evidente afecto que Corinne le manifestaba. Ella era demasiado atractiva y, al parecer, no se daba cuenta cuando los hombres verdaderamente la admiraban o la deseaban. Dayan detestaba esas horas muertas del día, cuando su cuerpo tenía que rejuvenecer. Incluso en su sueño, tendido como si estuviera muerto, la añoraba. La necesitaba. La ansiaba como quien ansía inyectarse una dosis.

—Frank, te presento a Cullen. Lo he contratado como guardaespaldas personal de Lisa. Hemos recibido unas llamadas telefónicas extrañas, y yo me siento muy paranoica desde la muerte de John. Sé que es una tontería, pero no quiero correr ningún riesgo con ella.

Corinne miró a Frank con sus bellos ojos verdes y el guardia de seguridad no tardó en derretirse. Hasta Cullen se dio cuenta. Dayan también podía verlo. En su interior rugió la bestia, presa de la ira y de una inmensa cólera. En sus venas bullía una lava candente, aunque su cuerpo permaneciera paralizado, atrapado en las entrañas de la tierra. Tuvo que hacer un severo esfuerzo de autocontrol para no utilizar a Corinne ni a Cullen como instrumentos para agredir al guardia. Ese hombre la deseaba, y él no podía culparlo.

—¿Debería alertar a mi gente, Corinne? —preguntó Frank, mirando con sus ojos azules e inquietos—. ¿Crees que tendremos problemas? —El asesinato de John los había desconcertado a todos. John amaba a su hermana y solía asistir a sus sesiones fotográficas. Lisa era diferente de la mayoría de las modelos, esas mujeres que nunca le dirigían la palabra al personal de seguridad. John y Corinne asistían casi siempre a las sesiones de Lisa y se tomaban un momento para hablar con todos. Los tres eran correctos, cálidos y amigables. Los recordaban por su nombre y les preguntaban por la familia.

Corinne miró a Cullen con un amago de pregunta en los ojos. Él asintió con un gesto de la cabeza, y barrió lentamente el lugar con la mirada. Había una multitud observándolo todo, y para él una multitud era una pesadilla. Corinne le sonrió a Frank.

—Sólo pídeles que estén alertas ante la presencia de alguien diferente… no sé, cualquiera que tenga aspecto de llevar un arma.

Frank asintió, muy serio. Enseguida habló por radio y les indicó a Corinne y a Cullen que fueran hacia el grupo donde estaban filmando. Éste se inclinó para susurrarle a Corinne en la oreja.

—Están aquí, en alguna parte. Lo sé.

Corinne sintió un nudo en la garganta que le cortaba el aliento. Miró a su alrededor con expresión inquieta, desesperada por encontrar a Lisa. La voz de Dayan, serena como siempre, rozó su pensamiento.

—¿Qué ocurre, querida?

—Cullen dice que Lisa corre peligro, que esos hombres tienen que estar aquí.

—Eso significa que tú también corres peligro, Corinne. —Dayan aguantaba el aliento, contando los minutos, los segundos, hasta que llegara la hora en que sería seguro levantarse. Él era un carpatiano, no un vampiro. Podía salir a la luz antes de que se pusiera el sol, pero no en ese momento, cuando el astro había reducido a la nada su enorme fuerza y sus poderes. Esperó, conservando la poca energía que tenía para ayudar a Corinne si fuera necesario.

Ella caminó por el césped irregular hacia el lugar donde habían instalado las luces en medio del parque rodeado de árboles. Una cascada pequeña y espumosa caía en torrente sobre una profunda piscina natural excavada en la roca. En todos los rincones alrededor de la piscina crecían helechos. Lisa estaba de pie justo ahí, en medio de aquel paisaje verde, toda ella esbelta, serena y bella. A Corinne le dieron ganas de llorar, desbordada por un sentimiento de orgullo. Lisa era una profesional, y siempre se había sentido agradecida por el trabajo y el dinero que le proporcionaba a ella y a su familia. Era una mujer con la que resultaba fácil trabajar, pues seguía atentamente las instrucciones y las cámaras la adoraban. Se había vuelto muy popular entre fotógrafos y clientes precisamente por eso.

Cullen sencillamente la miraba boquiabierto, cada vez más asombrado de que se hubiera dignado dirigirle algo más que una mirada al pasar. No se parecía en nada a la joven tímida y vulnerable que él conocía. Ahora le parecía una diosa. Lisa era una verdadera seductora ante la cámara, y luego se giraba para reír de buena gana con el fotógrafo, o bromear con el encargado del maquillaje o la estilista. Cuando le vio, el rostro se le iluminó y lo saludó agitando la mano. Por un instante, él olvidó que había venido en misión de rescate.

—No te distraigas —le advirtió Corinne—. Se supone que eres el guardaespaldas. Nada de comerse a la clienta con los ojos.

Cullen sonrió tímidamente y se acercó a Corinne cuando volvió a barrer la multitud de una mirada, buscando rostros familiares. Él era uno de los primeros objetivos en la lista de la sociedad, marcado como traidor por la organización. En alguna parte entre esa multitud había hombres armados, de eso estaba seguro.

—Quizá deberías volver al coche —le sugirió a Corinne.

—No conseguirás que venga Lisa hasta que todo esto haya acabado. —Corinne se abrió paso con cuidado entre los atados de cables en dirección a ella. Saludó a un fotógrafo conocido—. ¿Tienes un momento libre? Tengo que hablar con Lisa —dijo, y levantó un dedo, insinuando que sería una conversación breve.

El fotógrafo asintió con un gesto de la cabeza.

—No hemos decidido si Lisa está mejor sentada o de pie. La verdad es que brilla de cualquier forma.

—Los mosquitos se la están comiendo viva —dijo la estilista, mientras le arreglaba la brillante cabellera a la modelo, y luego se dio un manotazo en el brazo para espantar a uno—. Te lo digo en serio, Matt, estas localizaciones en exteriores son peligrosas.

—Ya no falta mucho, Lisa —dijo el fotógrafo—. De aquí a un rato ya no habrá luz.

Corinne casi había llegado junto a Lisa cuando alzó la mirada y vio a un hombre escondido por encima de ella en las rocas. Por un instante, pensó que era parte del decorado, un modelo masculino. Pero luego se dio cuenta de que se trataba de un hombre bajo, gordo y nada de atractivo. Cuando se giró a medias, los rayos de sol rebotaron contra algo que tenía en la mano. Con el corazón en la garganta, Corinne se abalanzó sobre Lisa, la cogió por la cintura y la hizo retroceder hasta los matorrales.

—¡Cullen! —gritó, aterrada al ver que aquel desconocido podría dispararle a Corinne sin problemas.

Las dos mujeres cayeron pesadamente en un enredo de brazos y piernas. A Corinne no le importaba; seguía concentrada en el objeto que sostenía el hombre, fijando en ello su mente, decidida a hacerle errar el tiro. Llegó a sentir la intensidad del esfuerzo que hacía aquel hombre, intentando mantener el control. Vio a la gente que corría hacia ellas y luego, por el rabillo del ojo, vio a otros dos hombres en las rocas. Lo único que importaba era proteger a Lisa e impedir que el hombre le disparara a Cullen. Oyó el grito de advertencia de Dayan, sintió que se retiraba de su mente. Él le había prestado apoyo emocional, y a Corinne le dolió que se marchara justo en ese momento, cuando ella tenía más miedo y no quería estar sola.

En lo profundo de la tierra, Dayan se estremeció de miedo por ella, tembló de ira por su incapacidad para librarse de la terrible parálisis que aquejaba a los de su estirpe durante las horas del día. Conectó mentalmente con Cullen y «vio» a través de sus ojos. Los guardias de seguridad corrían en todas las direcciones, la gente gritaba y Cullen intentaba abrirse camino hacia las dos mujeres. Estaba más concentrado en su objetivo que en la multitud enloquecida. Dayan respiró profundo y exhaló lentamente para controlar su propio pánico. Obligó a Cullen a dejar de correr y lo hizo mirar a su alrededor para ofrecerle a él una perspectiva clara de lo que estaba ocurriendo.

Antes que nada, se ocupó del hombre que luchaba con Corinne por la posesión del arma. En lugar de buscar la pistola, Dayan fue directo al cuello, cerrándole el paso del aire, de manera que no tuvo tiempo para pensar en dispararle a nadie. Soltó el arma, que cayó dando tumbos entre las rocas. Se llevó las manos al cuello con la intención de deshacerse de ese puño invisible que se cerraba como un tornillo. Sólo cuando el agresor cayó de las rocas, Dayan volvió a barrer lentamente la multitud en busca de otras posibles amenazas, sirviéndose de la visión de Cullen.

Un hombre arrastraba a Corinne hacia atrás, lejos de las rocas y hacia el bosque más denso, oculto a la visión de los guardias de seguridad que corrían a toda prisa. Éstos iban hacia Lisa, que seguía en el suelo. Dos mujeres se habían puesto a gritar, y la escena empezó a convertirse rápidamente en un caos. Dayan obligó a Cullen a seguir a Corinne, aunque éste quería ir adonde estaba Lisa, que, entre llantos, intentaba abrirse paso entre los guardias de seguridad para alcanzar a Corinne.

Dayan sólo pensaba en el hombre que tenía a su compañera. No dejaba que nada más ocupara su mente. Fijó la vista en el brazo que tenía a Corinne agarrada por el cuello, y los músculos comenzaron enseguida a hincharse. El tipo lanzó un grito y soltó el cuello de Corinne, pero la empujó por la espalda cuando ella intentó escapar. Ante la mirada de Dayan, Corinne cayó al duro suelo, intentando amortiguar la caída con las manos para proteger al bebé del golpe.

Tras soltar una furiosa imprecación en su lengua, Dayan utilizó sus últimas energías para hacer que la tierra se combara e hiciera caer al agresor. El hombre rodó por el suelo y se dio con la cabeza contra un saliente de la roca. Enseguida empezaron a caer más rocas que se habían desprendido como consecuencia del pequeño temblor, primero lentamente, y luego en una lluvia concentrada de piedras que lo golpearon en la cabeza y en el pecho hasta que quedó parcialmente sepultado.

Era lo único que Dayan podía hacer hasta que la tierra le devolviera su energía y el sol llegara al ocaso. Con una última mirada a Corinne, tendida en el suelo cuan pequeña y frágil era, rompió la conexión con Cullen y su espíritu volvió a su lugar de descanso, donde yacía inmóvil.

Cullen se volvió para mirar a Lisa, que luchaba desesperadamente con los guardias de seguridad.

—¡Corinne! ¡Cullen, ve a ver a Corinne! Alguien que llame a una ambulancia —pidió, con el rostro bañado en lágrimas.

Cullen corrió hacia donde había caído Corinne y, en ese momento, algo duro lo golpeó en la espalda con tal fuerza que lo hizo girarse a medias. Se quedó sin aliento y boqueando, intentando tragar aire. Oyó el grito agudo de Lisa, vio a la gente que se lanzaba al suelo y corría para protegerse. No oyó el disparo. Ni siquiera estaba seguro de lo que había sucedido, pero cuando intentó avanzar hacia Corinne, las piernas le fallaron y se encontró a sí mismo sentado en el borde del césped.

—¡Cullen! —Lisa consiguió librarse por un momento antes de que un guardia de seguridad la lanzara al suelo y la cubriera con su propio cuerpo.

Frank apuntó cuidadosamente con su arma, y mantuvo el pulso sereno cuando el asesino continuó su carrera hacia Corinne. Le lanzó una advertencia en voz alta, alta y clara, esperando que el hombre se detuviera. Sin embargo, éste se giró y disparó al guardia de seguridad, todo en un solo y fluido movimiento. La bala fue a incrustarse en un árbol junto a la cabeza del agente. Sin inmutarse, Frank apretó el gatillo, mientras murmuraba para sí:

—No, no lo hagas. —El pistolero paró en seco, se quedó mirando desconcertado a Frank, y el arma cayó de sus manos a cámara lenta. Se miró la mancha de sangre que se extendía por su pecho, y luego a Frank. Cayó al suelo de rodillas y se desplomó de cara al suelo, con la mitad del cuerpo sobre las piedras y la otra mitad sobre el césped.

Por un momento, sólo se oyeron sollozos. Las personas empezaron a mirarse unas a otras lentamente, entendiendo que la violencia había acabado tan rápidamente como había empezado. Frank siguió apuntando con su arma al hombre que le había disparado mientras se acercaba lentamente al cuerpo. En la distancia se oían las sirenas, cada vez más cerca. Frank miró a Corinne con un dejo de ansiedad. Ésta yacía inmóvil y boca abajo sobre las rocas.

Minutos más tarde, Lisa subía a una ambulancia con Corinne. Tenía el bolso de su amiga en las manos y, mientras lo apretaba, las lágrimas le corrían por las mejillas. A Cullen lo despacharon en una segunda ambulancia, y Lisa se llevó una mano a la boca para no gritar.

—Yo soy la responsable de todo lo ocurrido —le susurró a Corinne.

Corinne estaba tan pálida que su rostro había cobrado un tono gris. En torno a sus labios apareció un tinte azulado que horrorizó a Lisa.

—Está embarazada —le dijo a los enfermeros—, y enferma del corazón.

A Corinne le cubrieron la cara con una mascarilla de oxígeno. Parecía pequeña e impotente, muy vulnerable y frágil, tanto que daba la sensación de haberse quebrado. Era como si ya estuviera muy lejos de Lisa. Ésta le cogió firmemente la mano, queriendo aferrarse a ella e impedir que se fuera lentamente.

—¿Se pondrá bien? —preguntó.

La ambulancia avanzaba a toda velocidad y los enfermeros hablaban por la radio o se ocupaban del gota a gota. Ninguno de ellos miró directamente a Lisa, y nadie contestó a su pregunta. Le tocó el vientre a Corinne. El bebé de John y Corinne. No quería perder a ninguna de las dos. Y si ocurría lo peor, y el corazón le flaqueaba, Lisa quería que esa pequeña parte de ella sobreviviera.

—Es demasiado pronto para ti, pequeña —dijo, con voz suave—. Es demasiado pronto.

En el hospital, Lisa se quedó fuera de la sala de urgencias. Tuvo que contentarse con mirar, impotente, mientras ponían a Cullen en un cubículo contiguo a Corinne. Al cabo de un buen rato, se presentó una mujer policía para hablar con ella, pero nadie dijo nada acerca de Corinne ni de Cullen. Unos minutos más tarde, la sala estaba llena de gente, entre ellos, el fotógrafo, su agente, y Frank, el guardia de seguridad. Pero la única persona que Lisa buscaba, la única que esperaba, sabiendo que sería un apoyo, la persona que más temía, no llegó.

Dayan. Jamás sería capaz de mirarlo a los ojos. ¿Por qué no había hecho caso de lo que le decían? Ahora deseaba que todo aquello no fuera verdad. La gente normal no era víctima de un intento de asesinato. Ella y Corinne habían dejado atrás ese mundo. Ella había trabajado duro y se había forjado una vida nueva, una vida en la que el asesinato no estaba contemplado. Permaneció sentada en silencio, con los puños apretados y tensos, deseosa de llorar y llorar.

Dayan permanecía atado a las entrañas de la tierra, contando los minutos que faltaban para que pudiera levantarse sin peligro. Cuando llegó el momento, emergió violentamente, levantando un chorro de piedras y tierra tan potente como un géiser, y se elevó en el cielo a la vez que su cuerpo mutaba. El sol estaba bajo, pero aún no se había puesto, y la luz hirió sus ojos hasta hacerlos arder y llorar. O quizá no fuera el sol. Dayan no lo supo con seguridad, mientras surcaba los aires a toda velocidad en dirección al hospital donde yacía Corinne.

Su mundo. Su vida. Lo mejor de él. Corinne yacía, agonizante, en un hospital. Dayan lo sabía, lo intuía. Mantuvo su mente firmemente anclada en la de ella, de modo que no pudiera de ninguna manera dejar que su espíritu se separara de su cuerpo moribundo.

—*Aguantarás* —le ordenó a Corinne, poniendo en ello hasta la última fibra de su ser, usando toda su voluntad para asegurarse de su obediencia.

—*Estoy muy cansada.*

—*Entonces descansa, pero no te marcharás.*

—*Los oigo hablar. Creen que no podrán salvar a mi bebé.* —En su voz se adivinaba la pena, que le embargaba el alma y el corazón. Era como un cansancio horrible, como si hubiera tirado la toalla, como habían hecho los médicos, como si ya no pudiera seguir luchando contra todos los pronósticos.

—¡*No me dejes solo!* —exclamó Dayan. Era una plegaria. Una orden—. *Nadie te necesita como yo. No vuelvas a dejarme solo, nunca.*

—*Dayan, tú eres fuerte. Eres muy fuerte. Ya verás, habrá otra mujer en tu vida.*

Incluso en su hora más oscura, Corinne pensaba en él. Pensaba en Cullen y en Lisa, como si estuviera armándolo todo en su cabeza.

Su futuro. Su felicidad. Ella lo disponía como creía en aras de los mejores resultados.

Dayan arropó su espíritu desfalleciente, atándola firmemente a él.

—*Nunca habrá otra para mí. Nunca. Aunque sobreviva después de perderte y viva para toda la eternidad. Dejaría de ser yo y me convertiría en un ser maligno, en una abominación. En un monstruo despiadado. No me convertiré en una de esas criaturas. Antes, preferiría seguirte a la otra vida. Somos uno solo, Corinne. Una sola cosa. No hay Dayan sin Corinne. No tienes otra alternativa que vivir. Por la hija que llevas en ti. Por mí, por nuestros hijos aún no nacidos. Por Lisa. No te dejaré ir. Ni ahora, ni nunca.*

Ahora estaba mucho más cerca, se desplazaba velozmente a medida que el sol se ponía en el horizonte. El cielo se tiñó de color rojo sangre y empezó a levantarse el viento, una señal agorera. Dayan ya no era el poeta sosegado, el hombre amable que conocía Corinne. Era un macho carpatiano en toda su plenitud, y algo amenazaba a su compañera eterna.

Se movió sin ser visto entre médicos y enfermeras, dejando una estela de frío a su paso. Vio a Lisa, acurrucada en la habitación donde Cullen yacía, pálido y vendado, todavía inconsciente. Dayan le lanzó a su amigo una mirada rápida, intentando evaluar los daños sufridos, mientras se apresuraba en llegar junto a Corinne. Sin ella, no podría ayudar a Cullen ni a nadie. Su primer pensamiento, su primer deber, era para con Corinne.

Sintió que en su mente se agitaba algo que le era familiar. Una cierta calidez, tranquilidad y seguridad absoluta.

—*¿Dayan? Estamos mucho más cerca. Tráela donde el curandero. Nos estamos reuniendo.* —Era Darius. Su amigo. Su familia. Siempre se podía contar con él.

Dayan se permitió un respiro.

—*Cullen necesita ayuda. No puedo darme el tiempo de atenderlo. Mantendré a Corinne unida a mí todo el tiempo que pueda, pero si llegara a perderla, seguiré enseguida sus pasos. No la he atado a mí y no ha habido intercambio de sangre, así que no poseo el control necesario para librar esa batalla.*

Dayan se arrodilló junto a la cama y le cogió la mano a Corinne. Por un momento, aquella mano, más pequeña, descansó flojamente en la suya. Pero, al cabo de un instante, Corinne enroscó los dedos en torno a los suyos. Dayan vio que Corinne agitaba sus largas pestañas antes de que consiguiera abrir los ojos.

—Dayan. —En su voz se adivinaba una sonrisa—. Creo que soñaba contigo, ¿o quizá estábamos hablando? —Hablaba en voz tan baja, apenas un susurro, que Dayan nunca la habría percibido de no poseer un oído tan agudo.

—Supongo que no te has dado cuenta de que te amo. —Pronunció aquellas palabras junto a su sien, rozándole tiernamente el pulso con los labios—. ¿Han hablado contigo los médicos?

—No tienen por qué hacerlo. Sé que estoy muriendo —dijo, y los ojos se le llenaron de lágrimas—. No quiero perder el bebé. Quiero que viva.

—¿Confías en mí, Corinne? ¿Confías de verdad?

Ella volvió a cerrar los ojos, como si le costara mantenerlos abiertos.

—Sí, claro que sí.

—No, querida, tienes que pensar en lo que dices. ¿Me confías tu vida? ¿La vida de tu bebé? —Dayan deseaba que Corinne abriera los ojos y lo mirara.

Ella lo miró pestañeando.

—Sé lo que digo.

—Te voy a sacar de aquí.

—No te dejarán. Volvió a cerrar los ojos. Le costaba un esfuerzo respirar. Y mantener una conversación era demasiado.

—No me pueden detener.

Durante unos minutos, Dayan examinó los cables y tubos a los que Corinne estaba conectada. Cuando la desenchufó, sirviéndose de su poder cerebral, produjo las mismas señales que los monitores. La cogió con cuidado en sus poderosos brazos y tuvo la osadía de salir directamente con ella de la habitación hacia el pasillo. Se movió con facilidad entre las miradas de los humanos, ocultándose a sí mismo y a Corinne bajo un manto invisible, hasta que consiguió abandonar el hospital y salir al aire de la noche.

Ahora estaba más oscuro y por encima de sus cabezas comenzaban a arremolinarse las nubes. En sus brazos, incapaz de conservar la temperatura corporal, Corinne tembló. Dayan le proporcionó enseguida el calor necesario, sin dejar de mantener el contacto mental, respirando por ella, sosteniendo su corazón enfermo. Dio dos zancadas a la carrera y se elevó por los aires estrechando su ligera carga contra el corazón.

Capítulo *10*

Corinne oyó apenas el susurro de una voz. Vaga. Distante. Adoraba esa voz; esa manera de acariciar su nombre, lo convertía en algo pecaminosamente íntimo. Dayan la llamaba. Pero ella soñaba, y era un sueño muy bello. Hizo un esfuerzo para abrir los ojos. Unas voces la rodeaban, penetraban en su corazón y su alma. Fragmentos de música. El ruido del agua. Se dio cuenta de que estaba cómodamente tendida en algo que no era una cama. Parecía una gran loza de piedra, pero no era dura. Alzó las pestañas y vio lo que parecía la bóveda de una caverna. ¡Se encontraba en una caverna de cristal!

Miró a su alrededor, presa de un asombro indescriptible. Todo era bello en aquel mundo de cristal y vapores y la luz temblorosa de miles de velas. En el aire flotaba un aroma que ella nunca había olido, pero que inhaló profundamente. Era un lugar tranquilo, relajante, y hasta tenía algo de irreal. Sabía que estaba nuevamente soñando, pero aunque ese lugar no pudiera existir en la realidad, ella estaba agradecida de poder visitarlo en sus sueños.

Observó las sombras que bailaban en las paredes de la caverna. El vapor se elevaba y daba vueltas perezosamente, creando formas curiosas. Costaba concentrarse en una sola cosa, y Corinne dejó vagar la mirada por el amplio salón. Al parecer, se encontraba en una especie de ciudad subterránea. Vio que había numerosas entradas y grandes espacios abiertos, como si la caverna formara parte de una red de túneles y cámaras más profundas que también se encumbraban por encima del espacio donde ella descansaba. El aposento donde se encontraba parecía una cámara de grandes dimensiones, y a su izquierda había una piscina de cuyas aguas ascendían volutas de vapor. Cuando afinó la mirada, se dio cuenta de que había una serie de cavernas subterráneas, con techos tan altos como una catedral y un arroyo que recorría un laberinto de túneles. Las estalactitas formaban enormes esculturas que colgaban de la bóveda. Todo formaba parte de un mundo deslumbrante de piedras preciosas y colores.

Tardó un rato en darse cuenta de que no estaba sola. Había varias personas en aquella enorme habitación. Estaban todos a su alrededor y entonaban cánticos en una lengua extraña. Era como una bella melodía, oscura y misteriosa, una especie de ritual sagrado. Los hombres eran muy atractivos, de rostros sobrios y mirada intensa, y la belleza de las mujeres superaba cualquier descripción. Los cánticos llenaban aquel espacio subterráneo con el ritmo evocador de la tierra misma, hasta que empezó a sentirlo en las venas. Fluía por ella como un río; iba y venía con el ciclo de la vida.

El ritual no la alarmó. De hecho, se sentía muy segura, ahí tendida, observándolos. Escudriñó cada uno de los rostros en busca de alguna señal que le dijera que le eran personas familiares. Los hombres eran bellos de una manera exótica. Llevaban el pelo largo y tenían cuerpos bien torneados. A Corinne le intimidaba mirar a los ojos a cualquiera de ellos y, aún así, no estaba asustada. Se parecían a Dayan, como si existiera una estrecha relación entre ellos. Todos participaban en el cántico, y sus voces eran bellas.

Corinne volvió su atención a las mujeres. Tres de ellas tenían el pelo largo y oscuro, tan largo que les llegaba casi a la cintura, y la cuarta lucía una espesa melena roja. Todas eran muy gráciles en sus movimientos. Se percató de que las observaba cantar, admirada de cómo se movían, de sus gestos y sus voces, de su elegancia poco habitual. Era casi hipnotizante ver los dibujos de sus manos en el aire y el cimbreo de sus cuerpos.

Al cabo de un rato tuvo conciencia de que una mano sujetaba firmemente la suya. Con cuidado, porque casi era demasiado complicado, giró la cabeza hacia esa parte de su cuerpo. Para sorpresa suya, vio a Dayan de pie a su lado, con los dedos de su mano entrelazados con los suyos. Entonaba el mismo cántico que los demás presentes en la caverna. Como en los sueños, todo era extraño y, sin embargo, sumamente bello. ¿Acaso se había muerto? Según su percepción, se encontraba en algún lugar del subsuelo, quizá cerca del centro de la tierra. El ambiente era cálido, y de la superficie de las piscinas subían volutas de vapor. Sin embargo, el agua espumosa de las cascadas que caía por las rocas estaba fría como el hielo.

Corinne estaba segura de que no había muerto, porque le dolía ferozmente la cabeza ahí donde se había golpeado contra la roca. Sentía el cuerpo magullado y maltrecho, y estaba muy cansada. Incluso le dolía respirar. El corazón le retumbaba en el pecho. Decidió que estaba decididamente viva.

Dayan se inclinó para estamparle un beso suave en la frente, y su cálido aliento fue como un bálsamo para los rasguños y heridas de esa parte de la cabeza.

—Ésta es mi familia, mi gente. No quiero que te asustes, Corinne. Puede que ocurran cosas raras, pero uno de nuestros más grandes curanderos intentará darte fuerzas y salvar a tu bebé. Estaré contigo en todo momento.

Dayan paseó su mirada por el rostro de Corinne.

—Pareces tan preocupado, Dayan —dijo ella, con voz débil y tierna en ese momento de distracción.

A Dayan las lágrimas le quemaron los ojos y la garganta. Respiraba por ella, mantenía su corazón acompasado, cuidando de su órgano vital con la misma eficacia que las máquinas de los seres humanos. Se inclinó más cerca para mirarla directamente a los ojos.

—Quiero que vivas, Corinne. ¿Me has entendido? Necesito que vivas para mí.

Ella asintió con un gesto de la cabeza, y de pronto unas lágrimas asomaron a sus ojos. Quería ser el mundo de Dayan, el aire que respiraba. Quería escuchar el bello sonido de su voz el resto de su vida, ver cómo en sus ojos el lúgubre vacío cedía ante el deseo repentino de ella. Su cuerpo se apagaba lentamente, y Corinne sabía que la fe de Dayan en sus curanderos no conduciría a nada. Era demasiado tarde para ella.

Los cánticos a su alrededor seguían, y ella volvió a sumirse en un estado de ensoñación. Ya no le importaba si aquello era real o no, y se concentró en la belleza de aquel lugar y en la sinfonía de voces para mantener a raya el miedo a la muerte. Sobre todo, no quería pensar en su bebé. No le había dado a su hija el tiempo suficiente para crecer.

—Querida. —Era nuevamente la voz de Dayan que intervenía, captaba su atención.

Corinne observó que se acercaba una mujer de pelo largo y negro, alta y esbelta. La mujer le sonrió para transmitirle serenidad.

—Corinne, hermana —dijo, y le tocó la sien delicadamente—. Soy Desari, compañera eterna de Julian y hermana de Dayan, ahora también hermana tuya. —Era una voz musical que la tranquilizaba, un bálsamo en sí mismo—. Nos acompaña uno de nuestros curanderos más grandes —avisó, y señaló con un gesto de la mano a un hombre de fulminantes ojos plateados.

Corinne vio que el hombre se acercaba a ella como si flotara. Era más robusto que los otros, tenía el pelo largo y negro azulado. Un hombre que irradiaba poder. Le sonrió, y aquel gesto suavizó la cruel expresión de la comisura de sus labios. Acto seguido, le cogió la mano.

—Estamos esperando a Shea, una mujer bien versada en el cuidado de nuestros niños. Por favor, permite que mi hermano Darius y yo hagamos todo lo posible para retrasar el nacimiento de tu hija hasta que Shea haya llegado al final de su viaje.

Por un momento, Corinne sólo atinó a mirar con sus grandes ojos, desconcertada por el poder absoluto que emanaba de aquel ser. No quería que el curandero la tocara, que supiera la verdad. Al igual que Dayan, daba la impresión de que Gregori creía que, de alguna manera, podría hacer todo lo que los médicos no habían conseguido.

Desari hizo otro gesto y se acercó un segundo hombre. Se parecía mucho a Gregori, sólo que sus ojos eran negros, un color que coincidía con su bella figura.

—Es mi hermano Darius, ahora también tu hermano. Darius ayudará a Gregori en su intento.

Darius hizo una pequeña reverencia y luego se llevó la fláccida mano de Corinne a los labios.

—Bienvenida a nuestra familia, pequeña hermana. Queremos que nos des tu permiso para sanarte.

Dayan le besó la mano a Corinne.

—Por favor, querida. Sé que esto es extraño para ti, pero hazlo por mí; te ruego que intentes hacer lo que ellos te piden. Shea y Jacques aún no han llegado, y debemos retrasar el nacimiento hasta que tengamos a Shea entre nosotros. Sin ella, las probabilidades de salvar al bebé son menores.

Corinne miró a Dayan y enseguida se sintió perdida en el abismo oscuro de su mirada. Parecía tan vulnerable. Los sentimientos que albergaba hacia ella eran absolutos y tiernos, estaban escritos en cada rasgo de su rostro. Dayan se le acercó todavía más.

—Tienes que hacerlo Corinne. Por favor, confía en mí, querida. Sólo esta vez, hazlo por mí. —Le susurró íntimamente las palabras a la oreja, y su necesidad era tan grande que hizo asomar lágrimas en sus ojos.

Corinne asintió y dejó que Gregori le cogiera la mano izquierda. ¿Cómo podía negarle algo a Dayan cuando la miraba así? Dejó que él le cogiera firmemente la mano derecha. No quería quedarse sola y medio inconsciente, acompañada de unos desconocidos de mirada fulminante y aspecto demasiado poderoso.

Gregori cerró los ojos y buscó fuera de su propio cuerpo y en el cuerpo de la mortal que yacía, indefensa, ante él. Su corazón estaba prácticamente inutilizado. Era Dayan quien le proporcionaba la fuerza que la mantenía viva. Gregori se adentró a examinar al bebé. Era una niña. Despierta. Todavía era demasiado pequeña para nacer. Gregori tranquilizó a Corinne y volvió a abandonarla rápidamente.

—*Queda poco tiempo. Si Dayan no la ayudara, ya habría muerto, y con ella el bebé. Darius, es una niña y tiene grandes poderes psíquicos. No podemos permitirnos perder a ninguna de las dos.* —Gregori le hablaba a su hermano, pero utilizando la transmisión mental que usaban todos los carpatianos, para que todos los que estaban presentes entendieran la urgencia del caso—. *Intervendré en la mujer, ya que es imperativo que viva para las dos. Tú cuida del bebé.*

—*Sólo he hecho esto cuando Desari era un bebé, pero nunca en el útero.* —Darius se acercó a Gregori y miró una vez a Dayan—. *Haré lo que haya que hacer.*

—*Necesitará tu sangre, Dayan, y no debe resistirse a la transfusión. No le quedan fuerzas que malgastar, así que asegúrate de que lo acepte voluntariamente. Darius seguirá la evolución del bebé para saber si su organismo puede aceptar tu sangre. No puedes convertir a tu compañera mientras esté embarazada. El bebé no soportaría una transformación tan compleja. Y en su estado, tampoco lo soportaría*

Corinne. —Gregori había tomado el mando de la situación, y al impartir sus instrucciones transmitía seguridad.

Dayan acomodó a Corinne para que él pudiera sentarse en la losa y acunarla sobre sus rodillas. Inclinó la cabeza hacia ella, como para recluirlos a los dos en un espacio privado.

—Te ofrezco la vida, Corinne. Para los dos. —Su aliento sopló sobre la espesa melena que le caía sobre los hombros. Ella sintió los labios de Dayan que le recorrían la piel desnuda, mordisqueándole suavemente el pulso irregular. Murmuró suavemente unas palabras en una lengua extraña.

Corinne sintió que se deslizaba cada vez más profundamente en sus sueños. Con Dayan sosteniéndola en sus brazos y su cuerpo junto a ella, se sentía a salvo y protegida. Entonces percibió la descarga de un rayo luminoso que penetraba en ella, una sensación entre el placer y el dolor. Quedó pasivamente suspendida en aquel mundo cristalino de sueños y música. Las llamas de las velas proyectaban reflejos del agua de las piscinas en las paredes, unos reflejos que bailaban y la hipnotizaban, diminutas flamas de color ámbar y dorado.

Corinne volvió a sentir la presencia del curandero. Experimentó una extraña calidez, como si otro espíritu compartiera con ella su cuerpo, como cuando Dayan había intentado sanarla. Era curiosamente reconfortante. Con esta otra presencia, tuvo la sensación de que su corazón se apaciguaba. Sin embargo, estaba cansada, muy cansada. Le costaba demasiado mantener los ojos abiertos, aunque quisiera observar la belleza de aquel espacio y las personas que lo habitaban.

Dayan cerró los diminutos orificios después de haber bebido suficiente sangre para un intercambio ritual. Hizo girar a Corinne en sus brazos y con una mano se abrió la camisa.

—Harás esto por mí, amor mío —le ordenó Dayan con voz serena, dulcemente, con un tono de voz que anuló la voluntad de Corinne y que aseguraba que ella seguiría sus instrucciones. Convirtió una de sus uñas en una garra afilada, se abrió el pecho con un corte certero y estrechó a Corinne contra él—. Bebe, Corinne. Ofrezco mi vida por tu vida. Ofrezco mi vida por la vida de tu hija.

A Corinne la embargó un sentimiento espantoso al ver que su bello sueño había cobrado un giro tan retorcido. No conseguía obligarse a abrir los ojos, así que no podía mirar a su alrededor. Sólo podía abandonarse a los brazos de Dayan y beber el tibio líquido. En su sueño, podía adoptar una perspectiva de contemplación, ya que nada de eso ocurría en la realidad. Ella sólo tenía conciencia de los brazos de Dayan, de pertenecerle. Él había bebido de su sangre primero, y luego le había dado la suya, como si pudiera fortalecerla y devolverle el vigor físico. Todo aquello parecía extrañamente cuerdo, aunque los cazadores de vampiros creyeran ver en ella a un vampiro. Lo que le parecía especialmente extraño era que, por lo visto, no había tenido reparos en beber de la sangre de Dayan.

Gregori se aproximó al corazón agonizante, buscando una manera de controlar el daño. Sin el bebé, Dayan podría darle a Corinne la sangre necesaria para sobrevivir, pero ésa era una opción impracticable hasta que naciera la niña. Gregori observó que la sangre curativa fluía por el organismo debilitado de Corinne. Sus órganos la asimilaron enseguida como si fuera un bálsamo. Mientras el espíritu de Darius permanecía cerca, vigilando el estado del bebé, Gregori comenzó a trabajar en el corazón que flaqueaba, reparando meticulosamente la válvula dañada, sirviéndose de la sangre que seguía fluyendo por el organismo de su paciente. No era lo mismo que tratar una herida. El daño se debía a una enfermedad que le había desgastado sistemáticamente el corazón a lo largo de los años. A su favor, Corinne contaba con la poderosa sangre de Dayan que fluía por ella, junto con su voluntad de hierro y su amor absoluto e incondicional.

Darius se desplazó hasta quedar cerca del bebé. Lo calmó, le ofreció seguridad y calor. Cuando la sangre de un antiguo penetró en su diminuto organismo, comenzó la transformación. Su oído sería más agudo, sus rasgos se hicieron más bellos, su cuerpo más fuerte. Corinne sólo se podía beneficiar de la sangre, pero el bebé no había acabado de formarse. Remodelar sus órganos representaría un peligro para aquella criatura. Cuando ésta se asustó, desconcertada por las sensaciones, Darius le transmitió calor y quiso establecer con ella un vínculo telepático. Le contó historias de su mundo, de los carpatianos que sufrían, de lo valiosa que era ella para su pueblo, de lo importante que era que resistiera y permaneciera junto a su madre que tanto la amaba.

La pequeña cantidad de sangre que Corinne había bebido empezó a circular por el cuerpo del bebé. Darius se había conectado mentalmente con el feto y sintió la descarga como una bola de fuego.

—¡*Deteneos!* —ordenó, con voz severa.

Dayan introdujo la mano para impedirle suavemente a Corinne seguir bebiendo. Le susurró la orden y observó su rostro con ansiedad. Corinne se quedó asombrada cuando un hombre alto y rubio, un desconocido para ella, un hombre de ojos dorados, se inclinó y cerró con la lengua la herida en el pecho de Dayan. El desconocido le puso una mano en el hombro, un gesto que a ella le pareció muy significativo.

—¿Eres Julian, el compañero de Desari? —le preguntó, lo cual asombró a todos los presentes.

El hombre hizo una ligera reverencia y mantuvo sus ojos dorados fijos en ella.

—Sí, soy Julian, compañero de Desari, y Dayan es como un hermano para mí. Me alegro de conocerte, Corinne. Todos hemos rogado y esperado que algún día Dayan te encontrara.

—¿Eres real? ¿Todo esto es real? —Corinne miraba a Julian porque le parecía más abordable que los otros machos.

Él le sonrió, mostrando sus dientes muy blancos y muy regulares.

—¿Quieres que sea real?

Corinne apretó con fuerza la mano de Dayan. Él era su realidad. En su interior, el movimiento del bebé le pareció casi violento. Se llevó una mano al vientre con gesto protector.

—No le gusta esto, Dayan. Creo que será mejor que todo sea un sueño.

Gregori y Dayan le lanzaron una mirada de aprehensión a Darius. Éste seguía conectado mentalmente con el bebé, entregado a una absoluta concentración. Dayan se inclinó hacia Corinne.

—Conozco a Darius, conozco su fuerza de voluntad. Es imposible que permita que nuestro bebé se nos vaya. —Le mordisqueó suavemente los nudillos para que siguiera concentrada en él—. Cuéntame cómo te sientes, querida. Tienes mejor aspecto. —Dayan seguía conectado con ella, ayudando a regular el funcionamiento de su corazón y de sus pulmones, aterrado ante la idea de que Corinne intentara hacerlo todo sola—. ¿Cómo te sientes? —le preguntó.

Corinne estaba preocupada sobre todo por su bebé. Se dio un momento para respirar regularmente y para reprimir su pánico antes de que éste se desbocara. En realidad, se sentía mejor, ya no le costaba tanto respirar. Aunque aún estaba débil y cansada, y tenía ganas de dormir.

—Dayan. —Pronunció su nombre suavemente, y volvió a mirar a su alrededor. Seguía en una cámara subterránea y todavía había gente—. ¿Estoy despierta? Parece que ya no veo la diferencia, y eso es alarmante.

—En este momento estás muy despierta, Corinne. Algunos de los miembros de mi familia están presentes —dijo Dayan, deseoso de tranquilizarla.

Ella le miró el pecho. Su camisa estaba impecable, aunque desabrochada, pero los músculos de su pecho eran suaves y en ellos no quedaba ni huella de imperfecciones. No había herida ahí donde ella se había alimentado. Ni huellas de sangre. De alguna manera, aquello le procuró la tranquilidad que necesitaba. Era evidente que había confundido aquellos sueños extraños con la realidad.

—Dime, ¿dónde está Lisa?

—Está en el hospital, con Cullen. ¿Recuerdas lo que ocurrió?

—Había un hombre en las rocas, por encima de Lisa. Estaba armado. Yo me lancé sobre ella y me enfrenté a él... —dijo ella, y su voz se perdió, mientras miraba a aquellas personas extrañas a su alrededor—. Ya sabes, a mi manera un poco rara. Después de eso, todo está confuso. Recuerdo que caí y que intenté proteger al bebé. —Se frotó con cuidado el chichón y los rasguños en la frente.

Dayan hizo una mueca. Ya comenzaban a aparecer unas magulladuras oscuras en su blanca piel. Gregori había estado demasiado ocupado para sanar las heridas superficiales de Corinne, pero a Dayan le molestaba que sintiera cualquier género de incomodidad. Percibía su dolor de cabeza, martillando y palpitando, pero no se quejaba. Por su mente desfilaban preguntas y más preguntas. Dayan le dio las respuestas.

—A Cullen le dispararon, querida. Está vivo, y Barack y Syndil han ido al hospital a ayudarle. Ya se ocuparán de que no muera. Syndil tiene experiencia y, además, posee dones especiales. Cullen los conoce, y Lisa no tendrá miedo, porque sabe que pertenecen a nuestro grupo. Los dejará entrar en la habitación. —No le dijo que la autorización de Lisa no importaba demasiado, ya que Barack y Syndil podían pasar inadvertidos por delante de cualquier vigilante en cualquier momento. Los dos eran carpatianos de pura cepa y, si fuera necesario, serían capaces de controlar las mentes de los seres humanos que hubiera a su alrededor.

—¿Ha sido muy horrible? —le preguntó Corinne, con un temblor de voz. Dayan la estrechó con gesto protector.

—Querida, no hay por qué preocuparse de Cullen. Si tuviera problemas, yo lo sabría. ¿Recuerdas que puedo utilizar la telepatía? Barack y Syndil se pueden comunicar conmigo sin problemas. Me avisarían enseguida si vieran que no son capaces de remediar la situación, y pedirían que Darius o Gregori acudieran de inmediato al hospital. —Dayan señaló hacia el hombre de mirada fulminante y ojos plateados y a la mujer pequeña y de pelo negro—. Gregori y Savannah han venido desde Nueva Orleans para estar con nosotros. Tenemos una gran deuda con ellos.

Corinne volvió a frotarse la frente. Agradecía la preocupación de todos, pero también deseaba que se marcharan. Estaba cansada, y eran demasiados. Tenía ganas de dormir, no de entretener a nadie, y su bebé seguía propinando violentas patadas. Al parecer, ninguno de los demás veía que aquel que llamaban Darius había entrado en una especie de trance.

Cerró los ojos y apoyó la cabeza en el hombro de Dayan.

—Gracias a todos —murmuró, como una niña bien educada, con voz débil y somnolienta.

Dayan le lanzó a Gregori una mirada de ansiedad, y éste le respondió para tranquilizarlo.

—*Le hará bien dormir, Dayan. Yo puedo dedicar más tiempo a curarla y Darius puede ocuparse del bebé. Necesita descansar más que cualquier otra cosa. Las reparaciones no resistirán siempre, esto es provisional. No puedo darle un corazón nuevo. Ayúdale a quedarse dormida.*

En el hospital, Lisa estaba sentada con la cabeza apoyada junto a Cullen. Había llorado hasta constatar que no le quedaban lágrimas. Los médicos le habían dicho que Corinne iba a morir. Sólo era una cuestión de tiempo. Le dijeron que dejarían al bebé dentro de su cuerpo todo lo posible, pero que había escasas esperanzas de que sobreviviera después de nacer. Luego le dijeron que no tenían ni idea de si Cullen viviría o no. Había que esperar. Su estado era grave, la bala se había llevado por delante parte del pulmón y los tejidos, destruyendo todo lo que encontraba en su camino. No se explicaban cómo era posible que todavía aguantara. Y por si no fuera suficiente, se había producido un alboroto tremendo en la habitación de Corinne, mientras iba y venía el personal del hospital, los guardias de seguridad y, finalmente, la policía. Quince largos minutos más tarde, cuando Lisa esperaba escuchar la noticia de su muerte, le dijeron que había desaparecido. Se había esfumado sin dejar ni rastro.

No había manera de que Corinne abandonara el hospital por su propio pie, en eso estaban todos de acuerdo, y no habían visto a nadie cerca de su habitación. Cuando los monitores indicaron un fallo del corazón, la enfermera había entrado a toda prisa, pero sólo para descubrir que la paciente había desaparecido. A Lisa le aterraba la idea de que los hombres que habían intentado matarlas se la hubieran llevado.

Era culpa suya. Había acudido a la sesión de fotos a pesar de que le advirtieron que corría peligro. Y Corinne había corrido por el parque, y se había lanzado a salvarla sin ni siquiera pensar en su corazón debilitado, ni en las consecuencias para ella y su bebé. *¡Han intentado matarme!* Lisa intentaba asimilar esa información. Alguien la quería ver muerta de verdad. Estaban armados, y le habrían disparado si Corinne y Cullen no hubieran aparecido para salvarla.

Lisa levantó la cabeza para mirar a Cullen. Estaba muy pálido, y tenía vendajes por todas partes. Mintió y dijo que era su novia para que la dejaran quedarse con él. Una vez confirmada la desaparición de Corinne, el personal médico la dejó estrictamente sola, con dos guardias apostados ante la puerta de la habitación. Como es natural, nadie sabía qué decirle, y Lisa no sabía qué hacer. John y Corinne siempre se habían ocupado de los detalles de su vida diaria.

Se tapó la boca con la mano y se mordió con fuerza para ahogar un grito. Ella era la responsable de aquel desastre. Si les hubiera hecho caso, Corinne y su hija todavía estarían vivas, y Cullen no se encontraría a las puertas de la muerte.

—Pero no morirá —dijo una voz suave y femenina a sus espaldas—. No te asustes. Yo soy Syndil y él es Barack.

Sorprendida, Lisa se giró violentamente y estuvo a punto de caerse de la silla. No había oído nada, y el vigilante no había dejado entrar a nadie. Y, aún así, ahí estaban esas dos personas dentro de la habitación. Con el corazón desbocado por el miedo, no supo si gritar para pedir ayuda o no. Tardó un momento en reconocer los nombres. Eran Barack y Syndil del grupo de los Trovadores Oscuros. Los amigos de Dayan.

—¿Cómo habéis entrado? —les preguntó Lisa, con un susurro de voz. No entendía nada de lo que ocurría.

—Hace tiempo que Cullen es amigo nuestro. Arriesgó su vida para prevenirnos cuando estábamos en peligro. Nunca permitiríamos que muriera —dijo Barack, y sonrió, amable, mirándola directamente a los ojos—. Tú debes ser Lisa, la hermana de Corinne. Dayan nos ha hablado mucho de ti.

Lisa estalló en un nuevo ataque de llanto y lágrimas.

—Se han llevado a Corinne.

Syndil la rodeó por los hombros para tranquilizarla.

—Corinne está bien, Lisa. Aquí se estaba muriendo y Dayan no podía permitir que eso sucediera. Gregori, uno de nuestros más grandes curanderos, ha venido desde Nueva Orleans para ayudarla. Estamos decididos a conseguir que Corinne y su bebé sobrevivan. —Le apretó el hombro para darle seguridad y luego se deslizó hasta donde estaba Cullen. Su expresión cambió de inmediato—. Barack, está muy pálido —dijo—. Ha sufrido heridas muy graves. —Le tocó el hombro a Cullen con mano suave—. Es una lástima verlo así de mal.

—No estará así mucho más tiempo —contestó Barack, seguro de lo que decía.

Lisa se incorporó cuan alta era.

—Contadme algo de Corinne. ¿Dónde está? Dayan no tenía ningún derecho a sacar a mi hermana del hospital en su estado, tan grave. No tenía ningún derecho. —Por primera vez en su vida, Lisa no quería esconderse de la verdad, sin importar lo doloroso que pudiera ser.

Barack la miró.

—Lisa —dijo, y su voz era suave pero firme—, tú conoces a Dayan. Sabes que ama a Corinne y que desea que viva. Necesita que viva. La ha llevado junto a las únicas personas que pueden salvarla. Tú querías que la salvara, ¿recuerdas?

Lisa parpadeó. Se dio cuenta de que asentía con la cabeza, y se preguntó por qué estaba tan irritada. Era evidente que Dayan cuidaría de Corinne. Cualquiera podía darse cuenta de que estaba loco por ella. Se acercó a la cama y le cogió una mano a Cullen.

—Siéntate a su lado y permanece cerca mientras nosotros trabajamos —le sugirió Syndil, con voz suave—. Nadie entrará a molestarnos.

—¿De verdad que Corinne se pondrá bien? ¿Está con Dayan? —Lisa se sentó en la silla. Era tan grande el alivio que sus piernas se relajaron y estuvieron a punto de flaquearle del todo.

—Gregori tiene la reputación de ser el mejor del mundo. —La voz de Syndil era como una melodía, y era fácil prestarle atención—. Y sí, Lisa —siguió—, Dayan está con Corinne y no se apartará de su lado.

—¿Dónde? Tengo que verla.

Barack se acercó y le cogió el mentón, obligándola a girar la cabeza y a mirarlo.

—La verás pronto, Lisa. Ahora tienes que estar junto a Cullen. Él te necesita aquí. Sabes que Corinne está en las mejores manos, pero Cullen está solo. Necesita que lo cuiden. En cuanto pueda moverse, deberemos llevarlo a una casa segura que Syndil y yo protegeremos. Tú cuidarás de él ahí hasta que te pueda acompañar a donde están Corinne y Dayan. Eso es lo que quieres, y te tomarás con calma lo del estado de salud de Corinne, y confiarás en que Dayan te informará de su progreso. Él debe permanecer junto a Corinne; es donde tiene que estar. —La voz de Barack era hipnotizadora. Lisa se sentía como si estuviera cayendo en la profundidad de sus ojos oscuros.

Lo que Barack decía tenía mucho sentido para ella. Tenía que quedarse con Cullen. Era responsable de su terrible herida y no había nadie más para cuidar de él. El lugar de Dayan estaba decididamente junto a Corinne.

—Te enseñaré un cántico curativo, Lisa —dijo Syndil, con voz serena—. Nos ayudará a curar a Cullen. La letra está en una lengua antigua, y es muy bella. Escucha nuestras palabras y repítelas con Barack. Me oirás cantar con vosotros, pero me concentraré en curar a Cullen. Tengo cierto talento en estas cosas; desde luego no tanto como Gregori, pero creo que puedo hacer algún bien. Por favor, une tu voz a la nuestra. —Syndil sonaba muy amable, y su voz era tan pura y agradable que Lisa podría haberse quedado escuchándola para siempre.

Barack sacó varias velas de su mochila y las encendió, lo cual dispersó un aroma relajante por toda la habitación. Lisa se acercó a Cullen. Era raro, pero sentía la voz de Syndil, que cantaba suavemente, en su cabeza. Estaba segura de que Syndil no hablaba en voz alta y, aún así, escuchaba las palabras con claridad y empezó a seguir con ellos, al principio para sí misma, después uniéndose a Barack cuando éste empezó a cantar en voz alta. Lisa siguió su ejemplo, y repitió aquellas palabras de tan bello sonido una y otra vez. Le costaba pronunciar con el acento correcto, pero estaba decidida a intentarlo. Tenía el curioso presentimiento de que Syndil podía, en efecto, ayudar a Cullen.

Syndil cerró los ojos, concentrándose totalmente en el hombre que yacía inmóvil en la cama. Al principio, surgieron imágenes. Cullen que le sonreía. Caminando con él en el bosque, hablando y riendo. Cullen velando por ella y por Desari cuando alguien había secuestrado a la compañera de Darius. Todo el grupo tenía a Cullen en alta estima. Estaba bajo su protección. Syndil respiró hondo, expulsó lentamente el aire y abandonó su propio cuerpo para penetrar en aquel que yacía inmóvil y malherido.

Era una herida horrible. La bala había rebotado dentro del cuerpo de Cullen, causando graves daños. Syndil comenzó la delicada tarea de reparar desde dentro hacia fuera. Los médicos habían hecho un trabajo milagroso, pero Cullen seguía gravemente herido. Syndil se tomó su tiempo, procurando ser meticulosa. Barack alejaría al personal médico de la habitación mientras ella trabajaba. Si alguien de la sociedad intentaba entrar en el hospital para matar a Cullen, Barack lo sabría. Syndil mantenía toda su atención concentrada en la curación de los órganos de Cullen. Era un trabajo sumamente lento.

Exhausta, y mareada por el cansancio, abandonó el cuerpo de Cullen y volvió al suyo. Barack la cogió enseguida por la cintura para sostenerla.

—Estoy muy orgulloso de ti, Syndil. Realmente le has hecho un gran bien.

—*Necesita sangre, Barack. A pesar de toda la ayuda que le he prestado, todavía corre peligro. Dándole nuestra sangre nos asegura-*

remos de que se recuperará. —Syndil estaba a punto de desplomarse de cansancio.

—*Tú también necesitas sangre.* —Las palabras de Barack eran una invitación velada.

Lisa dio un respingo y casi dio con Syndil en la silla de un empujón.

—¿Vivirá? —preguntó, casi dispuesta a creer en un milagro. Barack y Syndil le inspiraban confianza en un momento en que tenía que aferrarse ciegamente a una esperanza.

Syndil se inclinó y le cogió la mano.

—No dejaremos que Cullen muera, todavía no, Lisa. Se merece la felicidad, y ha pasado mucho tiempo desde la última vez que experimentó ese sentimiento. Tú lo quieres mucho —dijo, como una afirmación.

Lisa asintió con la cabeza, evasiva.

—Lo acabo de conocer. Pero es diferente. Disfruto mucho estando con él. Y lo hirieron cuando intentaba salvarme —confesó, en un breve arrebato.

—Cullen no está a salvo aquí, Lisa —dijo Barack, midiendo sus palabras—. Debes entenderlo. Los dos hombres que intentaron matarte a ti y a tu hermana se han ensañado con él. El guardia de seguridad que han apostado en su puerta es un hombre sin experiencia. Si Cullen permanece aquí, la sociedad intentará matarlo, igual que al guardia de seguridad, y quizá a ti también. Cullen no tiene otra familia; nosotros somos su familia. Quisiera que vinierais a un lugar seguro que tenemos. Debemos llevarlo allí para protegerlo. No podemos estar a su lado en todo momento, y necesitará a alguien que lo ayude mientras se repone.

Lisa cerró el puño con fuerza. No sabía qué hacer, en quién confiar. Dayan había dicho algo muy parecido acerca de Corinne, y estaba en lo cierto.

—Todo esto empezó la noche en que entramos en ese bar —dijo, con tono acusatorio.

Syndil la miró fijo. Cuando habló, su voz era amable, pero firme.

—Sabes que eso no es verdad. A tu hermano lo asesinaron esos mismos hombres. La realidad no cambiará sólo porque tú no quieras aceptar la verdad. Tienes que vivir en el mundo real, Lisa, no en un mundo de ilusión. En este momento, corres peligro, y Cullen también. No te obligaré a acompañarnos, pero a él vamos a protegerlo. Queremos que confíes en nosotros por voluntad propia.

—*Beberé de su sangre e insistiré en que nos obedezca*—. Barack empezaba a irritarse con Lisa, y consideraba que su conducta era absurdamente testaruda.

—*Es la mujer que Cullen ha elegido. Por respeto a él y a la compañera de Dayan, no podemos hacer eso.*

Barack respondió a esa opinión con un bufido.

—Fue tu negación de la realidad lo que inició esta crisis. Podríamos haber perdido a Cullen y a Corinne. ¿Acaso querías que les dispararan? Pues bien, lo has conseguido.

—*¡Barack!* —le reprochó Syndil con un silbido de voz—. *¿Qué haces?*

—*Creo que deberíamos llevar a Cullen a un lugar seguro y borrar los recuerdos de esta mujer tan infantil. Es muy guapa, pero ¿de qué sirve eso si no hay nada sustancial por dentro?*

Cullen movió los dedos en un intento de cogerle la mano a Lisa.

—Por lo que recuerdo, Barack —murmuró—, no hace mucho tiempo también querías dispararme a mí. Por lo visto, provoco esa reacción en las personas. ¿Qué me ha ocurrido?

Syndil se inclinó a su lado, y con un movimiento suave le apartó el pelo de la frente. Lisa volvió a sollozar en silencio.

—Te dispararon mientras protegías a Corinne y a Lisa. Como siempre, has interpretado el papel de héroe —respondió Syndil.

—Me has vuelto a poner en evidencia delante de las mujeres guapas —dijo Barack, y le sonrió afectuosamente.

Cullen buscó a Lisa con la mirada. Ella no lo miró a los ojos. Tenía la cabeza inclinada, pero le seguía sosteniendo la mano.

—Al parecer, nunca aprecias a una mujer hasta que yo te señalo sus cualidades, Barack.

—No pretendas meterme en problemas trayendo a la memoria estos recuerdos de mi antigua conducta, Cullen —dijo Barack, con tono ligero a pesar de su desazón. Cullen estaba casi gris, y Barack le lanzó a Syndil una mirada de ansiedad.

Ésta le sonrió para transmitirle serenidad.

—Es verdad, Cullen —dijo—. Tengo buena memoria, y recuerdo que tú me hiciste sentir que podía volver a vivir. Tienes que descansar y hacernos caso en todo lo que te digamos.

—Quiero que cuidéis de Lisa —dijo él, y le lanzó a su amiga una mirada de amor.

Barack carraspeó pero guardó rápidamente silencio ante la mirada de reproche de Syndil.

—Lisa, no llores —dijo Cullen, con voz débil—. Me destrozarás el corazón.

—Sin embargo, tiene razón… ha sido culpa mía. Acudí a la sesión de fotos porque no quise creer que corría peligro. Y ahora tú estás herido y Corinne también.

—¿Corinne? —Cullen giró la cabeza para mirar a Barack—. ¿Dónde está Corinne?

—Con Dayan —dijo Barack para tranquilizarlo, y se inclinó para mirar sus ojos llenos de dolor—. Tú tienes que descansar y reponerte. Dayan cuidará de Corinne, y nos ocuparemos de poner a salvo a Lisa. Te doy mi palabra.

—Lisa está bajo vuestra protección —insistió Cullen.

—Por supuesto —contestó Barack, con un suspiro—. Está bajo nuestra protección. Te doy mi palabra. Ahora, vuelve a dormir y deja de darme órdenes delante de Syndil. Disfruta demasiado con ello.

Cullen cerró obedientemente los ojos como respuesta a la sugerencia cargada de hipnotismo. Syndil se inclinó junto a Lisa, mirándola directamente a los ojos.

—*Harás que el guardia de seguridad te acompañe a la cafetería mientras la enfermera vigila la habitación. Necsitas beber algo enseguida.* —Syndil comenzaba a sentirse débil después del trabajo agotador de sanar las graves heridas de Cullen. Necesitaba reponerse, y Cullen tenía que tomar la sangre antigua de Barack para completar su proceso de curación. No podían dársela y luego permitir que en el hospital le tomaran una muestra. Había que llevarlo a un lugar donde pudieran cuidar adecuadamente de su salud y protegerlo.

Lisa se inclinó sobre Cullen y le rozó la frente con un beso. Luego, se giró, obedeciendo al impulso hipnótico que Syndil había infundido en ella.

Capítulo 11

Corinne fue la primera que oyó la música. Suave y melodiosa. Perfecta. Era tan maravillosa que los ojos se le llenaron de lágrimas. La voz que cantaba transmitía una fuerte mezcla de sensualidad masculina y amor desbordante. Sabía de quién era, y sonrió.

—Dayan —murmuró suavemente su nombre.

La música siguió sonando, pero Corinne sintió un ligero movimiento en el lecho donde estaba tendida.

—Corinne, creí que dormirías para siempre. Quiero que sepas que he envejecido varios cientos de años. No podría aguantar otro susto como ése. La próxima vez que te haga dormir, espero encontrarte donde te he dejado.

Los dulces labios de Corinne se curvaron en una sonrisa, pero no abrió los ojos.

—Escúchate a ti mismo. Casi suenas como si quisieras darme órdenes —dijo, con voz divertida, somnolienta pero increíblemente sensual.

Él sintió que su sangre se convertía en lava fundida, una lenta quemazón que le consumía el cuerpo y le envolvía el corazón en llamas. Corinne le parecía tan bella, tendida lánguidamente bajo las sábanas, con el pelo alrededor de la cara, una melena oscura y sedosa que no podía dejar de acariciar. Dejó la guitarra junto a la cama y se inclinó para besar su boca exuberante e irresistible.

—Yo ordeno y tú obedeces. Así se supone que debe ser. —La voz de Dayan era un instrumento de seducción.

—¿De verdad? —La sonrisa de Corinne se hizo más generosa, hasta que dejó ver su intrigante hoyuelo—. Yo nunca he oído eso. Siempre había creído que era al revés.

—Creo que has hablado con las personas equivocadas.

Las largas pestañas de Corinne aletearon y, con un pequeño esfuerzo, abrió los ojos. Levantó la mano para que Dayan se la llevara a los labios y palpó las arrugas de tensión con sus suaves dedos.

—Has pasado mucho miedo por mí. No tenía intención de causarte tantas preocupaciones.

Él le cogió la mano y se la llevó a la boca, la besó en el centro de la palma y se la puso sobre el corazón.

—Fue algo más que una preocupación, querida. ¿Te acuerdas de lo que ocurrió?

—Todo es muy vago, como en un sueño. No estoy segura de lo que recuerdo, de lo que tú me has dicho o de las cosas que soñé. ¿Lisa y Cullen se encuentran bien?

—Creo que están a salvo. —Dayan esperaba que así fuera. Ni Syndil ni Barack le habían transmitido noticias, ni buenas ni malas.

Ella se lo quedó mirando, intentando leerle el pensamiento.

—Tengo que cerciorarme de que Lisa está viva y que a Cullen no lo han herido de gravedad.

—En cuanto me entere de los detalles de su estado, te lo contaré. Lisa está protegida y no le ocurrirá nada. Eso te lo aseguro.

Corinne asintió con la cabeza para decirle que le creía.

—Mi bebé está vivo —dijo, con voz suave y tierna, una voz que a Dayan le llegó al corazón—. Siento que se mueve.

Dayan le sonrió, pero su expresión era grave.

—Se quedará ahí donde tiene que estar hasta que sea lo bastante fuerte para sobrevivir por sí sola.

—¿Alguien te ha dicho alguna vez lo atractivo que eres? —le preguntó Corinne—. Porque tendrás que saber que lo eres. Increíblemente atractivo. Pero, más que eso, eres tierno.

—No digas eso, Corinne —protestó Dayan—. Es lo peor que le puedes decir a un hombre. Sensual, masculino, sereno, viril. Puedo pensar en un millón de adjetivos que me gustarían, pero «tierno» no está entre ellos.

—No hay nada de malo en ser tierno, Dayan —dijo Corinne. Su propia voz sonaba muy lejana y, sin embargo, los otros sonidos le llegaban demasiado fuertes. Grillos, insectos nocturnos. El viento afuera agitando las ramas de los árboles—. Cuéntame qué ocurrió.

—Desobedeciste deliberadamente mi orden de dormir y fuiste con el imbécil de mi amigo Cullen a buscar a Lisa. —Pronunció cada palabra apretando sus blancos dientes, lo que a ella le hizo pensar en un lobo.

—No hablarás en serio cuando tratas a Cullen de imbécil —le reprochó con tono amable, nada intimidada por su feroz expresión.

—Cullen sabía que está entre los primeros de la lista de los más buscados por la sociedad, y aun así se largó, sin protección, y te llevó con él. No considero que fuera una buena decisión por parte suya. Por lo tanto, el término «imbécil» es apropiado —concluyó, con tono severo.

Corinne volvió a acariciarle las arrugas de inquietud en su bello rostro.

—Desde luego que fue una buena decisión. ¿Qué iba a hacer? Lisa se había marchado, y si él no hubiera ido a buscarla, la habrían matado —alegó, porque el argumento le parecía razonable.

—Te llevó con él. —Un error que Dayan consideraba imperdonable. Y teniendo en cuenta las circunstancias, opinaba que se estaba mostrando sumamente comprensivo.

Corinne abrió la boca para responder, pero vio en sus ojos una expresión indescriptible, algo salvaje, indomable y primitivo.

—Seguro que ya te habrán dicho que eres muy intimidatorio —dijo, provocadora, intentando aliviar la tensión—. No es que me intimides a mí, pero entiendo que puedas intimidar a otras personas.

—Lo mejor para ti sería que me encontraras intimidatorio. —Dayan no podía mostrarse severo con ella, por mucho que lo intentara. Ella alzó la mirada hacia él, pequeña y frágil, increíblemente bella, y en sus ojos brilló su dulce carácter compasivo. Dayan se creyó irremediablemente perdido. Era un sentimiento tan poderoso que podía conducirlo a los abismos de la locura.

—¿Eso crees? —Corinne no parecía amedrentada en lo más mínimo. De hecho, daba la impresión de que se divertía. Tenía unas oscuras ojeras y magulladuras en la frente y, sin embargo, sus ojos bailaban, risueños—. No creo que eso te fuera del todo bien. No creas que no me he fijado en todos los cumplidos inmerecidos que derrochan esos admiradores tuyos.

Él frunció una ceja oscura.

—¿Cumplidos inmerecidos? Son cumplidos que me merezco, junto con toda esa adulación. Ve acostumbrándote a la idea, mujer. Cada noche que suba al escenario a tocar, tú tendrás que sentarte ahí y compartirme con mis admiradoras. No tendrás por qué tener celos, Corinne. Mientras toque, sólo tendré ojos para ti.

—Eres muy gracioso. —Corinne pensó fugazmente en sentarse, pero desechó la idea por resultarle demasiado difícil—. No tengo la menor intención de quedarme ahí sentada mientras tú tocas. Las actuaciones privadas me bastarán. Además, no soy celosa. No tenemos que preocuparnos de esas chiquilladas.

Él se frotó la nariz.

—¿Chiquilladas? Es una palabra muy fuerte. Dura. Muy dura. —Ella volvió a sonreír, esa sonrisa que le iluminaba el mundo. A Dayan no le quedó más remedio que aplastar sus labios contra los de ella.

La tierra se movió y el tiempo se detuvo, y él no contaba con la suficiente disciplina para hacer de aquello un momento suave y tierno. Corinne le había dado un buen susto, le había paralizado el corazón, y él la necesitaba. Necesitaba alimentarse de su boca, ahogarse en su dulzura por unos momentos. Dayan se obligó a controlarse severamente y, poco a poco, aunque muy a su pesar, apartó la cabeza.

—Por favor, nunca vuelvas a hacerme esto. —Su voz era como un arma forrada de seda, y la usaba desvergonzadamente. Por un instante, Dayan apoyó la frente en la de Corinne—. Te encontré. En medio de la oscuridad, cuando no había esperanzas para mí, mientras luchaba contra el monstruo cada segundo de cada noche, y tú viniste a mí. Tú me salvaste, Corinne. Ahora no puedes abandonarme. Y yo no puedo volver a mi vida de soledad. Nadie puede pedirme que lo haga, ni siquiera tú. ¿Cómo puedo hacerte entender? Ya no puedo volver atrás. Tienes que proponerte vivir, si no por ti misma y por tu bebé, hazlo por mí. Ámame. Hazlo por mí.

A Corinne se le inundaron de lágrimas sus grandes ojos verdes.

—Dayan. —Susurró su nombre con un hilo de voz sin esperanza, enamorada—. ¿No crees que te lo prometería si pudiera? Es lo que más quisiera, de verdad, pero sólo soy humana. No puedo hacer lo imposible —dijo, y hundió los dedos en la espesa cabellera oscura de Dayan—. Tuve un sueño extraño, donde venían a verme vuestros curanderos e intentaban ayudarme. Sé que los médicos dijeron que me estaba muriendo, los oí hablar con Lisa. La oí cuando ella se puso a llorar. Sin embargo, sigo viva y mi hija también. Explícamelo.

—Gregori ha hecho todo lo posible por reparar tu corazón, Corinne. Sin embargo, se trata de una mejoría provisional, para darle al bebé la oportunidad de crecer. Darius ha dicho que la niña es fuerte y que quiere vivir. Es algo que tenemos a nuestro favor. Es un equilibrio delicado, y habrá que esperar a que sea capaz de sobrevivir sin ti. Gregori quiere que se desarrolle todavía unas cuantas semanas. Ha trabajado en tu corazón para darnos ese margen de tiempo.

—Entonces no era un sueño. —Corinne le cogió la cabeza y lo obligó a mirarla—. ¿Qué eres, Dayan? ¿Ha sido todo un sueño o tú también estabas ahí, ayudándoles de alguna manera?

Era la primera vez que él desviaba la mirada para evitar su mirada. Se sentó muy erguido y empezó a jugar con el edredón.

—Yo te amo, Corinne —dijo, con voz queda—. Te amo más que cualquier cosa o que nadie en este mundo. Tienes que saberlo.

—Mírame. —Corinne le cogió la mano y se la llevó a los labios. Su aliento era cálido—. Dayan, por favor, mírame.

Él suspiró y Corinne oyó su corazón martillando con fuerza. La reacción de Dayan era desacostumbrada, y ella sabía que de alguna manera era importante.

—¿Qué crees que no puedo amar de ti? Porque eso es lo que piensas. Me entregas una parte tuya, pero no quieres que lo sepa todo acerca de ti. Me siento conectada contigo. Muy conectada. Somos dos mitades de un todo. He estado casada, Dayan. Sabía lo que debía sentir. Amaba a John, pero no de la misma manera. Contigo lo siento todo, y más. Podría escucharte hablar una eternidad. O sencillamente estar sentada a tu lado, sin hablar. Para mí, eso bastaría. Deseo estar contigo, pero no sé quién eres. Dices que puedes amarme porque me conoces por lo que hay en mi mente. Yo no tengo esa ventaja. Para que pueda conocerte, y conocerte de verdad, tienes que hablarme. Hay una parte tuya que me has vedado. ¿Acaso no confías en mí para confiármelo, sea lo que sea?

—No confías en ti misma. Puedo verlo en tu mente, Corinne. Te veo debatirte entre tus dudas. Crees que todo ha ocurrido demasiado rápido. Que sólo se trata de la química. De algo puramente sexual. O que se debe al hecho de que tú estás embarazada y necesitas a alguien. Piensas en muchos motivos, en muchos pretextos para entender tus sentimientos hacia mí. No te dices a ti misma que me amas.

Corinne buscó en su oscura mirada. Percibió que ahí donde miraba había dolor, en las oscuras profundidades. Dayan estaba herido, y eso la contrariaba.

—Dayan, es probable que siempre hayas tenido la capacidad de leer el pensamiento, de manera que para ti es una segunda naturaleza, pero para alguien que no utiliza la telepatía, es turbador. Estoy acostumbrada a censurar mis pensamientos, a saber cómo quiero presentarme al mundo. Tú puedes leer mis pensamientos y, por alguna razón, no me molesta. Si fuera otra persona, si fuera John o Lisa, me sentiría horrorizada de que alguien pudiera hacerlo. Eso ya te debería decir algo.

—Tú crees que *a ti* te dice algo, Corinne. Ya sé por qué te sientes así. Eres mi compañera eterna, la que sostiene la luz y la compasión, la que guarda esos tesoros para mí. Eres mi ancla en un mundo de oscuridad y violencia, de horripilante vacío. Eres la otra mitad de mi alma. La mejor mitad. Sé que te necesito a ti mucho más de lo que tú me necesitas a mí; eso lo sé. Tú no has conseguido entenderte contigo misma porque no confías en ti. Y tampoco confías del todo en mí.

—¿Cómo puedes decir eso, Dayan? Estoy aquí contigo en lugar de estar en un hospital. Acabo de conocerte, y han ocurrido algunas cosas bastante raras, pero sigo estando junto a ti.

El rió por lo bajo.

—Por lo que recuerdo, no tenías elección. Yo te recogí y te saqué del hospital. No estabas en condiciones de discutir conmigo.

—No se trata de eso. —Corinne buscaba insistentemente la energía suficiente para sentarse—. No soy el tipo de persona que se va con cualquiera… de eso se trata. Es evidente que siento algo muy fuerte por ti —dijo, y se entretuvo jugando con el edredón—. El curandero cree que mi corazón fallará, ¿no?

—Tú sabías que así ocurriría. He examinado detalladamente tus recuerdos. Has consultado a muchos médicos. Las esperanzas son escasas —respondió él, delicadamente.

—Entonces sabes que es imposible que sobreviva, Dayan —dijo ella, con voz queda—. No quiero que pienses que he tomado la decisión de dejarte. Es que no tengo alternativa.

—Tienes una alternativa —respondió él, sereno. Sin embargo, sabía que no le decía la verdad, y desvió la mirada, incapaz de mentir y mirarla a los ojos. Corinne tenía una alternativa porque él no permitiría que muriera.

—No me estás mirando, Dayan —dijo ella, con voz pausada—. No puedes tener todo lo que quieres. Si tú no piensas contarme la verdad, no esperes que yo confíe en ti a ciegas. No tienes por qué ocultarme nada. Si los curanderos te han dicho que mi corazón fallará, eso no es nada nuevo para mí.

Dayan le transmitió mentalmente su calidez y su tranquilidad.

—Es verdad que el corazón te falla. Pero yo tengo la intención de que vivas a cualquier precio. —Lo dijo a secas, sin adornos de ningún tipo.

Ella le cogió la cara con una mano y estudió detenidamente su expresión.

—Veo lo que pasa por tu cabeza. No sé cómo, pero en este momento puedo leer tus pensamientos. Piensas que de alguna manera, milagrosamente, me salvarás, aunque el bebé no esté preparado para nacer cuando me falle el corazón. No veo cómo crees que podrás llevar a cabo un milagro como ése, pero si hay una posibilidad para el bebé, debo concentrarme en ello. A ella hay que salvarla.

—El curandero ha hecho todo lo posible por ella, Corinne, pero no me pidas que elija entre el bebé y tú, porque no lo haré. —Esta vez sí la miró directamente a los ojos, porque quería que supiera que hablaba en serio.

—Dayan —le reprochó ella, con voz queda—, el bebé es lo primero. Si hay que elegir entre la una o la otra, entre la vida de mi hija y la mía, les dirás a los curanderos que deben salvarla a ella. Si no me puedes hacer esa promesa, entonces tendrás que llevarme de vuelta al hospital con Lisa, donde seguirán mis instrucciones.

Dayan sacudió la cabeza.

—No pueden hacer nada por ti en el hospital. Gregori cree que hay una buena probabilidad de que pueda salvaros a las dos. Estamos esperando a Shea, que es nuestra experta en niños. No te llevaré de vuelta al hospital. Sería como firmar tu sentencia de muerte.

—Entonces me prometerás que pondrás la vida del bebé por delante de la mía. —Corinne hablaba con severidad; tenía los ojos muy abiertos y fijos en él.

Él entrelazó los dedos de las manos con los de ella.

—Tú eres mi vida, Corinne. Eres mi mundo. Tengo la intención de que las dos viváis. Tú y tu hija.

—Entonces cuéntame qué han hecho los curanderos. —Corinne hizo un ligero esfuerzo para sentarse.

—¿Qué haces? —Dayan penetró con suavidad en su mente, y supo que quería saber si podía sentarse por sus propios medios antes de intentar caminar hasta el lavabo.

—Me estoy sentando —dijo, como si no quisiera prestarle importancia cuando, en realidad, el esfuerzo la hacía sudar y se sentía temblorosa, asustada por el bebé—. No cambies de tema. ¿Qué han hecho los curanderos? Me importa mucho, Dayan, por varios motivos. Tengo que sentir que todo está controlado. Quiero saber qué ocurre con mi vida para poder planificar las cosas. Soy una planificadora. Una mujer muy organizada.

Él arqueó una ceja.

—¿Una planificadora? ¿Organizada? No había reparado en esa característica tuya. Eso lo cambia todo, desde luego. —Dayan se inclinó y la levantó para que pudiera sentarse, sin darle demasiada importancia, sosteniéndola muy cerca mientras ella se cogía de sus anchos hombros. Le sonrió y su aroma salvaje la envolvió—. Reconoce que te quito el aliento.

Corinne intentó calmar su corazón desbocado. Era curioso, pero cuando pensaba en ello, se diría que su corazón obedecía de verdad a sus instrucciones. En ese momento se volvió sensible a todo, al ruido de sus corazones que latían al unísono, al flujo y reflujo de la sangre en sus cuerpos, a los latidos del bebé... *¡Podía oír el corazón del bebé!* Se lo quedó mirando con los ojos abiertos, con la acusación pintada en la mirada.

—Esto no tiene nada que ver con que me quitas el aliento. Algo raro está ocurriendo. Y tú no sabes nada acerca de ello, ¿no?

Dayan miraba con cara de absoluta inocencia. Inclinó la cabeza para rozarle la sedosa cabellera con un beso porque no pudo resistirse.

—¿De qué me acusas, querida?

Ella le contestó con su expresión más altanera.

—Me voy a levantar —anunció.

Él la miró y observó intencionadamente que Corinne estaba atrapada y a salvo entre sus brazos enormemente fuertes. *Enormemente fuertes. Enormemente. ¿Entiendes eso?*

Ella se echó a reír.

—Claro que lo entiendo. Tienes suerte de que no lo perciba como una amenaza. Enormemente fuertes. Hablas como un adolescente. —Corinne intentó ignorar esa manera de Dayan de hacer que el corazón le diera un vuelco sólo con una mirada de sus ojos negros—. ¿Y por qué querría hablar contigo mentalmente? ¿Acaso he adquirido esa capacidad telepática? ¿Es posible que se me haya contagiado?

—Todo lo mío se te está contagiando. Estás loca por mí.

—Intentas lavarme el cerebro —le acusó ella, tratando de no reír. Dayan se salía con la suya demasiado a menudo porque ella lo encontraba demasiado atractivo—. Lo digo en serio, me voy a levantar, Dayan. Tienes que soltarme.

—No tienes fuerza suficiente ni para ir al lavabo. —Dayan percibía la determinación en su pensamiento. Se incorporó con un movimiento fluido, la cogió en sus brazos y cruzó la habitación hasta el lavabo.

Corinne se cogió de él por el cuello.

—¿Dónde estoy, exactamente? —Miró con cuidado a su alrededor. No era una caverna. La habitación era amplia, con un techo muy alto y bellas paredes. Los muebles eran valiosos y de bella factura. Corinne se quedó mirando, asombrada—. ¿Dónde estoy? Dayan —volvió a preguntar.

—En mi guarida. Soy un lobo enorme y malo y te he raptado. —Con mucho cuidado la dejó posar los pies en el suelo de baldosas del lavabo, sosteniéndola con cautela—. Estás temblando, querida. ¿Es porque yo soy todo un macho y no puedes evitarlo, o porque estás demasiado débil para sostenerte de pie?

—Buena réplica —observó ella, y señaló hacia la puerta—. ¡Fuera!

Dayan vaciló. Lo suyo había sido una broma, pero Corinne estaba débil.

—Será mejor que me llames enseguida si necesitas ayuda. No tienes que llamarme en voz alta. Con sólo pensarlo, bastará.

—¡Fuera de aquí! —repitió Corinne, más enfática—. Y no vuelvas a entrar en mis pensamientos. Quiero *intimidad*, Dayan. Es humillante que te lleven al lavabo como a un bebé. Soy una mujer independiente, totalmente autosuficiente en todo momento.

Refunfuñando, Dayan cedió ante su demanda. La dejó sola en el lavabo e incluso cerró la puerta. Una vez afuera, empezó a dar zancadas de arriba abajo con incansable energía.

—*El curandero dijo que necesitabas descansar en cama.*

—¡*Dayan!* —Casi chilló su nombre, ocultando una risa—. *Todavía no lo has entendido.*

—*Estoy velando. Hago guardia.*

Corinne se negó a soltar la risa y no pensaba darle la satisfacción de contestarle. Se miró el rostro pálido en el espejo, ligeramente asombrada por lo que vio. Tenía un aspecto diferente. Se sentía diferente.

—*Cumpliendo con mi deber. Cuidando de mi compañera.* —Dayan consiguió hablar como si se burlaran o abusaran de él.

Corinne sacudió la cabeza, sintiendo que la risa crecía como una burbuja, a pesar de su decisión de ignorarlo.

Había todo tipo de cosas en ese impecable cuarto de baño. Y ella se aprovechó todo lo posible. Tardó un rato en lavarse los dientes, sobre todo porque le costaba estar de pie y tenía que apoyarse contra el lavabo. Se sorprendió de lo débil que estaba. Tenía las piernas flojas, aunque le costaba mucho menos respirar.

—*Venga, Corinne, eso es todo lo paciente que puedo ser en estas circunstancias. Siento tu debilidad, y sigues portándote como una testaruda. Voy a entrar.*

—*Me quiero cepillar el pelo.* —En cuanto le respondió al mensaje, se dio cuenta de que se había comunicado con él telepáticamente. Con toda facilidad y naturalidad.

Dayan abrió la puerta de un tirón y la cogió en brazos, deteniéndose para inspeccionarla con sus ojos oscuros y ansiosos.

—Que no te entre el pánico sólo porque has hecho algo totalmente natural. Soy tu compañero, y desde luego que puedes hablar conmigo. No es la primera vez.

Corinne agradeció su fuerza, y dejó descansar la cabeza en su hombro.

—Había una diferencia, Dayan. Antes, tú leías mis pensamientos. Yo te los transmitía como respuesta, quizá, pero tú los leías igualmente. Esta vez te lo he *transmitido* yo, con mis palabras. Es una gran diferencia.

—¿Y eso por qué habría de alarmarte? —preguntó él, curioso, mientras la dejaba de nuevo en la cama. Dayan le puso la mano sobre la barriga cuando el bebé se movió en su interior. Y luego sonrió—. ¿Ves? Está feliz y goza de buena salud. Y ahora reconoce mi voz. Le gusta que le cante. —Dayan cerró los párpados, con sus exuberantes pestañas—. He compuesto una canción de cuna para ella.

Sus palabras eran una oferta titubeante de amor, que hacían vulnerable a un hombre aparentemente invencible, y Corinne sintió que el corazón se le volvía a derretir. Estiró ambos brazos para cogerlo, para hacerle bajar la cabeza y acercar sus labios, dignos de una escultura, a los suyos. No podía evitarlo; sencillamente se relajó y permitió que el mundo con todos sus problemas se alejara de ella como un torbellino hasta que sólo quedó Dayan. Dayan con sus anchos hombros y sus brazos fuertes y su boca perfecta. No había nada en que pensar cuando él la besaba, sólo sentimientos. Puros sentimientos. Él la llevaba a otro mundo, a un mundo donde no había límites, donde el tiempo y el espacio perdían su significado.

Corinne se encendió entera, llena de vida, fundiéndose y casando su cuerpo perfectamente con el de Dayan. No prestó atención a su corazón enloquecido, a su manera de galopar sólo porque él estaba a su lado. Nada la asustaba cuando él la besaba. Se sentía fuerte, su otra mitad. Corinne sentía que había encontrado su lugar y quería que aquello no parara nunca. El bebé, que con una de sus fuertes patadas, le propinó un golpe a Dayan a través de la piel, los hizo separarse, mientras reían por lo bajo, maravillados.

—Es fuerte, ¿no te parece? —dijo Corinne, con voz queda, sin ocultarle a Dayan la expresión de sus ojos. Se había cansado de intentar ser práctica. Dayan era el hombre más maravilloso que jamás había conocido, y deseaba estar con él. Ahora más que nunca. Dayan la hacía sentirse bella en la plenitud de su embarazo. La hacía sentirse como si fuera la única mujer en el mundo cuando su pelo se le desparramaba por todas partes y vestía una camisa de hombre para irse a la cama.

—Tú sabes lo guapa que eres, Corinne —dijo él, y se llevó su mano a los labios—. Puedes penetrar en mi mente y ver lo que siento por ti.

Ella ladeó la cabeza para mirarlo.

—Ya sé que puedo, pero no estoy segura de que de verdad quiera hacerlo. ¿Qué encontraré ahí dentro?

Los grandes y oscuros ojos de Dayan relucían de deseo. Descarado. Crudo. Una necesidad acuciante. Corinne se sonrojó y sacudió la cabeza.

—Cuando me desperté no le estabas cantando una canción de cuna al bebé. ¿También has compuesto una canción para mí?

—Todas las canciones que compongo son para ti —dijo él, y se inclinó muy cerca de ella—. Tengo que llamar a Gregori y Darius para que vengan a vernos. Querían que les avisara en cuanto abrieras los ojos —dijo, con una sonrisa de picardía—. No tenemos que contarles todo.

—¿Qué hora es? —Corinne paseó la mirada por la habitación—. ¿Y dónde estoy? Al menos debería saberlo por si alguien me lo pregunta.

Dayan era como una sombra en su mente, y ante esos pensamientos descabellados soltó una risotada.

—Desde luego, todavía estás en el planeta Tierra. Y yo no soy un alienígena.

—Sólo quería comprobarlo —dijo ella, encogiéndose de hombros—. En los días que corren, nunca se sabe. Y tú eres un poco raro. ¿Está todo tu grupo aquí? —le preguntó, como si no le importara demasiado.

Él le apartó un mechón de pelo detrás de la oreja. Corinne parecía algo aprensiva.

—Eres un poco timorata, Corinne. No me había dado cuenta de eso.

—No es verdad —negó ella, indignada, y le lanzó una mirada de indignación—. Vuelves a hacer lo mismo. Cada vez que te hago una pregunta, sales con evasivas.

Él frunció el ceño.

—¿Con evasivas? No tengo ni idea de qué hablas.

—Dayan —dijo Corinne, y le apretó la mano—, ¿dónde estoy?

—Esta casa pertenece a Gregori y Savannah. Ellos no viven aquí todo el año. En realidad, casi todo el año está vacía. Nos la han ofrecido generosamente para que te recuperes —le explicó, y miró por la habitación—. Para mí, que me paso la mayor parte del tiempo viajando, estar en un lugar como éste es una experiencia única.

—¿Te refieres a estar en un verdadero hogar?

Él sacudió la cabeza, mientras la observaba con atención.

—Un hogar está donde sea que estemos tú y yo. En la carretera, viajando, siempre y cuando tú y yo y el bebé estemos juntos, será un hogar.

—Así que lo tienes todo planeado.

Dayan asintió con un gesto de la cabeza, sin dejar de observar atentamente su reacción, siguiendo el hilo de su pensamiento.

—Con el tiempo, amarás a los demás y la vida que llevamos. Es una buena vida, y visitamos muchos lugares interesantes. —A Dayan se le ocurrió que a partir de ese momento, vería cada lugar con nuevos ojos. Ahora habría colores, risas y belleza. *Él* era diferente. Vería la belleza de todas las ciudades y todos los países a donde viajara. Ella le había hecho ese regalo inapreciable. Aquel mundo jamás volvería a ser el universo de sombras y oscuridad del pasado.

—Me parece muy bien que seas tan optimista, Dayan —respondió ella, con cautela. No tenía sentido discutir con él cuando estaba tan obcecado con la idea de que ella sobreviviría al parto. Lo último que Corinne quería era mencionar el hecho de que ella no tenía futuro. Pero deseaba que él le prometiera que los curanderos salvarían al bebé si había que elegir entre las dos.

Dayan negó con un gesto de la cabeza cuando leyó sus pensamientos. Corinne viviría. Él removería cielo y tierra si fuera necesario, pero viviría.

—He llamado a Darius y a Gregori. —Quería prepararla para que conociera a sus visitantes, porque sabía que a Corinne le costaba sentirse a gusto entre desconocidos. Ella había llevado una vida solitaria, aunque rodeada de gente. Era una persona muy reservada con los que no pertenecían a su familia—. Darius es parte de mi familia, Corinne, un hombre que conozco bien y por el que daría mi vida. Confío en él y en su juicio.

Ella se mordió el labio con gesto nervioso.

—Me siento mejor de lo que me he sentido en mucho tiempo, Dayan. No creo que sea de verdad necesario verlos ahora, ¿no te parece?

—Sabes que sí es necesario. Deben hacer un cuidadoso seguimiento de tu corazón y del bebé.

—¿Qué saben ellos que no sepan los otros médicos que me han visitado?

Desari fue la primera en cruzar la puerta. Era una mujer alta y bella que irradiaba luz y consuelo. Tenía una manera de estar, serena y segura, y daba la sensación de que se deslizaba por el suelo en lugar de caminar. Corinne la reconoció enseguida como uno de los personajes de su oscuro sueño.

—¿Recuerdas algo, cualquier cosa? —le preguntó Desari con voz suave, respondiendo a su pregunta. Tenía una voz cálida como la miel, irresistible, como la de Dayan. No había en ella aristas cortantes. Desari era la encarnación misma de la paz interior.

—No estoy segura de lo que era real y de lo que he soñado. —Corinne se dio cuenta de que respondía con total sinceridad—. No entiendo por qué me siento mejor, a pesar de haber oído decir a los médicos que me estaba muriendo y que nada podía salvarme.

—Algunos de los nuestros son capaces de separarse de su cuerpo físico y servirse de la energía pura para investigar los problemas en el interior del organismo de una persona herida o enferma. No hay cortes en la parte exterior del cuerpo, ni tampoco puntos de sutura. La curación se lleva a cabo con luz y energía. —Desari respondió como si todo aquello lo diera por sentado—. Darius posee este don, al igual que Gregori. Todos lo poseemos hasta cierto punto, pero ellos dos son muy poderosos.

Corinne le dio vueltas y vueltas a aquella información en su cabeza. Todo parecía una locura, como el argumento de un relato de ciencia ficción, pero la verdad era que los médicos habían renunciado a salvarla y, a esas alturas, se suponía que debería haber muerto. Seguía con las manos entrelazadas con las de Dayan, como buscando apoyo.

—Me siento mucho mejor —dijo.

Desari tenía una sonrisa luminosa. Llevaba el pelo de color negro recogido en una trenza que le caía hasta la cintura. Se lo apartó del hombro con un gesto despreocupado. Su aspecto transmitía tal equilibrio, belleza y salud, tanta vida, que Corinne se dio cuenta de que estaba a punto de echarse a llorar. Ella misma jamás sería tan bella, ni en un millón de años. A su lado estaba Dayan, el perfecto espécimen masculino.

—*No puede haber ninguna otra para mí, querida.* —Era la voz de Dayan, un susurro íntimo en su mente, una suave reprimenda. La inundó con sus emociones, todo de golpe. A Corinne la embargó un doloroso sentimiento de amor, tan intenso que nada podría jamás interponerse entre ellos, ni siquiera la muerte. El deseo físico, era como un fuego desatado en la sangre de Dayan, un deseo y una necesidad de unirse para toda la eternidad—. *Eres la mujer más bella que jamás he visto. No tengo ojos para otras.*

Había algo inmensamente erótico en comunicarse mentalmente con él. Era tan privado, tan pecaminosamente íntimo. Corinne se sonrojó sin motivo alguno. Había quedado tan contenta con la respuesta de Dayan a sus pensamientos que ni siquiera se percató de los dos hombres que entraron en la habitación.

Gregori carraspeó discretamente e hizo una ligera reverencia con la cabeza inclinada hacia ella.

—Espero que te sientas mejor, Corinne —dijo.

Ella le apretó la mano a Dayan.

—Me siento mejor, sí, muchas gracias. —Entonces, cuando se dio cuenta de que parecía una niña dándole las gracias a un adulto, se sonrojó.

—Lo que hemos hecho es provisional, Corinne. —Los ojos plateados del curandero brillaban mientras la miraba—. Me permito decirte la verdad. La enfermedad ha progresado más allá de nuestra capacidad para curarla. Te trataré con la frecuencia que sea necesaria para asegurarme de que tu hija tenga tiempo para fortalecerse. Necesita unas cuantas semanas. Para ella, cuenta cada hora y cada día. Deberás guardar cama y no forzar tu corazón. No temas por el parto. No tenemos intención alguna de permitir que nos dejes —dijo Gregori, y sonrió para darle ánimos—. Darius está conmigo, y sé que puede parecer muy intimidatorio. No quiero que su manera de ser te asuste. Es mi hermano menor y si te gruñe lo regañaré como se merece.

Corinne parpadeó. Tardó un segundo o dos en caer en la cuenta de que aquel hombre con aspecto de predador y mirada fulminante estaba bromeando. Provocando a su hermano. Miró a Darius. Hizo una mueca con la boca, pero consiguió no sonreír.

—Estoy segura de que has oído eso, Darius. Me aprovecharé todo lo que pueda si te pones gruñón conmigo.

A pesar de su tono bromista, Corinne le seguía apretando la mano a Dayan cuando Darius se presentó, imponente. Al igual que su hermano Gregori, era portador de una fuerza que parecía adueñarse de todo el espacio. El enorme poder de Dayan era intenso pero sutil. Sin embargo, Gregori y Darius eran del todo diferentes. Algo más bajos que Dayan, la mayor parte de su peso descansaba sobre sus anchos hombros y sus brazos musculosos. Los dos tenían el pelo negro y largo recogido con una tira de cuero a la altura de la nuca. Mientras que los ojos de Gregori eran de aquel peculiar tono plateado, los de Darius eran negros como el carbón. Los dos tenían aspecto de ser muy peligrosos. A Corinne le costaba creer que se hubiera atrevido a bromear con ellos.

—Buenas noches, hermanita —dijo Darius, con ademán cortés—. Me alegro de ver que te has despertado. Empezaba a preocuparme, algo que prefiero no hacer. Harás bien en recordarlo. —Se inclinó cerca de su oreja y le dijo, en un falso susurro—: Sólo para que lo sepas, Gregori no viaja con el grupo.

Corinne sonrió.

—Gracias por decírmelo. Supongo que, pensándolo bien, no me chivaré de ti. Lo más probable es que sea un excusa suya para poder maltratarte.

—Así es. Tiene cierta reputación… un mito, ya sabes, pero le gusta que la gente crea que es el hombre del saco. No dejes que te intimide su severo ceño. ¿Cómo se porta tu bebé?

—Parece bastante fuerte, y da muchas patadas —dijo Corinne, sonriendo.

—Es la respuesta que quería oír. Le has dado un buen susto a tu compañero. No vuelvas a hacerlo. —Lo dijo como si fuera un decreto y él estuviera acostumbrado a que todos le obedecieran. Aunque intuyó que era probable que así fuera.

—¿Te cuesta menos respirar esta noche? —inquirió Gregori.

Corinne se quedó mirando el bello semblante de éste. Había un parecido innegable entre Desari, Gregori y Darius.

—*Gregori es el compañero de Savannah Dubrinsky. ¿El nombre te dice algo?* —Dayan quería recordarle a Corinne que Gregori ya tenía compañera. Había contrído una gran deuda con el curandero, pero no podía dejar de pensar que quizá a ella pudiera parecerle atractivo.

—*Claro que sí. Savannah Dubrinsky es una famosa maga. En cualquier caso, tú eres el único hombre que encuentro vagamente atractivo* —le aseguró Corinne, riendo para sí. Según ella, Dayan era el hombre más atractivo, encantador y romántico del mundo. ¿Cómo era posible que le preocupara que ella mirara a otro?

—*Eres bastante ridículo.* —Corinne no se dio cuenta en ese momento de que percibía nítidamente la ansiedad que embargaba a Dayan.

—Voy a examinar al bebé —dijo Gregori, llamando deliberadamente su atención—. Es un bebé fuerte y quiere vivir. Tiene un raro talento, igual que tú. Es un ser muy preciado para nuestro pueblo.

—Tienes que salvarla, cueste lo que cueste. —Corinne no miró a Dayan. Sentía la fuerza de voluntad del curandero, su absoluta determinación de salvar a su hija.

Los ojos plateados de Gregori brillaron un instante como el mercurio fundido, y luego sacudió la cabeza.

—No habrá ningún intercambio de una vida por la otra, Corinne. Tienes un compañero. No os perderemos a ninguna de las dos. Todas las parejas son necesarias. Te salvaremos a ti y a tu bebé. Dayan no permitirá que sea de otra manera. Debes creer en ello absolutamente. Tu hija es muy consciente de tu existencia y ya ha tejido un vínculo contigo. No querrá cambiar tu vida por la suya. Y tampoco podemos perderla a ella. No habrá trueque.

Corinne lo observaba con atención. Gregori respiraba profunda y regularmente. De pronto, pareció entrar en un trance autoinducido. Era el mismo que ella había visto en ese sueño tan raro. Miró a Dayan.

—*Estuve en esa caverna, ¿no es cierto?*

Él dejó escapar un ruidoso suspiro.

—*¿De verdad quieres saber la respuesta, querida?*

—Corinne —dijo Darius, con voz serena—, tu corazón se ha acelerado rápidamente. Respira y mantenlo controlado. Toma conciencia de tu ritmo cardiaco, y cuando empiece a aumentar, relájate y concéntrate para devolverlo a su estado normal. Eres capaz de hacerlo. Debes empezar a creer.

Corinne obedeció enseguida, sospechando que había una orden oculta en aquellas palabras tan amables.

—*No te escabullas esta vez, Dayan. Yo estuve en esa caverna* —dijo, y mantuvo la mirada fija en él.

Sus ojos negros se volvieron agresivos, atraparon la mirada de

Corinne en su oscuro misterio, de manera que ella no podría haber desviado la mirada ni aunque hubiera querido hacerlo.

—*No quiero alarmarte, querida, y cada vez que hablamos de quién soy y qué está sucediendo, tu corazón se desboca. Si estás segura de que quieres saber la verdad y estás preparada para aceptarla, será un placer contártela.*

Ella inclinó el mentón con actitud decidida.

—*Siempre quiero que me digas la verdad, Dayan. Si no tenemos eso, no tenemos nada.*

—*Estoy de acuerdo contigo.* —Respiró hondo, contó hasta diez y empezó a hablar con voz pausada. Se cuidó de no ser más que una sombra en su mente, preparado para borrar cualquier revelación que a Corinne le pareciera demasiado difícil de aceptar—. *La caverna donde has estado se encuentra en las profundidades de la tierra, por debajo de la montaña hecha de fuego y hielo. Es un lugar de mucha energía, y necesitábamos un sitio como ése para llevar a cabo el ritual de la curación. Las velas están fabricadas con hierbas y compuestos cuyos aromas favorecen la curación. El ritual de la curación ha sido obra de dos curanderos, de sus compañeras y de mi familia. Fue una reunión numerosa. Mientras nos ocupábamos de ti, otros dos miembros de la familia, Barack y Syndil, acudieron a toda prisa a cuidar de Cullen.*

Capítulo 12

—Ven a mí, amor mío —dijo Barack suavemente, deslizándose hacia su compañera eterna mientras pronunciaba esa orden. La estrechó en sus brazos—. Estás a punto de desmayarte de agotamiento, y tienes que alimentarte.

—Cullen necesita sangre urgentemente, Barack, o quizá no saldrá con vida de ésta. Yo no soy una verdadera curandera, como Gregori o Darius. Nunca he intentado curar a nadie en estas condiciones. —Syndil dejó descansar la cabeza en el pecho de Barack, rendida por la fatiga—. No sé si he hecho lo suficiente por él. Mi don consiste en sanar la tierra, no a los humanos ni a los carpatianos. Tienes que darle sangre.

—Tú estás antes que Cullen, Syndil —dijo Barack con voz suave, una verdadera invitación. Junto a la oreja de Syndil, el corazón de Barack latía con regularidad. Syndil oyó la llamada de su sangre, el flujo y reflujo de la esencia de su vida. Le rodeó el cuello con los brazos y ella se movió junto a él, inquieta y deseosa.

Syndil pronunció su nombre con voz queda mientras le desabrochaba lentamente la camisa, las yemas de los dedos recorriendo ligeramente los sólidos músculos de su pecho. Sintió que Barack se tensaba, expectante. Como siempre, se maravilló ante el bello misterio de su vínculo. Barack. Su compañero. Lo había conocido a lo largo de su dilatada existencia y, aún así, no había descubierto la maravilla de una verdadera unión con él hasta hacía poco. El simple acto de alimentarse ya no era sólo eso. Era erótico y la llenaba de placer, de deseos que iban mucho más allá de saciar el hambre. Se acurrucó contra su pecho y sonrió cuando él le cogió el pelo y se movió agresivamente contra ella. Ella le mordisqueó el pecho, haciendo bailar la lengua sobre su pulso acelerado y, con ese movimiento, asomaron sus incisivos.

Barack gruñó y la estrechó contra él, envolviéndola entera mientras ella se alimentaba. A pesar del peligro que corrían ahí, junto a Cullen, que encabezaba la lista de víctimas de la sociedad, Barack no dejó de sentir aquella corriente, aquel deseo urgente que se apoderaba de él. Syndil procedió con cuidado (Barack sentía su hambre, feroz, desatada), pero se cuidó de tomar sólo la energía suficiente para sostenerla y permitir así que su compañero también le diera sangre a Cullen. A partir de ahora, Barack siempre guardaría un vínculo con Cullen, y viceversa, pero no tenían alternativa. Si se trataba de salvar al mortal, necesitaba esa sangre curativa de ellos para sanar sus órganos maltrechos. Con sumo cuidado, Syndil cerró los diminutos orificios con la sustancia curativa de su saliva, y alzó la cabeza, con ojos somnolientos y perezosos. Barack se inclinó enseguida para dar rienda suelta a su deseo y besarla en la boca.

—Me siento muy orgulloso de ti, Syndil —dijo, con voz queda.

—Es un hombre valiente —replicó ella—, y un buen amigo nuestro. Ha arriesgado su vida muchas veces. Me hubiera gustado que Gregori o Darius vinieran a ocuparse de él.

—Lo has hecho muy bien. —Muy a su pesar, Barack se apartó de ella y se sentó en el borde de la cama—. Le daré mi sangre, Syndil, y luego debemos sacarlos a los dos de aquí. No dejes que la mujer te cree problemas. Contrólala desde el principio. No corras riesgos.

Syndil le revolvió el pelo como si Barack no fuera más que un niño, y no aquel hombre de fuerza descomunal.

—Deja a la mujer tranquila, Barack. ¿Acaso no has visitado su mente?

—¿Quién querría hacer eso si no es para darle órdenes?

—Lisa ha sufrido un trauma horrible. No ve las cosas que teme porque su mente no se lo permite. No hace más que protegerse, y es la única manera de que mantenga la cordura. Depende para todo de Corinne y se aferra a ella como a una red de salvamento. Corinne es mucho más fuerte y debe de haberlo sabido desde que era una niña. La protege del mundo exterior, y Lisa sabe que no puede ir por la vida sin ella. He buscado en su mente. Sabe que necesita a alguien que le ayude.

Barack agachó la cabeza, avergonzado.

—No te merezco. Nunca te he merecido.

—Eso es verdad —convino ella, satisfecha—, pero creo que de todas maneras te mantendré a mi lado. —Se quedó mirando cuando Barack se inclinó y cogió a Cullen en brazos. Al observar su expresión, Syndil sintió que el corazón le daba un vuelco. Barack sentía un enorme afecto por aquel ser humano, un sentimiento que muy pocos carpatianos experimentaban. Siempre era necesario guardar distancias con los humanos para que nadie tuviera pruebas de que su especie existía. Aquello se hacía cada vez más difícil, dado que los ordenadores y los viajes convertían el mundo en un lugar más pequeño.

Barack entonó con voz suave el cántico ritual de la curación, mientras le ofrecía su sangre a Cullen. Una pequeña cantidad, sólo destinada a sanar su organismo roto y desgarrado. Según sus leyes, no debería haberlo hecho. Más bien, debería haber dejado que Cullen muriera. Sin embargo, Darius era quien dirigía a la familia y para ellos representaba una autoridad superior al príncipe de los carpatianos. Y él había decretado que había que salvar a Cullen si era posible. Y para Barack y Syndil aquello significaba que podían usar todos los medios a su alcance.

Syndil le apartó el pelo a Cullen con sus suaves dedos.

—Me alegro de que haya sido él quien encontrara a Lisa. Siempre cuidará de ella y apreciará su bondad ahí donde otros hombres podrían ver sólo debilidades.

Barack fijó sus ojos negros en ella.

—He pedido perdón por mi error.

Ella le sonrió.

—Ha sido un comentario banal, no iba dirigido a ti, pero me alegro de que sientas remordimientos por haber juzgado con tanta dureza la elección de Cullen antes de que penetraras en su mente y supieras si ella es digna de él. Lo amará y le será fiel. Sólo querrá complacerlo y hacerlo feliz. Forman una buena pareja. Él necesita que lo necesiten, Barack.

Barack restañó de un lengüetazo el hilillo de sangre que le brotaba de la muñeca.

—Estoy seguro de que tienes razón, Syndil. —Entonces se comunicó con Cullen para asegurarse de que le costaba menos respirar, y que su cuerpo había aceptado esa pequeña cantidad de sangre que ahora la utilizaba para sanar las terribles heridas—. Tenemos que sacarlo rápido de aquí, Syndil, y llevarlo a la casa de seguridad para que podamos protegerlo como corresponde. Llama a Lisa para que venga con nosotros.

Syndil dio un paso hacia la puerta, pero de pronto se detuvo bruscamente y le lanzó una mirada de alarma a Barack.

—Ya están aquí. Han venido a por Cullen. Deberíamos haber sabido que se moverían con rapidez para eliminarlo. Lo consideran una amenaza y un traidor. Es evidente que ahora tendrán ganas de acabar el trabajo.

Barack percibió las vibraciones de violencia en el aire; sintió que se acercaban a la habitación.

—Son cuatro —dijo, lacónico, lo cual era innecesario. Syndil percibía los pensamientos violentos con la misma facilidad que él—. Yo me llevaré a Cullen mientras tú sacas a Lisa de aquí. Llámame si necesitas mi ayuda para serviros de protección. —Ya había cogido en brazos a Cullen, no sin antes crear la ilusión de que éste permanecía solo e indefenso tendido en la cama.

Syndil tosió, un femenino gesto de burla. Ella era una antigua, capaz de caminar sin ser vista entre los humanos y de ocultar también a Lisa a sus ojos. Se disolvió enseguida en un fino vapor y se coló fuera de la habitación justo cuando los cuatro asesinos entraron dando una patada a la puerta. Se quedaron a cierta distancia de la cama y apuntaron sus armas al cuerpo que percibían, inmóvil, bajo las mantas. El ruido de las armas fue silenciado, como un suave escupitajo que nadie oiría al otro lado de la puerta. Barack amortiguó aún más el ruido y alejó a los guardias de seguridad y a las enfermeras del pasillo para que los humanos estuvieran lo más seguros posible.

Mientras esperaba con Cullen en los brazos, vio cómo los asesinos descargaron sus armas una y otra vez. Ninguno de ellos vio a Cullen, cuya presencia Barack había ocultado, pero sintieron el frío que reinaba en la habitación. Uno de los asesinos se inclinó para mirar el cuerpo y, mientras los demás observaban, él se deslizó por detrás de ellos. Oyó sus exclamaciones de consternación y rabia al darse cuenta de que los habían engañado, y de que, una vez más, Cullen había escapado a su venganza.

Barack caminó deprisa por el largo pasillo para alejarse de los asesinos y se comunicó con Darius para avisarle de la conspiración.

—*Ya han venido* —fue lo único que dijo. Con Darius, no era necesario explayarse. Darius protegía a los suyos, y a Cullen lo consideraba un miembro más de la familia. Darius vendría a toda prisa y daría buena cuenta de los asesinos.

No era necesario que Barack informara a Syndil de lo que ocurría puesto que él siempre estaba presente en la mente de ella. Él sabía muy bien que había controlado a Lisa y que en ese momento salían del hospital, amparadas por un manto invisible. Syndil había sumido a Lisa en un trance hipnótico con el fin de sacarla de ahí lo más rápido posible, para luego emprender el vuelo, tal como Barack estaba haciendo con Cullen. Llevarían a los dos humanos a una casa en el interior profundo de las montañas donde estarían mejor protegidos.

Corinne estaba sentada en su cama y miraba fijamente a Dayan. Los curanderos entonaban su dulce cántico; ella los escuchaba mentalmente. El ambiente era calmante, incluso relajante; estaba a punto de hacer un gran descubrimiento. ¿En qué pensaba? ¿Dayan era humano? ¿Acaso era de este mundo? Si no, ¿qué era? ¿Un alienígena? Se apartó el pelo que le caía en desorden sobre la cara mientras estudiaba aquellos rasgos hipnóticos de Dayan. ¿Tanto importaba que fuera de una manera u otra? ¿Cómo la habían traído hasta una caverna en lo profundo de la tierra y luego llevado a cabo un exótico ritual curativo que había dado resultado? ¿Era todo real o sólo en parte? Alejó de su mente la idea de un intercambio de sangre.

Entrelazó los dedos de su mano con los de él.

—Cuéntame, Dayan, la verdad, cuéntamelo todo acerca de ti. Necesito saber. ¿Qué eres?

El cántico curativo cesó bruscamente con esas palabras suyas pronunciadas en sordina. Desari miró a Darius.

—Quizá sea preferible venir en otro momento a examinarte, Corinne —sugirió gentilmente Desari, y le lanzó una sonrisa de simpatía al curandero—. Gregori, ¿crees que sería un inconveniente volver en un momento más adecuado?

Gregori arqueó una ceja al mirar a su hermana. A continuación, dejó escapar un sonoro suspiro.

—Creo que será mejor. Volveremos en otro momento. —Y luego, Darius previno a Dayan en silencio.

—*Ten mucho cuidado, Dayan. No debes alterarla en ningún momento. Gregori vigilará su corazón a distancia, y yo me ocuparé del bebé. Corinne necesita respuestas y creo que es más receptiva de lo que tú crees.*

Corinne observó mientras los tres carpatianos abandonaban la habitación y cerraron suavemente la puerta a sus espaldas; por fin a solas con Dayan. Éste se incorporó bruscamente, intranquilo. Ella lo miró con sus grandes ojos claros.

—Creo que ha llegado la hora de que me cuentes qué y quién eres. Comienza por el principio. ¿Quiénes son tus padres?

—Mis padres están muertos... Fueron asesinados, igual que tu madre —respondió él, grave. Dio unos pasos por la habitación que daban a entender su desasosiego, se pasó una mano por el pelo y se quedó aún más despeinado. De pronto se inclinó, cogió su amada guitarra y la estrechó como si fuera un talismán.

Corinne sonrió para sí misma. Su guitarra. Empezaba a darse cuenta de que Dayan necesitaba tenerla en sus brazos cuando se ponía nervioso, y ahora estaba nervioso. Dayan acostumbraba a hacerle preguntas y a entrar en su mente para conocerla, pero no le gustaba que esos mismos focos se volvieran contra él. Nunca lo había visto tan nervioso.

—Dayan. —Pronunció su nombre en voz baja, serena, y dio unos golpecitos en la cama a su lado—. Pareces un leopardo encerrado en un zoológico, yendo y viniendo. —No añadió que le recordaba a un niño pequeño que se aferra a su manta preferida—. ¿Tan difícil es confiarme la verdad?

Él la miró desde su altura, con ojos negros siniestros y recelosos.

—¿Qué pasará si no puedes aceptarme como soy? ¿Qué ocurrirá si te asusto al contarte la verdad y el corazón te falla?

—¿Tan débil me crees, Dayan? —preguntó ella, con voz impasible—. Mi cuerpo es frágil, he aprendido a aceptarlo, pero no soy una persona débil. Nunca lo he sido —dijo, y le tendió la mano—. Así que deja de pasearte y siéntate a mi lado.

Dayan permaneció de pie un momento largo, con la guitarra colgada por delante; en sus ojos se adivinaba su lucha interior. Lentamente, a regañadientes, cruzó la habitación y se sentó con cuidado en la cama a su lado. Le cogió su mano con la suya, que por contraste parecía enorme.

—Mi corazón no podría soportar tu rechazo, querida mía. Ni por un momento. Tienes que estar muy segura de que quieres tener esta conversación.

—Estoy segura, Dayan. Crees que tus sentimientos hacia mí son poderosos. Y bien, yo he amado antes. A John. —Corinne pronunció el nombre de su marido y observó en silencio la mueca involuntaria de Dayan—. No sientas eso por él, Dayan. John era un hombre notable y se merecía mucho más que una mujer que no lo amaba. Sé lo intensos que son mis sentimientos hacia ti. He intentado convencerme de que era una atracción puramente sexual, pero pienso en ti, en tu expresión, en tu manera de sonreír, en cómo giras la cabeza. En todo. Incluso en las cosas tontas, como cuando a veces te portas como un niño. Me pongo a pensar y es un rasgo enternecedor. Eso no se debe exclusivamente a la química.

—No te preguntaré qué cosas son infantilmente enternecedoras —dijo él, con un suspiro.

—No, no lo preguntarás. Me hablarás de tu infancia. Acerca de ti mismo, para que yo te conozca.

Dayan se llevó la mano de Corinne a los labios, deseando, necesitando la seguridad de estar cerca de ella.

—Crecí con Darius, Desari, Barack y Syndil y también con Savon. Éramos niños y no teníamos ningún adulto que nos orientara. Fue Darius el que se ocupó de nosotros. Sólo tenía seis años y ya daba muestras de tener grandes poderes y fuerza de voluntad. Darius era el que asumía la mayor parte de los riesgos.

Dayan le mordisqueó la punta de los dedos con un dejo de ansiedad, aunque sin darse cuenta. Corinne lo miraba fijamente.

—¿Cómo fue posible que un grupo de niños solos pasara desapercibido para los servicios sociales? ¿Cómo conseguíais la comida y dónde dormíais?

—Fuimos separados de nuestro pueblo y creyeron que habíamos sido asesinados con nuestros padres. Después de un naufragio, acabamos en las costas de África. Allá crecimos. Nuestro grupo viaja con un par de leopardos, que criamos nosotros mismos. En realidad, aprendimos mucho de los animales. Fueron tiempos difíciles, pero también tuvieron su recompensa.

Corinne se mordió apenas el labio inferior. Le creía, aunque parecía imposible que seis niños pudieran sobrevivir solos en África, un continente salvaje e indomable. Algo en ella reconocía la verdad de esa sencilla explicación, aunque sabía que había mucho más de lo que él le contaba.

—Dayan —dijo, pausadamente, obligándolo a mirarla con sus ojos oscuros—. O confías en mí o no confías. Tienes que decidirte.

—¿Qué pasaría si te digo que no soy humano? —preguntó él con voz queda, y le mordisqueó los nudillos con más fuerza—. ¿Qué pasaría si te digo que mis padres murieron durante las guerras turcas? ¿Eso te apartaría de mi lado?

Por un momento, Corinne sintió que el corazón se le aceleraba, y se alegró de esa distracción, feliz de poder concentrarse en disminuir su pulso y darse un momento para pensar. Había sospechado que en Dayan algo no era del todo humano, pero escucharlo confirmar la sospecha era muy distinto. *¿Las guerras turcas? ¿En qué lo convertía eso?*

—Esperaría no reaccionar como una cobarde. ¿Eres diferente a lo que me has enseñado? Porque el hombre por el que yo me siento atraída es amable y afectuoso e increíblemente maravilloso. —Corinne intentaba encontrar el camino, queriendo alentarlo, pero dándose un margen de tiempo para asimilar la información que él le transmitía.

Él desvió la mirada, incapaz de enfrentarse a su condena.

—Eres mucho más que un predador, sea lo que sea lo que eso significa. Eres un poeta sin igual. Las palabras que fluyen de tu alma, la música que haces y que no tiene parangón, eso es lo que eres. Lo otro es parte de tu naturaleza, quizá, pero sólo una parte pequeña. No podrías decir las cosas que dices, ni darme tus bellas palabras si no las sintieras profundamente en tu interior.

Dayan le abrió la mano y le miró un rato la línea de la vida antes de estampar un beso en el centro de la palma abierta.

—En mi juventud sentía tantas cosas, tanta música, que parecía que yo era música. La oía en todas partes, en la tierra y en el cielo, en los árboles y los animales. Oía la música y sabía que ése era mi mundo. Pero con el tiempo, lentamente, comenzó a desvanecerse. Fue horrible darme cuenta de que iba a perderla, así que escribía canciones, cientos, miles de canciones, dejando que las notas y las letras fluyeran, y me las guardaba en la memoria. A lo largo de los años, empecé a depender de esas canciones que recordaba para soportar los tiempos de oscuridad. Ya no sentía ni las palabras, ni la música, pero tenía los recuerdos para sostenerme. Podía penetrar en otros, que sentían la alegría del amor y de la risa, y buscaba en sus propias emociones para crear lo que necesitaba.

Dayan se quedó observando la expresión de Corinne, y sus ojos oscuros deambularon por ella, posesivamente, llenos de amor, tan deseosos que ella sintió que se derretía bajo esa mirada escudriñadora.

—Es imposible que lo entiendas del todo hasta que nuestros pensamientos se fundan plenamente. Conocí la tristeza más absoluta, un vacío negro. Sin mi música, sin mi alma, vagaba por el mundo sin saber qué era, y no estaba dispuesto a aceptar mi condición en aquel entonces. Ni ahora.

Ella le tocó la cara con sus dedos suaves.

—Eres un hombre con unos dones excepcionales, Dayan. Las cosas de las que hablas y de las que he tenido atisbos ocasionales —no pretenderé que no los he tenido—, no son las que definen quién eres.

La boca perfectamente cincelada de Dayan se curvó en una sonrisa seductora y, con un gesto deliberado, se metió la mano de Corinne en la húmeda cavidad de la boca.

—Crees que soy un ser de otro planeta —dijo, con una risa burlona latente en sus palabras.

Corinne se dio cuenta de que le sonreía tímidamente.

—Podría ser.

—Soy un carpatiano. Somos tan antiguos como la Tierra, condenados a vagar por el mundo hasta que tomemos la decisión de renunciar a la vida. Nuestros machos son predadores siniestros y mortales. La bestia anida en nuestro interior, y no deja de crecer hasta que encontramos a nuestra compañera eterna, que nos ancla en el mundo de la luz.

Corinne sabía que Dayan le estaba contando algo de gran importancia, pero la verdad era que no le entendía.

—Nunca he oído la palabra «carpatiano». Si recuerdo bien, hay una cadena de montañas, los montes Cárpatos, en Rumanía y Transilvania… —dijo, y su voz se desvaneció cuando entendió la importancia de esa región. Recordó vívidamente el curioso giro que había cobrado su sueño en la caverna. Guardó silencio un momento, haciendo acopio de valor—. ¿Me has dado tu sangre? —preguntó, con voz muy queda, sin saber si quería que él le respondiera.

—¿Estás segura de que quieres saber la verdad?

Ella se encogió de hombros con un movimiento delicado y femenino.

—Quiero saber la verdad, Dayan, aunque no esté segura de poder soportarla. Yo no soñé con esa caverna, ¿no es así? Todo ocurrió tal como lo recuerdo. Todas esas personas se reunieron para ayudarte a salvarme la vida. Y tú me diste a beber de tu sangre. ¿Por qué? ¿Por qué has hecho algo así por mí? —Corinne quería adoptar una actitud analítica frente a la situación, temiendo que si pensaba demasiado en lo ocurrido, le vendrían naúseas. Tragó con dificultad—. ¿Por qué lo has creído necesario?

—Para salvarte la vida a ti y salvársela al bebé. —Dayan miró atentamente su expresivo rostro, fue como una sombra en su mente siguiendo sus pensamientos. Le auscultó el corazón y escuchó su respiración buscando señales de estrés que pudieran perjudicarla.

Corinne se sentó muy quieta y dejó que su corazón siguiera los latidos más fuertes y regulares de Dayan. Asintió con un gesto de la cabeza, no comprendiendo cabalmente, pero sabiendo que se acercaba a la verdad. Si la sangre de Dayan podía salvar a su hija, entonces lo valía todo para ella. Hizo acopio de valor y lo miró a la cara.

—¿Eres un vampiro, Dayan? —Se sentía ridícula haciendo una pregunta tan absurda, pero la verdad es que nunca lo había visto en las horas del día. Además, su mirada era demasiado hipnotizante. Y si su extraño sueño se correspondía con la realidad, Dayan le había dado su sangre de una forma más bien poco ortodoxa.

A Dayan le dieron ganas de sonreír ante esa idea. Corinne se esforzaba en entender, orientada en la dirección correcta, a la vez que no creía para nada en su propia sabiduría. A él le agradaba la idea de que ella lo encontrara *demasiado* en cualquier cosa. También era consciente de que Corinne había borrado todo vestigio de recuerdo de haber recibido sangre de él.

Con el pulgar, le frotó la parte interior de la muñeca, un movimiento suave y reconfortante.

—No soy un vampiro, querida, aunque compartamos ciertos rasgos con ellos. Los vampiros son criaturas inertes, son machos carpatianos que han decidido renunciar a su alma en aras del placer pasajero que significa el poder de matar. Son seres engañosos, traicioneros y depravados. Completamente malvados. Los carpatianos cazamos y destruimos a los vampiros. Es necesario que lo hagamos por la supervivencia de mortales e inmortales por igual.

Ella lo miraba con sus enormes ojos color verde musgo. Su mente había corrido a toda prisa y ahora estaba en blanco. Sólo atinaba a mirarlo. Carraspeó parsimoniosamente, esperando ganar tiempo. Dayan creía en todo lo que decía, hasta en la última palabra. Una de dos, o le estaba diciendo toda la verdad o estaba totalmente loco. Respiró hondo y dejó ir el aire lentamente.

—Como comprenderás, no sé qué decir —dijo, con voz neutra.

Dayan se inclinó para rozarle la cabeza con la boca.

—No estás loca, querida, ni yo tampoco lo estoy. Piénsalo. ¿Oyes algún sonido que normalmente no deberías oír?

Corinne seguía mirándolo, y su aspecto era muy joven y vulnerable. Había palidecido, se había puesto color ceniza, y le costaba respirar. Dayan lo hizo en su lugar; tomó el relevo dirigiendo el movimiento de sus pulmones para inspirar y espirar.

—¿Al darme tu sangre me has hecho como tú? —preguntó ella, con un hilo de voz.

Dayan la cogió por sus delgados hombros.

—No tenemos por qué tener esta conversación ahora, querida. Si no tienes ganas, borraré tus recuerdos y lo intentaremos en otro momento.

—¿Puedes hacer eso? —preguntó ella, arqueando las cejas—. ¿Puedes borrar mis recuerdos? —De pronto le lanzó una mirada furibunda—. ¿Lo has hecho en alguna ocasión?

Él se encogió de hombros, como sin prestarle importancia, o como si no tuviera remordimientos.

—En parte. Los volví borrosos para que no te asustaras, pero siguen estando accesibles en caso de que quieras reconstruir las piezas del rompecabezas.

Por un momento, ella sólo atinó a mirarlo. Y luego se echó a reír.

—Esto es una verdadera locura, ¿sabes? Porque yo te creo, pero todo es demasiado extraño para ponerlo en palabras.

—No puedo mentirte, Corinne. Gracias a nuestro intercambio de sangre, ahora puedes mirar en mis recuerdos y en mi mente, y confirmar que te cuento la verdad. Eres mi compañera eterna. No intentaría engañarte bajo ningún concepto.

—¿Y una compañera eterna significa…? —dijo ella, con voz suave, esforzándose en comprender.

—Para un macho carpatiano, sólo existe una oportunidad en toda una vida. Perdemos nuestros sentimientos a edad temprana. Tenemos los recuerdos de las emociones que nos sustentan, podemos penetrar en las mentes de otros y compartir sus sentimientos, pero después de siglos de soledad y tristeza, cuesta mantener la ilusión de que la vida tiene un significado. El susurro del poder nos llama permanentemente, como una mancha oscura que se extiende sobre nuestras almas. Hay quienes se rinden y buscan el descanso eterno. Otros eligen la oscuridad y se convierten en objeto de leyenda. Son los vampiros.

—Si todo esto es verdad, ¿cómo puedo ser tu otra mitad si no soy carpatiana? —Corinne no estaba segura de que quisiera saber la respuesta. Ella creía ser su otra mitad. Tenía la impresión de que su lugar era estar a su lado, y cada momento que pasaba en su compañía no hacía más que reafirmar aquel sentimiento. Nada sabía acerca de él, pero se sentía como si lo supiera todo. Sin embargo, si creía lo que Dayan le contaba, también tendría que creer en los legendarios vampiros.

—Posees habilidades psíquicas. Las mujeres humanas con esas capacidades a menudo son capaces de establecer vínculos con nosotros. O al menos eso me han dicho. Syndil y Barack son compañeros. El compañero de Desari, Julian, es carpatiano. Pero Darius ha encontrado a una mujer humana. Se llama Tempest, y llegó hasta nosotros respondiendo a un anuncio que puso Desari para contratar a un mecánico que viajara con el grupo. Desari incluyó en el anuncio una orden oculta con la esperanza de que atraería a la persona adecuada, y Tempest fue la que respondió.

—¿Y sigue siendo humana?

Dayan le mordisqueó la punta de los dedos, que metió en su boca cálida; los mordisqueó suave y tiernamente.

—Tempest eligió salvarle la vida a Darius y, al hacerlo, pasó enseguida a formar parte de nuestro mundo. Fue decisión suya, Corinne. Darius no quería que ninguno de nosotros le mencionara a Tempest esa posibilidad, porque no quería correr riesgos con su vida.

—¿Riesgos? —repitió ella, como un eco. De pronto estaba muy cansada y deseaba la compañía reconfortante y familiar de Lisa.

O de John.

Dayan hizo una mueca. Sabía que era natural para ella, así como era natural en él pensar en Desari o en Syndil. Había vivido varias vidas con ellas y las quería profundamente. Sin embargo, le molestaba que Corinne deseara la compañía de otro hombre, los brazos de otro hombre. Él sabía que amaría al bebé, que ya tenía un fuerte vínculo con ella. Y si conseguía salvarle la vida a Corinne, sería su sangre la que corriera por las venas de la niña.

A Dayan le dio un vuelco el corazón al pensar en la hija que Corinne llevaba dentro. Le cogió la cara con manos tiernas.

—Ha habido errores… de mujeres humanas que no eran las verdaderas compañeras, y que acababan alienadas de la realidad. Darius no quería exponer a esa tragedia a su compañera eterna.

—¿Y qué hay de ti? Me has dicho que me has dado tu sangre. ¿Tú estás dispuesto a correr riesgos con mi vida?

Dayan se inclinó para besar sus suaves labios porque necesitaba hacerlo. Era incapaz de ver ni sentir su aflicción, o de intuir su temor creciente, sin que sintiera la necesidad de tranquilizarla de alguna manera. En cuanto Corinne acercó la boca a sus labios, como una pluma, sólo un roce, todo él se tensó, caliente, y su sangre se convirtió en lava fundida. Corinne podía tener ese efecto en él, con una mirada, un toque, con el sabor de su boca perfecta. Él deslizó los dedos hacia atrás y le cogió el pelo, inmovilizándola.

Corinne respondió enseguida devolviéndole el beso sin vacilar, y entre los dos generaron un arco eléctrico más potente que nunca. Corinne sintió que se derretía y se acoplaba a Dayan con una aceptación total. Él la hacía sentirse inmediatamente amparada y protegida.

—Jamás pondría tu vida en peligro, Corinne —susurró con voz enfática junto a la comisura de sus labios—. ¿Cómo puedes pensar eso? Tú eres mi vida. Mi cordura. Mi música. Sin ti nada existe para mí. He conocido el vacío de esa existencia y no volveré a vivirlo. Creo que mi sangre puede salvarte la vida. Es lo que ha permitido a Gregori sanarte como lo ha hecho.

—Pero la mejoría no durará —adivinó ella, con voz suave, y se acurrucó más cerca de sus brazos. Estaba muy cansada y sabía que tenía que volver a dormir, pero deseaba estar lo más cerca posible de él.

—No, querida, no por mucho tiempo. Esperamos que sea suficiente para darle al bebé una oportunidad. Ésa es la complicación más grande —dijo, eligiendo cuidadosamente sus palabras.

—Si mi corazón no aguanta, ¿cómo es que estás tan seguro de que puedes salvarme la vida? —preguntó Corinne, con un murmullo de voz, sin que realmente le importara la respuesta. Si Dayan podía salvar la vida de su hija, le estaría más que agradecida. Aquello merecería que todo valiera la pena, hasta los momentos más duros de su vida.

—Mi sangre transformaría tus órganos internos, y te convertiría en una de nosotros. Ésa es mi intención, Corinne. Sé que eres mi verdadera compañera, y sé que dará resultado. No tengo ningún tipo de dudas.

Ella levantó la cabeza apoyándose en su pecho para separarse lo suficiente y mirarlo a los ojos.

—¿Convertirme en una de vosotros?

El corazón le había dado un ligero vuelco, pero luego siguió latiendo regularmente. Corinne sólo atinaba a mirarlo, como si estuviera observando la escena desde la distancia. Dayan le cogió la mano, necesitado de ese contacto con ella, temiendo de pronto que su mente en blanco insinuara que rechazaba sus intenciones.

—Es la única manera, Corinne, lo único que podrá salvarte la vida. Si tú vives, yo viviré. No tenemos alternativa. Gregori ha dicho que tu corazón está en muy mal estado y que él sólo puede hacerlo latir el tiempo suficiente para que nazca el bebé.

Corinne le cogió la cara con las dos manos y lo miró con sus grandes ojos verdes.

—Quizá debieras haber pensado en preguntarme qué quería yo. Creo que tengo el derecho de ser dueña de mi propia vida, y una decisión tan importante como ésta tendría que tomarla yo, y nadie más.

—No te mentiré, Corinne —dijo Dayan, asintiendo con un gesto de la cabeza—. Pensé en hablarlo contigo y lo descarté. Ahora mismo estás muy débil. Tu corazón se ha esforzado al máximo. Tendría que explicártelo todo…

—Como estás haciendo ahora —señaló ella, con voz solemne.

—Intento explicártelo —concedió él—, pero sigo de cerca el estado de tu corazón para asegurarme de que la información no te provoca demasiada angustia. Esto de enterarse de la existencia de otra especie no sucede todos los días.

—¿Y eso es lo que eres?

Dayan asintió lentamente con la cabeza, sus ojos negros fijos en ella, su mente firmemente anclada en la de ella para saber de todo lo que pasaba por su cerebro.

—Sí, somos antiguos como el tiempo y nuestras vidas son largas. Nuestra sangre es diferente y poseemos diversos dones. Podemos correr con los animales, volar con las aves, convertirnos en niebla, si fuera necesario. Sin embargo, hay un precio por estos dones. Tú heredarías esas habilidades, pero pagarías el mismo precio que nosotros.

—Lo cual quiere decir…

—El sol es dañino para nosotros. Nuestros cuerpos nos pesan como el plomo, la luz del día nos paraliza. Aquellos de nosotros que han decidido no perder su alma podemos movernos al alba y al atardecer, mientras las criaturas inertes están atrapadas bajo tierra, pero somos vulnerables durante la tarde. Hay algunos que nos persiguen para darnos caza.

Corinne seguía tendida con la cabeza apoyada en la almohada, pálida y pequeña. Con su amago de sonrisa angelical, era capaz de quitarle el aliento a Dayan.

—No te angusties tanto, Dayan —aconsejó, con voz serena—. Me cuesta más creer lo que me dices que aceptarlo como una opción para mí misma. Nunca he podido correr como los demás niños. Ahora, estoy postrada en esta cama, y tan débil que ni siquiera puedo hacerme cargo de mi bebé sin ayuda. Tú eres el que mantiene latiendo mi corazón. —Sus largas pestañas se cerraron como dos abanicos, dos gruesos crecientes contra su pálida tez—. Estoy tan atada a esta cama como tú dices estar atado a la tierra. La idea de correr con los animales y volar con los pájaros me parece atractiva. Y, por otro lado, a mí ya me persiguen para darme caza. Recuerda que alguien mató a John y luego intentó matarme a mí. A pesar de que la amenaza da miedo, no puedo fingir que no ha ocurrido.

El alivio que embargó a Dayan lo debilitó. Corinne rió por lo bajo sin abrir los ojos.

—No estés demasiado seguro de ti mismo, Dayan. Todavía no he decidido si tú estás loco de atar, en cuyo caso debería salir corriendo por la casa pidiendo socorro. Estoy demasiado cansada para decidirlo en este momento, así que se podría decir que estás relativamente a salvo.

—Al menos me darás una oportunidad, Corinne; no puedo pedir más que eso. Y si fuera necesario, borraría para siempre tus recuerdos.

—Dejémoslo así, Dayan. Quiero conocerte antes de que tome la decisión de consagrar mi vida a la tuya. A John lo conocí cuando tenía once años. Creí que lo conocía bien, pero la verdad es que no.

Él le acarició el pelo sedoso, un gesto tranquilizador con que quiso aliviar su tensión.

—Tú lo conocías a él, pero él no te conocía a ti.

Ella sintió que asomaban las lágrimas de la nada. John. Jamás debería haberse casado con él, jamás le debería haber prometido lo que, sabía, era incapaz de darle. Había amado a John, pero no como debería haberlo amado. No de la manera que él se merecía.

—No llores, pequeña, o me destrozarás el corazón —susurró él, y se inclinó para enjugarle las lágrimas con sus besos. Se acomodó la guitarra sobre las rodillas y abrazó el familiar instrumento. Sus dedos empezaron a moverse, volando sobre las cuerdas, como bajo los efectos de un embrujo. Su ofrenda. El consuelo que le brindaba, y que brotaba de lo más profundo de su alma.

Dayan tocó suavemente, y su voz la embargó de amor y alegría, de sueños de una vida en común, fantasías de los dos corriendo por la selva como felinos salvajes, surcando los cielos como las águilas, libres y contentos. Fantasías de sábanas de seda, de noches a la luz de las velas, de niños jugando una noche de luna llena, cantando su música. Fantasías de la vida. La vida era lo que Dayan le ofrecía.

Capítulo 13

Lisa levantó la cabeza y miró detenidamente la habitación a su alrededor. El corazón le martillaba con fuerza y tenía la boca seca. No tenía ni idea de dónde estaba ni de cómo había llegado ahí. Su último pensamiento coherente había sido ir a buscar algo de beber a la cafetería del hospital. Era evidente que ahora ya no se encontraba en un hospital.

Cullen estaba tendido en una cama enorme de caoba, y el color de su tez era mucho menos gris. Si algo había que destacar, Lisa habría dicho que estaba más guapo que antes. Le tocó la cara suavemente con la punta de los dedos, una emoción sin nombre que surgía, rápida y de la nada. Apenas lo conocía y, sin embargo, ya era muy importante para ella. Aquello la asustaba, como la asustaba todo. La vida misma la asustaba. Lisa sabía que la verdadera estabilidad no existía. Las personas que uno amaba, las personas que uno creía conocer, se podían convertir en monstruos delante de nuestros propios ojos y tramar nuestra destrucción.

Ella no tenía derecho a inmiscuirse en la vida de aquel hombre. Era demasiado bueno, una roca bien firme, alguien que intentaba protegerla de asesinos armados. Ahora lo habían herido y nunca volvería a recuperarse. Corinne se había fortalecido y aceptaba la vida, había aprendido a encontrar belleza y bondad en el mundo, pero ella pensaba en términos de sombras. Siempre tenía mucho miedo. Por mucho que intentara superar sus defectos, sabía que nunca sería capaz de enfrentarse al mundo sola. ¿Dónde estaba Corinne? ¿Dónde estaba su hermano? No podía seguir sola.

—Sin embargo, no estás sola.

Lisa se giró con el pánico pintado en la mirada. La habitación estaba vacía. Sólo estaba ella. Y no había hablado en voz alta. Sólo estaba… Lisa se volvió hacia la cama. Ahí estaba Cullen, con los ojos cerrados, pero deslizaba la mano sobre el edredón buscando sus dedos. Ella los entrelazó enseguida.

—Gracias a Dios, Cullen. He estado tan preocupada.

En la boca de Cullen asomó un amago de sonrisa.

—Debería estar arrepentido por haberte causado tantas preocupaciones —dijo, con voz suave, pero firme—, pero la verdad es que me alegro de que me aprecies lo bastante como para ocuparte de mí.

—Gracias que te has despertado —dijo ella, con voz firme—. No sé dónde está Corinne, y no estamos en el hospital. Tus amigos vinieron y te sacaron. Dijeron que esos tipos intentarían matarte si nos quedábamos ahí. Creí que nos llevarían donde están Dayan y Corinne, pero… —Murmuró y miró a su alrededor con expresión de impotencia—. No lo sé. Puede que estén aquí. Yo misma acabo de despertarme. Ni siquiera sé cómo hemos llegado aquí.

Cullen parpadeó al intentar abrir los ojos para mirarla a la cara. Lisa sonaba desesperanzada y perdida, y Cullen deseaba tenerla junto a él.

—Vinieron Barack y Syndil, del grupo, ¿lo recuerdas? Yo hablé con ellos. Creo haber oído a Darius también.

Ella le cogió la mano y se la llevó al mentón, la apretó contra su cara.

—No conozco a ningún Darius. No recuerdo haber oído ese nombre antes.

—Darius es el hermano de la principal cantante del grupo. Se encarga de las cuestiones de seguridad. Cuando está Darius, no tienes que preocuparte demasiado por nada. Si él ha dado la orden de llevarnos a Corinne y a mí a un lugar más seguro, ellos simplemente le habrán obedecido.

—Yo sólo he visto a Barack y a Syndil. Son muy agradables, sobre todo Syndil —dijo Lisa—. He tenido mucho miedo. Los médicos dijeron que quizá no pasarías la noche, y que Corinne y el bebé también iban a morir. Y luego Corinne desapareció sin dejar rastro.

—Lisa procuraba que el lamento no asomara en su voz pero éste se colaba de todos modos, y ella lo detestaba.

Cullen consiguió abrir los ojos para mirarla. Inhaló con fuerza, aspirando aquella fragancia de melocotón que Lisa siempre llevaba en la piel. Le parecía tan bella que le dolía mirarla. Ella se esforzaba en ser fuerte, en ser algo que no era, y se criticaba porque, en su opinión, no estaba a la altura de las circunstancias.

—Todo irá bien, Lisa, te prometo que no moriré. Barack me ha dado su sangre.

Ella parpadeó, y en su rostro asomó una expresión neutra, incapaz de comprender lo que Cullen le decía.

—¿Quieres decir que necesitabas una transfusión y él la ha llevado a cabo? Oí que Syndil decía que necesitabas sangre, pero es un recuerdo vago. —Lisa se dio cuenta de que sus recuerdos de los dos miembros del grupo eran borrosos. No podía formarse una impresión definida de ninguno, a pesar de que acababa de estar con ellos. Se frotó la frente. Las sienes empezaban a martillarle.

Cullen le tiró de la mano para atraer su atención.

—Nada de eso importa, cariño. Deja que los demás se ocupen de todo —dijo, y le sonrió—. Me alegro de que ahora estés aquí conmigo. Sé que preferirías estar con Corinne, pero yo te necesito aquí. Dayan es un buen hombre, jamás permitirá que le ocurra nada malo.

—¿Dónde estaba él? ¿Por qué estabas tú con Corinne y no Dayan? —Lisa intentó disimular el tono acusatorio de la pregunta. Había una parte de ella que detestaba horriblemente a Dayan, excepto cuando estaba en su presencia. Entonces, no sabía por qué, era como si todas sus opiniones sobre él cambiaran. Nada de eso tenía sentido para ella. Lisa se pasó una mano por el pelo, desconcertada—. Estoy muy confundida a propósito de Dayan.

A Cullen le pareció más bella que nunca.

—Dayan es bueno con Corinne. Lo conozco, Lisa. Si valoras mi juicio, confía al menos esta vez en este asunto. Yo lo conozco, sé cómo es. Dayan nunca traicionaría a un amigo, y es lo más parecido que tengo a una familia. El grupo me acogió cuando no tenía a nadie. Todos mis seres queridos habían muerto, y no tenía futuro. Ellos no tuvieron reparos, a pesar de que yo había colaborado activamente en su persecución y me permitieron que viajara con ellos para protegerme. No sólo me ofrecieron su protección y su amistad, sino también me acogieron en su familia y me hicieron sentirme parte de ella. Muy pocas personas habrían sido tan amables con un absoluto desconocido.

Lisa estaba sentada, y se sentía extrañamente feliz en compañía de Cullen. Cuando estaba con él, estaba en paz. Alguien llamó a la puerta suavemente y Lisa se giró deprisa cuando Syndil abrió y les sonrió.

—Bien. Estáis despiertos. ¿Nuestro paciente se porta bien y está tranquilo en la cama?

Lisa sonrió, y se dio cuenta de que no podía evitarlo. Syndil era una mujer tranquila y agradable, y ella no se la imaginaba como otra cosa que una persona sincera y dulce.

—Se está portando razonablemente bien —dijo, y le apartó a Cullen el pelo de los ojos—. Creo que tiene mejor color y que su voz es más firme. —Se volvió hacia él—. ¿Te duele algo?

Lisa parecía muy ansiosa, y Cullen le sonrió y le apretó la mano.

—Es sorprendente, pero me siento bastante bien. Sin embargo, no me gustaría repetir la experiencia. Tengo que decir que ha sido aterradora.

Lisa y Syndil cruzaron una mirada de complicidad femenina.

—Estuviste inconsciente la mayor parte del tiempo, Cullen —señaló Lisa—. Nosotras sí que estábamos aterradas por ti.

—Le enseñaré la casa a Lisa —le dijo Syndil a Cullen, con su voz serena—, mientras Barack te echa una mirada. Quiere explicarte unas cuantas cosas —añadió, y cogió firmemente a Lisa por el brazo—. Ven conmigo. Te mostraré la casa y así podrás encontrarlo todo. Si necesitas algo, por favor dímelo enseguida. —Mientras cruzaba la puerta con Lisa, se inclinó y le susurró en tono de complicidad—. Es evidente que Cullen prefiere tu compañía a la de cualquier otra persona.

Lisa le sonrió a Syndil, y ni siquiera sintió la corriente de aire frío que la rozó cuando Barack pasó a su lado, invisible, para ir a ver a Cullen. Antes de materializarse ante él, Barack esperó a que se cerrara la puerta y escuchara a Syndil hablándole a Lisa acerca de la comida en la cocina.

Cullen lo miró con sus ojos pacientes.

—Sabía que estabas ahí. Me has dado tu sangre, ¿no?

Barack se encogió de hombros, como si el inmenso regalo de la vida fuera para él un asunto sin importancia.

—Ya sabes lo que sienten las mujeres por ti. No me quedaba otra cosa que salvarte ese pobre pellejo tuyo, o me habrían estado regañando durante siglos.

—¿Y Darius? —preguntó Cullen, con voz suave.

Barack lo miró sonriendo.

—No me gustaría estar en tu pellejo cuando venga a visitarte. No es tanto por lo que te dirá, sino por la mirada que te lanzará por casi haberte dejado matar, una mirada que te hará desear que tu enemigo no hubiera errado. No está nada contento de que te hayas puesto en esta situación. Y luego, claro está, queda Dayan.

—No quiero pensar en Dayan en este momento —gimió Cullen—. ¿Cómo está Corinne?

Barack dejó escapar un suspiro.

—No le queda mucho tiempo de vida a menos que Dayan le dé su sangre y la integre en nuestro mundo. Sin embargo, el bebé nos traerá complicaciones. Dicen que es como Corinne, que tiene ciertas habilidades, y tampoco queremos perderla a ella. Lo están intentando —dijo, mirando hacia la puerta—. Tenemos mucho de que hablar y muy poco tiempo para hacerlo. Lisa tiene muchas ganas de volver a hacerte compañía.

—Eres demasiado duro con ella, Barack —aventuró Cullen.

—Lo mismo me ha dicho Syndil —respondió él—. Sabrás que ahora eres diferente. Estarás conectado conmigo para siempre. Puedes comunicarte conmigo cuando quieras porque entre nuestras mentes siempre habrá una vía abierta, y el vínculo de sangre que existe entre nosotros durará toda tu vida. Tú sabes lo que somos, pero sólo en parte. La mayoría de las veces volvemos borrosos tus recuerdos para que no corras peligro. Pero ahora será diferente. Siempre serás una amenaza para los de nuestra especie. Si llegaran a tomarte muestras de sangre, nos pondrías a todos en peligro.

Cullen asintió con un gesto de la cabeza, y mantuvo la mirada fija en Barack. Ya se lo había imaginado, lo supo en cuanto se despertó. Su oído era mucho más agudo. Era de noche y, sin embargo, él lo veía todo con claridad. Se sentía diferente, más fuerte y saludable, a pesar de las horribles heridas. También se daba cuenta de que sanaba a una velocidad extraordinaria.

Cullen llevaba un tiempo viajando con el grupo. Había aprendido a aceptar el hecho de que a veces sabía quiénes eran y otras veces sus recuerdos se volvían borrosos, sin conseguir dibujar una imagen mental de su aspecto. En cierto sentido, sabía que era necesario proteger al grupo de cualquier humano que buscara información sobre ellos. Y era necesario protegerse de cualquier vampiro que pudiese detectar esa información en su mente. Puesto que viajaba con el grupo, era probable que, en algún momento, se encontrara a una de aquellas criaturas. Sabía que todo había cambiado para él desde el momento en que Barack le había dado su sangre.

—Ahora estás bajo la protección de la familia —dijo Barack, con voz queda—, y Darius quiere que sepas que siempre lo estarás. Pero no podemos deshacer lo que ya está hecho. Hay que tomar ciertas decisiones. Nosotros hemos optado por salvarte la vida, y te hemos dado nuestra sangre debido al lugar que ocupas en la familia. Sin embargo, sólo tú puedes tomar las decisiones restantes por voluntad propia. Nosotros las respetaremos, sean las que sean.

Cullen asintió. Entendía más de lo que Barack se imaginaba. Cuando sus recuerdos del grupo se volvieron más nítidos, Cullen recordó hasta los pequeños detalles y supo que había aprendido muchas cosas acerca de su especie. Le ofrecían una opción, y él les agradecía que se lo hubieran consultado.

—No es una decisión que se tome a la ligera, Cullen —le aconsejó Barack—. Debes saber que siempre podré leer tu pensamiento, ya sea si optas por saberlo todo o si prefieres que borremos tus recuerdos. Sabré si alguna vez nos has vendido a alguien, incluyendo a tu futura esposa. Lo veo claramente en tu pensamiento. Deseas que Lisa sea tu compañera eterna, pero ella nunca aceptará a los de nuestra especie tal como somos. Siempre deberá vernos como seres humanos. No podría aceptar las diferencias en Corinne y sería incapaz de vivir sabiendo lo que ocurre. Si nos eliges como familia, nunca podrás revelarle a ella quiénes somos. Tú valoras el honor y la integridad. Quieres ser el compañero de tu esposa en todo sentido. Lisa siempre estará en nuestras vidas porque ama a Corinne y Corinne la ama a ella. Para Corinne, Lisa es parte de su familia, como tú lo eres de la nuestra. Sin embargo, tendrás que guardarte de darle esta información a Lisa. Tenemos nuestras compañeras. Entendemos el vínculo que existe entre los machos y las hembras. Si tomas la decisión de borrar tus recuerdos sobre nosotros, te entenderemos. Recuerda, siempre albergaremos el mismo sentimiento hacia ti, y seguirás estando bajo nuestra protección. Todo depende de ti.

Cullen sonrió, enseñando una hilera de blancos dientes.

—Sois mi familia.

—Y Lisa también lo será.

—Exactamente. Igual que Corinne. Lisa la ama como a una hermana. Mi mujer estará conectada contigo para el resto de su vida. Si decido olvidar, no podré brindarle protección ni ayudar a protegerla de las cosas que no puede aceptar. Conozco a Lisa. Necesita un entorno donde se sienta protegida, y también necesita a alguien que esté dispuesto a defenderla de las cosas que le cuesta aceptar. Yo quiero ser esa persona. No tú, ni Darius. Yo. Nunca pensé que podría volver a sentirme vivo. Tú sabes lo que es la fuerza, Barack, pero no puedes imaginarte lo que significa para alguien luchar como ha luchado ella para vivir en un mundo de personas capaces de cometer monstruosidades que ella no puede entender. Tú posees un mecanismo que te impulsa a matar si tienes que hacerlo. Ella es incapaz de gritarle a nadie. Cuando la gente alza la voz para hablarse, le hace daño. Tú eso lo ves como una debilidad. Pero cuando yo la miro, veo en ella a alguien demasiado bueno para vivir en un mundo como éste. Deseo protegerla. Quiero que tenga la posibilidad de amarme.

—Nosotros amaremos y aceptaremos a aquella que tú elijas para compartir tu vida. Perdóname, Cullen, intentaré corregir mis defectos. Syndil me ha señalado la misma actitud, y procuraré no tenerla más si puedo evitarlo. Aprenderé a conocer a Lisa y siempre la protegeré. Puedes contar con ello.

—Gracias —dijo Cullen, con voz queda—. Yo conservaré mis recuerdos y trabajaré para proteger a mi familia, como lo hacéis tú, Dayan, Julian y Darius. No quiero olvidar nada, ni lo bueno ni lo malo. Sois lo único que tengo.

—Entonces, que así sea. —Barack le estrechó con fuerza la mano a Cullen y luego dio un paso atrás—. He transmitido tu respuesta a Darius y a los demás. Si te fuera necesario, sólo tienes que encontrar esa vía mental y comunicarte conmigo —dijo, y le sonrió—. Desde luego, puedes hacer lo mismo con Darius.

Cullen se lo quedó mirando un rato, pensando en lo que le decía. Debería haber sabido que Darius había tomado su sangre para abrir una vía de comunicación mental. Darius *siempre* protegía a su familia, era parte de su naturaleza.

—Vete —dijo—. Prefiero tener a Lisa ante mis ojos. Pero dile a Dayan que rezaremos por Corinne y por el bebé.

Corinne tuvo un sueño agitado, con imágenes extrañas que deambulaban por su mente. Había momentos en que se despertaba y veía a los curanderos en la habitación con ella, pero la mayoría de las veces, sólo estaba Dayan. En ocasiones, éste se tendía a su lado, o permanecía sentado en silencio sosteniéndole la mano y mirando su cara con expresión de arrobo. En otras, ella se despertaba con el sonido de su música, una armonía sedante de voz y guitarra. Corinne intentaba vencer el terrible letargo que parecía haberse adueñado de su cuerpo, pero le costaba demasiado y, una y otra vez, cerraba los ojos, aunque conservaba en la mente y el corazón la imagen de Dayan. Curiosamente, ya no tenía miedo, ni por lo que pudiera ocurrirle a ella ni al bebé.

No tenía ni idea de cuánto tiempo había pasado antes de que finalmente consiguiera despertarse de verdad. Permaneció un rato en silencio, como haciendo una revisión general de su estado. Oía latir su corazón, y también el de su hija. Se llevó las manos a la barriga con gesto protector y le murmuró suaves palabras al bebé, preguntándose si éste podía oírle. Mientras le hablaba a su hija, paseaba la mirada por la habitación. Estaba llena de verdaderos tesoros, desde la decoración de las paredes hasta el artesonado de los altos techos. Era una habitación muy grande, de elegantes colores pasteles. El artesonado se asemejaba a un jeroglífico bello y curioso. Algunos símbolos le transmitían paz, mientras que otros le hacían retumbar el corazón si los miraba demasiado rato.

Deslizó la mano por el grueso edredón de la cama. También era arte, una bella mezcla de colores con símbolos entretejidos. Cada carácter era amplio y claro, y la tela era suave al tacto. Corinne se dio cuenta de que no paraba de buscar con los dedos los distintos símbolos, siguiendo su relieve una y otra vez.

Percibía a Dayan a su lado, tendido en silencio, envolviéndola entera con todo su cuerpo. Corinne se giró y descubrió que él la contemplaba, con sus tiernos ojos negros. Había en ellos tanta ternura y emoción que le robó el aliento. Sonrió, y sus labios se curvaron cuando alzó una mano para tocarle la cara con la punta de los dedos.

—Hola —dijo, con voz suave—, ¿hace rato que esperas?

—Varias noches —dijo él, y hablaba en serio. Se giró para apoyarse en un codo y verle mejor la cara.

—¿Qué haces? —preguntó ella, como avergonzada por esa mirada tan penetrante. Dayan la miraba sin pestañear.

—Memorizo tu cara —contestó él, sinceramente, mientras su mirada recorría hasta el último centímetro de los rasgos de su clásica belleza—. Quiero cerrar los ojos y ser capaz de seguir viéndote. Solía esperar con ansias la llegada del día como alivio contra el murmullo siempre presente de la oscuridad y, sin embargo, ahora aborrezco esas mismas horas porque no puedo estar contigo. Quiero hablar contigo, o estar en silencio a tu lado, mirarte, buscarte y tocarte, saber que eres real y no un producto de mi imaginación. —Dayan le siguió con el pulgar la línea de la boca, las cejas, y se demoró en la comisura de sus labios—. Ya ni siquiera deseo dormir porque no puedo llevarte conmigo.

—¿Tienes que dormir apartado de mí? —le preguntó ella, acariciándole el brazo, deseosa de tocarlo a él tanto como él a ella.

Él se inclinó para estampar un ligero beso en aquella boca que lo tentaba.

—Cuando duermo, es como si estuviera muerto. Mi corazón y mis pulmones dejan de funcionar y dejo de respirar. Nuestra especie no tiene que buscar las entrañas de la tierra para dormir, y muchos de los nuestros no lo hacen, pero duermen en lugares bajo tierra donde están relativamente a salvo de los cazadores humanos y de los accidentes. La mayoría de nosotros buscamos el sueño rejuvenecedor de la tierra porque es más seguro y más natural. Yo preferiría estar siempre a tu lado, pero sería desconcertante para ti despertarte y encontrarme como si estuviera muerto.

—No si supiera lo que me iba a encontrar. ¿Por qué estás tan afligido, Dayan? —inquirió, hundiendo los dedos en su cabellera negra—. Estoy empezando a saber lo que piensas y lo estás pasando mal. Si te ocurre algo, ¿por qué no me lo cuentas?

—Tu estado de salud es tal como los curanderos habían predicho —contestó él, vagamente, y apartó su oscura mirada de ella.

Ella le enroscó los dedos en torno a la muñeca.

—¿Qué ocurre?

Él se encogió de hombros, como si no le prestara importancia.

—Existe un ritual para unirse con la compañera. Es un ritual necesario para crear nuestro vínculo. Hasta que no me haya unido a ti formalmente, sigo siendo un peligro para los demás. No hay nada que se pueda hacer, Corinne, hasta que te encuentres mejor de salud. Para mí es incómodo. —La bestia luchaba interiormente por la supremacía. Dayan sentía que se fortalecía cada noche que pasaba. Necesitaba a Corinne más que nunca para anclarlo. Necesitaba el alma de Corinne para atar la suya, su corazón para completarlo, su cuerpo como refugio seguro.

—¿Qué ritual? —preguntó ella, curiosa—. Y no te encojas de hombro ni te desentiendas de mis preguntas. Si somos compañeros, tienes que confiar en mí como quieres que yo confíe en ti.

—Te estás volviendo dura conmigo, Corinne. ¿Acaso estoy perdiendo mi encanto? —preguntó, intentando bromear y tomarse la situación a la ligera.

—No creo que eso pueda suceder —le aseguró ella con una sonrisa por respuesta—. Pero quiero que sepamos que estamos en esto juntos. Para mí es importante, Dayan. No quiero cometer un error y correr el riesgo de hacerte daño. Todo esto ha sucedido muy rápido, y yo soy una persona que necesita pensarse bien las cosas antes de tomar una decisión. Y tú me estás pidiendo que acepte muchas cosas por una pura cuestión de confianza.

—Puede que vengamos de mundos diferentes, Corinne, pero sabes que nuestro destino es estar juntos.

—Puede que sí —dijo ella, sin comprometerse—. Entonces, cuéntame lo del ritual.

Él le rodeó la cintura con el brazo y se inclinó para volver a besarla. Esta vez se demoró en aquel sencillo placer, disfrutando del momento.

—Cuando un macho cárpata reconoce a su compañera eterna, recita unas palabras rituales para unirla a él. Son palabras que conoce desde antes de su nacimiento. Se parece mucho al vínculo de un matrimonio humano, sólo que es más duradero. Una vez dichas, las palabras los unen a los dos en corazón, alma y mente. Ella no puede escapar de él. A partir de entonces, ya no pueden estar separados. Tienen que tocarse a menudo, utilizando el contacto mental, o se convierten en… —Vaciló, buscando la palabra adecuada—. No lo sé. Necesitan estar juntos o pueden sentirse muy incómodos.

—¿Él sólo tiene que decir unas cuantas palabras y ella ya le pertenece? —Corinne lo empujó apoyándose en su pecho, y le lanzó una mirada furibunda—. A mí eso no me parece demasiado justo.

—Escucha, Corinne,… —dijo Dayan, con su voz aterciopelada y sensual—. Yo no fui el que creó el ritual. Existe desde hace miles de años. No puedo hacer otra cosa que lo que me pide mi corazón y mi alma.

—¿A mí ya me has dicho esas palabras?

Él sacudió la cabeza y el pelo color azabache le veló la cara.

—No puedo hacerlo mientras estés enferma. No sé si tu corazón sería capaz de soportar que te separaras de mí durante las horas en que debo dormir.

—¿Y es difícil para ti porque no nos has unido? —Corinne se mordió el labio con sus pequeños dientes blancos, mientras procuraba entender lo que decía Dayan. Palabras como *crepúsculo* y *rituales* pertenecían al mundo de otra persona, no al suyo. Ella era una mujer muy práctica. Cuando Dayan empezó a reirse, ella frunció el ceño, intentando parecer severa—. Has vuelto a leerme el pensamiento, ¿no?

Dayan se encogió de hombros, y el movimiento hizo resaltar los músculos bajo su camisa impecable.

—Naturalmente. Soy tu compañero.

—¿Cómo conservas la ropa tan perfecta? ¿Y el pelo? ¿Por qué el aliento no te huele por las mañanas? —preguntó ella, y se tapó tímidamente la boca con una mano. *¿Cómo era posible que tuviera un aspecto tan sensual, tan tentador, mientras que ella estaba toda despeinada y se parecía bastante a una ballena varada?*

Dayan no pudo evitar una risotada. La imagen que Corinne tenía de sí misma estaba tan lejos de la realidad que era ridícula. Él no podía imaginarse ese cuerpo suave y curvilíneo ni remotamente como una ballena. Se tendió en la cama, con ella a su lado, real, viva, con un corazón que todavía latía, y soltó una carcajada. Era un momento perfecto en el tiempo.

Ella también se echó a reír, sobre todo porque él actuaba como un tonto, y porque su alegría era tan visible. Corinne le dio un fuerte golpe en el pecho.

—Deja de reírte de mí.

—No puedo evitarlo, querida. ¿Una ballena varada? Yo casi ni me doy cuenta de que estás embarazada. Me parece que no es una comparación afortunada —sentenció, y le puso la mano sobre la parte más hinchada de la barriga—. Y a mí me gustas así, despeinada.

—Le cogió la cara con las dos manos y se inclinó para encontrar sus labios.

Fue como si la tierra se remeciera debajo de la cama, un curioso efecto de ondulación que hizo restallar latigazos de luz por la habitación. El aire vibraba, cargado de apetitos y deseos. Dayan levantó la cabeza a regañadientes y la miró a sus grandes ojos verdes.

—Te amo como eres, Corinne. En este mismo momento, en esta cama, aunque no podamos hacer el amor, mientras en tu vientre crece una criatura. Te amo con todo tu pelo despeinado y esa mirada de ligera confusión en tu bello rostro. —Se giró para poner las manos a ambos lados de la cara de Corinne, clavándola a la cama—. Amo tu manera de mirarme como si quisieras cuidar de mí, aunque el macho sea yo.

Ella le tocó su boca perfecta con la punta de los dedos.

—Podemos cuidarnos el uno al otro —dijo, con voz serena e incitante, una tentación que Dayan no podía resistir.

Con un sentimiento de amor que llegaba al dolor, Dayan inclinó su oscura cabeza, lentamente, de modo que ella lo viera acercarse, viera sus ojos negros excitados y hambrientos, desbordantes de deseo. Corinne le rodeó el cuello con sus brazos delgados y se acercó a su boca con su propio deseo encendido. Dayan era calor y luz, una sinfonía de música que le iluminó el alma. Dayan hacía que su corazón se desbocara y encumbraba su espíritu por encima de las nubes. Nadie más existía para ella, ya fuera humano o de la especie de Dayan. Sólo existía él, con su alma de poeta y su mirada deseosa y su boca dominante. Su cuerpo masculino y fuerte y sus manos perfectas que recorrían su cuerpo con el mismo talento con que tocaba su guitarra.

Dayan fue el primero en retirarse; se separó de ella unos centímetros, respirando con fuerza.

—Tu corazón late muy fuerte.

Ella sonrió lentamente, y sus ojos bailaban.

—Es tu corazón, no el mío. —No era del todo verdad. Los dos corazones latían a un ritmo sincopado.

—Vendrán los curanderos y nos soltarán un sermón —murmuró Dayan, mirando hacia la puerta.

Ella le revolvió el pelo, disfrutando de la sensación de deslizar la mano por sus mechones sedosos.

—¿Qué harán si nos sorprenden? —preguntó, con una sonrisa medio burlona—. ¿Se escandalizarán?

—Es más probable que me obliguen a salir —dijo él, con semblante grave—. Me soltarán un sermón sobre lo irresponsable y egoísta de mi conducta. Lo cual es verdad. Debería tener siempre mucho cuidado contigo y no ceder a la tentación cada vez que me sonríes. —Dayan frunció el ceño cuando Corinne se apartó de su pecho—. ¿Qué haces?

—Levantarme. Tengo que ir al lavabo. Por lo visto, no es algo que los de tu especie hagan a menudo. —Corinne bromeaba, pero la sonrisa se le borró al ver que él seguía mirándola. Enseguida alzó una mano—. Ni te atrevas. No quiero saberlo. Sólo te pido que te apartes de mi camino y dejes a una simple mortal hacer lo suyo.

—Amor mío. —Fue un susurro de voz, suave y aterciopelada, como si las palabras vibraran y relucieran en el espacio entre los dos—. No puedo permitir que vayas por ahí. Los curanderos dijeron reposo absoluto. Tengo que insistir en que me obedezcas.

—No se referían a lo de ir al lavabo. Recuerdo que la última vez tú me llevaste en brazos, pero ahora no es necesario. —Cuando él no se movió, ella suspiró ruidosamente y decidió cambiar de táctica—. De acuerdo, puedes volver a llevarme. Pero para mí es incómodo y me temo que se está convirtiendo en una mala costumbre.

Dayan la levantó sin esfuerzo y la acunó en sus brazos.

—No veo por qué. Piensas unas cosas sumamente extrañas.

—Me gustaría penetrar en tu mente algún día y ver qué sucede ahí dentro —dijo ella, desafiante.

Él la dejó con cuidado sobre el suelo de baldosas junto al gran lavabo de mármol.

—Puedes leerme el pensamiento cuando quieras, amor mío. Mi mente siempre está comunicada con la tuya. Yo permanezco en la tuya como una sombra para poder encontrar todas esas cosas fascinantes que intentas ocultarle al mundo —dijo, y la miró con una sonrisa—. Eres demasiado poco atrevida para indagar en mi mente y descubrir cuáles son mis pensamientos ocultos.

De pie, apoyándose en el lavabo de mármol, ella lo miró un momento.

—¿Y bien? —esperó—. ¡Fuera! No creerás que te puedes quedar aquí dentro.

—No puedo dejarte sola —dijo él, suavemente.

—Lo digo en serio, Dayan. Sal de aquí ahora mismo. Nada de discusiones. ¡Fuera! —dijo, con mucha firmeza y visiblemente decidida a que le obedeciera.

Por un momento, Dayan pareció impotente, y luego se encogió de hombros y salió tranquilamente del lavabo, pensando en la verdad de aquel viejo refrán: «La discreción es la mejor parte del valor».

Respondiendo a un gesto de Corinne, la puerta a sus espaldas se cerró con un golpe sordo.

—Asegúrate de que te llevas tus pensamientos —dijo, y luego se dio cuenta de que sonreía porque podía hacer que con un gesto se cerraran las puertas, se abrieran los grifos o se moviera su cepillo de dientes, y daba la impresión de que a Dayan no le importaba lo más mínimo.

—*No sé por qué piensas que aunque me llevara mis pensamientos, éstos no permanecerían contigo.* —La voz de Dayan rozó las paredes de su mente como el aleteo de una mariposa, le inundó todo el cuerpo con sus ondas cálidas.

Por primera vez en mucho tiempo, Corinne se dio cuenta de que era verdaderamente feliz. De pie y apoyada en el lavabo, intentado arreglarse esa hirsuta melena, era la encarnación misma de la felicidad. Después de deshacer la gruesa trenza y soltarse el pelo, descubrió que su cabellera era demasiado pesada para manipularla. Estaba tan débil que era incapaz de levantar los brazos y recogérsela. Dejó escapar un leve suspiro.

—¿*Qué ocurre?* —preguntó Dayan, y se notaba la ansiedad en su voz.

Corinne no respondió articulando las palabras, de eso estaba segura. Simplemente volvió a suspirar, pero aquello fue suficiente para que él entrara a toda prisa y la cogiera en sus brazos como si fuera una pieza de fina porcelana. El pelo de Corinne se derramó por todas partes, cayendo sobre el hombro de Dayan y luego sobre la sombra de su mandíbula.

—Ya ves que no te puedes mantener mucho tiempo apartado —dijo ella, en el fondo agradecida de que Dayan hubiera entrado a la carrera para salvarla.

—Sabía que necesitabas que te rescataran —dijo él, con una especie de satisfacción típicamente masculina.

—¿Acaso he pensado en la palabra *rescate*? ¿Es ésa en la que he pensado? —preguntó, sacudiendo la cabeza y volviendo a instalarse en la cama—. Ni me imagino usando una palabra como ésa.

—Pues sí, ha sido ésa —Dayan no pensaba soltarla sin más, no ahora que sus ojos verdes se iluminaban con su risa y su hoyuelo intrigante era más visible que nunca. Dayan sentía una devoción particular por ese hoyuelo. Sabía que podía pasarse horas mirándolo sin cansarse nunca.

Le quitó el cepillo de las manos.

—Es asombroso lo que son llamados a hacer los machos de mi especie —dijo.

Corinne hizo un gesto con la mano hacia el centro de la habitación.

—Ponte ahí y haz algo. —Cuando él se quedó sentado sin obedecer, ella le dio un empellón—. Venga, haz algo.

—¿Algo? —preguntó él, como un eco, mientras iba, obediente, hacia el centro de la sala—. ¿Qué tipo de algo? —insistió, con un dejo de cautela.

—No sé qué, concretamente. Algo entretenido. ¿Qué cosas te gusta hacer? —Corinne lo miró con las largas pestañas a medio cerrar.

Dayan sonrió como un chico travieso.

—¿Cualquier cosa?

—Sí, algo muy grande.

Él frunció el ceño.

—¿Si yo te enseño algo, tú también me lo enseñarás a mí?

—Eso me suena como un reto —dijo Corinne—. Soy incapaz de resistirme a los retos.

—Entonces, tu primero. —Dayan se cruzó de brazos y la miró con sus ojos negros—. Si lo hago yo primero, es bastante probable que te desmayes de la impresión.

—¡*Desmayarme*! Yo no soy de las que se desmayan. Nada de lo que puedas hacer me dará demasiado miedo ahora que sé de qué eres capaz —respondió ella con tono altivo.

—*En el fondo, no estás del todo segura de que pueda hacerlo* —susurró él en su mente. Era una voz pecaminosamente íntima, una tentación, y enseguida convirtió a Corinne en lava fundida, de los pies a la cabeza.

Corinne lo observaba, casi hipnotizada por su embrujo de magia negra. Dayan había urdido su melodía oscura tan perfecta y completamente que ella no se había percatado de que estaba inmersa en su música, en su alma. Para disimular su reacción ante la intimidad pura de una conexión mental, Corinne se obligó a dominar sus pensamientos erráticos y se concentró. Al instante, el cepillo que sostenía Dayan se soltó de sus manos, flotó por el aire, y luego reanudó la tarea de cepillarle el pelo rebelde. Con intensa concentración, dividió el pelo en tres partes, sólo con el poder de su mente, y tejió la espesa cabellera hasta elaborar una gruesa trenza. Un gesto bastó para que del lavabo llegara volando una goma para el pelo y se enroscara en torno a su pelo para completar la proeza.

Corinne lo miró, y un dejo de aprehensión tiñó su perfecta expresión de alegría.

—¿Y? —Parecía una niña pequeña que no sabía si sentirse orgullosa o tener miedo.

Él le sonrió deliberadamente, una sonrisa burlona y masculina de pura competencia.

—Mira esto —dijo, y estiró el brazo, con los ojos fijos en su cara, con su mente del todo conectada con la de ella, por si se asustaba con el cambio que estaba a punto de experimentar. Sus brazos se recubrieron de pelos, los músculos se contorsionaron y cambiaron de forma.

Corinne observó, maravillada, mientras la morfología de Dayan mutaba lentamente hasta que en el centro de la habitación apareció un leopardo macho, enorme, que la miraba con los mismos ojos de él. Por un momento, ella sólo miró, casi inmovilizada en su lugar, pero entonces el felino se movió, y su poderosa musculatura onduló cuando se le acercó en silencio. Lo reconoció. ¡Sabía que era Dayan! Tenía la misma grácil manera de moverse, la fuerza, los mismos ojos hambrientos que la devoraban. El pulso se le aceleró, pero no era por miedo. Era asombro. Fascinación. Nunca sería miedo. No cuando se tratara de Dayan.

El leopardo acercó el hocico a ella y Corinne hundió la mano en la piel brillante, asombrada por la textura, alegrándose de estar tan cerca de aquel ejemplar que pertenecía al mundo salvaje. Rió en voz alta mientras le acariciaba la cabeza al animal con la punta de los dedos. Por un momento, frotó la cara contra el grueso cuello del leopardo, extasiada por el roce del pelaje contra su piel. Era algo exótico, un raro privilegio, poder acercarse tanto a un animal salvaje. El felino frotó el morro contra la espalda de Corinne, sin dejar de mirarla, hipnotizándola, atrapándola en sus profundidades indómitas. Dayan. Su Dayan. Lo reconocería en cualquier lugar, cualquiera que fuera la forma que asumiera.

Sin previo aviso, Corinne percibió que una sombra densa penetraba lentamente en la habitación, invadiendo el aire como un ungüento espeso y pestilente. Se quedó paralizada, perfectamente quieta. Sentía la presencia tranquilizadora de Dayan en su mente. Observó con horror que la sombra cobró forma en la pared, una sombra curvada y grotesca, una figura esquelética con largos y huesudos dedos que acababan en garras afiladas como un cuchillo. El corazón se le disparó, alarmado, y Dayan apareció repentinamente plantado delante de ella. Corinne sintió que los otros también se unían a ellos, que las mentes se conectaban, Desari con su efecto tranquilizador y sereno, y Gregori y Darius poderosos. Más que poderosos, Corinne intuía que eran letales.

Todos la protegieron, la escudaron de la sombra rastrera. Aquella cosa era totalmente maligna, una presencia sebosa y espesa que husmeaba, buscaba, *cazaba* algo. Corinne tuvo la certeza de que aquella cosa maligna la buscaba a ella. Se quedó muy quieta, con la mente firmemente anclada en la cordura y calma de los demás. Lo más asombroso es que el corazón le latía regularmente, al mismo ritmo que Dayan, y sus pulmones también respiraban al unísono.

Dayan fue el que más le asombró. Aquel poeta suyo, amable y cariñoso, dadivoso y tierno, de pronto se había transformado en algo del todo diferente. Lo primero que Corinne notó fue el contraste en su mente. Estaba tan conectada con él que reconoció enseguida el cambio. Éste se produjo rápidamente y de manera natural, y ella se dio cuenta de que aquellos rasgos eran tan parte de él como su música y sus bellas canciones. Ahora, Dayan era un ser oscuro, tan peligroso como sigiloso, un predador letal, una máquina de matar que no conocía ni la piedad ni el remordimiento. Implacable. Un ser diametralmente opuesto a su poeta. Era la bestia astuta y cruel que él mismo decía ser. No fallaría a la hora de darle caza. Y no pararía hasta destruir a su presa.

Corinne sintió a Desari más intensa que nunca, tranquila y reconfortante, susurrándole suavemente las palabras casi indistinguibles en su mente, si bien entendía que quería ayudarle a comprender qué tipo de criatura era Dayan, en realidad. Sintió una repentina alteración cuando aquella sombra intrusa se lanzó hacia ella en un intento de arrancarla del círculo. Pero estaba a salvo entre las paredes de esa crisálida que los otros habían tejido para ella. No había ninguna posibilidad de que aquella cosa horrorosa la encontrara, aunque sí tocó a los tres machos carpatianos.

Ella lo sintió. Sintió el impacto, y luego el retroceso. Aquella cosa lanzó un chillido, un ruido horripilante que retumbó en su cabeza. Corinne lo oyó a través de los carpatianos, un grito agudo de ira, odio y miedo. Sólo tardó un momento en percatarse de que la criatura detectaba únicamente a los machos. Todas aquellas mujeres se habían conectado tan profundamente con los machos que la criatura sólo podía husmearlos a ellos. Al final, aquella cosa se retiró, huyó, veloz y furtiva.

Corinne miró a Dayan pestañeando, casi incapaz de comprender la transformación que acababa de sufrir, de poeta a predador. Él le acarició la cara y el pelo, con una delicadeza increíble, y pareció demorarse un momento, todo él reluciendo, casi transparente. Ella se lo quedó mirando, con el corazón alojado en la garganta, cuando él se disolvió ante sus ojos. En su lugar quedaron unas gotas de vapor. El vapor flotó de un lado al otro de la habitación y desapareció por la puerta.

Dayan había desaparecido, sin más. De la habitación, y de su mente. Gregori y Darius también se habían ausentado de aquella conexión mental, dejando sólo a Desari, que abrió la puerta de la habitación y se deslizó como si flotara hasta ella con una sonrisa alentadora.

—Espero que no hayas tenido miedo, ¿no? —le preguntó, con su voz serenamente templada.

Capítulo 14

Todo ha sucedido demasiado rápido para entender qué estaba ocurriendo —contestó Corinne, sinceramente, sin saber cómo debía sentirse. Miró más allá de Desari hacia las otras dos mujeres detrás de ella. Éstas sonreían, tranquilas, pero se quedaron en el umbral y vacilaron, hasta que ella les hizo una seña para invitarlas a entrar.

—Creo que estamos sitiadas —dijo Desari, y le cogió la mano a Corinne para darle seguridad y, a la vez, para tomarle el pulso—. No hay por qué asustarse. Mi hermano Darius y Gregori son dos de nuestros mejores cazadores. Junto con Dayan, buscan al maligno para destruir aquello que representa una amenaza para los humanos y los inmortales por igual. —Desari hablaba con calma, como si cazar monstruos malignos fuera cosa de todos los días—. Como es natural, se ocuparán de que Dayan no sufra ningún daño. Al fin y al cabo, estamos luchando para salvarte a ti y al bebé. No perderemos a Dayan a manos de una criatura inerte.

Corinne observó la cara de la otra mujer atentamente. Sólo vio compasión, bondad, una luz que irradiaba Desari desde el fondo de su alma. Parecía tranquila, incluso ante la presencia de aquel ser maligno.

—Era horrible —reconoció Corinne, en voz baja—, aunque me ha parecido que de alguna manera Dayan me protegía de la experiencia.

—Era un vampiro —dijo calmadamente la mujer más baja y de pelo oscuro, y llenó un vaso de agua clara—. Toma, bebe esto. Por cierto, soy Savannah, la compañera de Gregori. Ya sé que suena absurdo, o como algo que no puede ser real, pero te aseguro que los vampiros existen y que buscan especialmente a mujeres que tienen habilidades psíquicas. Sobre todo las mujeres que no han sido reclamadas.

—Eres Savannah Dubrinsky, la maga. Hace unos meses vi tu espectáculo en Seattle. Estuviste maravillosa. —Corinne bebió el agua a sorbos para tener tiempo de entender la situación—. Esa cosa me buscaba a mi, ¿no?

Desari se encogió de hombros como si no le prestara importancia.

Tú lo has atraído hasta aquí, aunque no sepa quién eres. Cuando husmeó, sólo encontró a los cazadores. No representa un problema porque ellos lo destruirán.

—Si todo esto es verdad —preguntó Corinne, ¿por qué no han intentado encontrarme antes?—. Por mucho que pareciera imposible que Desari mintiera, Corinne no quería creer que su explicación fuera verdad. Tal vez hubiera sido preferible vivir ignorante de todo aquello, pensó.

La pelirroja le sonrió.

—Soy Tempest y, créeme, Corinne, sé lo confundida que debes estar con todo esto. Yo estaba en tu misma situación hace sólo unas semanas. Sólo recuerda —dijo, revelando con ello que le leía los pensamientos a Corinne—, que si no hubiera sucedido todo esto, te estarías perdiendo la gran aventura que es la vida y, no habrías conocido a Dayan. Además, con el tiempo, habrías decidido usar tu don, y esa manifestación de poder habría revelado tu existencia a las criaturas inertes. Te habrían encontrado.

—He usado mi don en otras ocasiones —afirmó Corinne.

—Puede que sí, pero en cosas pequeñas, pequeñas manifestaciones de poder que no llamarían la atención de las criaturas inertes, a menos que te encontraras muy cerca de ellas —dijo Desari—. Sin embargo, cada día que pasa te sientes más a gusto con tus habilidades. Cualquier manifestación de ese poder deja huellas. Nos encontramos unos a otros a través de esas manifestaciones, y lo mismo pueden hacer las criaturas inertes. —Desari hablaba como si no le prestara demasiada importancia, como quien hablaría del tiempo.

—Por otro lado, puede que esto no sea más que una pesadilla rara de la que todavía no consigo despertar —sugirió Corinne, con una ligera sonrisa—. Sin embargo, Dayan merece la pena. Me fascina oírlo hablar, me dice las cosas más sublimes. Tiene una voz muy bella, y un alma también bella. A su lado siempre me siento como si fuera la única mujer en el mundo.

—Para él, eres la única mujer —dijo Desari—. Y, de verdad, Corinne, ¿cómo no se iba a enamorar de ti? Piensa en tu vida, en tu manera de aceptar tus problemas físicos y mantener unida a tu familia, tu manera de aceptar lo que Dayan te ha contado. No creo que sea fácil para ti y, sin embargo, te esfuerzas en escuchar y creer y comprender todo lo que él te cuenta. ¿Quién más lo acogería de esa manera? Después de siglos de vagar solo, sin su otra mitad, por fin tiene un hogar, y eso es algo que aprecia. Tú eres su hogar. Ninguna otra. Sólo tú.

—No creo que él haya aceptado mis problemas físicos —objetó Corinne, avergonzada por las palabras de esa mujer.

—¿Porque lucha por ti? —le preguntó Tempest, y rió suavemente—. Ya verás que es una de las cosas en las que los machos de esta especie destacan excepcionalmente.

—Dayan lucha por tu vida —dijo Savannah, asintiendo con la cabeza—, y por la vida de tu hija. En realidad, también lucha por su propia vida. Sin ti, nada tiene. Dayan ha vivido en un mundo triste y vacío, y si tú no estás decidirá no continuar. Si tú pasaras a mejor vida, él te acompañaría, como es su derecho de macho carpatiano.

—Estoy muy cansada —confesó Corinne, y se llevó la mano protectora al vientre—. Intentaré ocultárselo aunque, al parecer, él siempre lo sabe.

Desari le alisó el pelo con sus finos dedos.

—Es tu compañero. Por supuesto que lo sabe. He conocido a Dayan toda mi vida. Me alegro mucho de que te haya encontrado. Nos ha dicho que eres C. J. Wentworth, la compositora de canciones. Es un placer para mí darte la bienvenida a nuestra familia.

Corinne se recostó sobre las almohadas.

—Yo me alegro de que él os tenga a todas vosotras. —Ella quería a Dayan. Quería compartir con él hasta el último momento que le quedaba de vida. Sentía que su fuerza iba menguando, lenta pero obstinadamente.

—¿Qué pasará con mi bebé? —preguntó, mirando primero a Savannah y luego a Tempest—. Sé que tienen que haberos contado la verdad.

—Tu corazón no aguantará siempre, Corinne —dijo Savannah, la primera en contestar—. Cuando llegue el próximo crepúsculo llevaremos a cabo otro ritual curativo. Nuestro objetivo ahora es darle a tu hija unas cuantas horas más, o días, el tiempo que podamos. Gregori ha dicho que tiene una fuerte voluntad, y eso es la mitad de la batalla. Como tú, tiene verdaderos poderes psíquicos y, por eso, es muy importante para nuestra raza.

—Utilizáis el término «crepúsculo» para el momento en que os levantáis —adivinó Corinne—. ¿Ellos creen que pueden salvarla?

—Estamos esperando que llegue Shea —dijo Savannah—. Jacques, su compañero, insistió en que descansara antes de llegar aquí. Shea está embarazada, y él se muestra muy protector con ella —le informó Savannah. —Mi madre nos lo ha dicho. Shea ha realizado numerosas investigaciones sobre los problemas para mantener vivos a nuestros pequeños. Es una gran esperanza para todos nosotros.

—Casi no puedo creer que haya venido de tan lejos estando embarazada —dijo Desari, algo asombrada—. Corinne, tenemos problemas para concebir a nuestros hijos. Nuestra raza raya en la extinción. Julian espera que pronto podamos darle un hijo a nuestro pueblo.

—Lo interesante —dijo Savannah—, es que Gary Jansen, uno de nuestros amigos humanos, investigador, ha llevado a cabo un estudio de los linajes de las familias en que los niños nacen con una diferencia de entre cincuenta y cien años. Sólo hay unos pocos. Sarantha, la madre de Mijail, viene de uno de esos linajes, al igual que Gregori. Gary y Shea creen que la dificultad para concebir es una forma natural de control de la natalidad. Desari, tú eres descendiente de uno de esos linajes. Por lo que sabemos, yo soy la única que también está en ese caso.

Tempest cruzó con Desari una mirada larga y cargada de intenciones.

—¿Has intentado quedarte embarazada? —preguntó Tempest—. Darius y yo acabamos de encontrarnos. Todavía no he pensado en los hijos.

—En realidad —dijo Savannah, riendo—, Gregori y yo sólo hemos estado juntos unas cuantas semanas. Me encantaría darle gemelos. Unos gemelos que lo hagan correr frenéticamente de un lado para otro y que lo obliguen a cuidar de ellos y deje de ocuparse de lo que hago yo. En cuanto acabemos aquí, volveremos a los montes Cárpatos, donde estableceremos nuestro hogar. Una vez instalados, estoy segura de que intentaremos tener un hijo. Jacques y Shea viajarán a casa con nosotros. Antes, pensamos pasar por París para visitar a Gabriel y Lucian, los hermanos mayores de Gregori. Lucian acaba de casarse, pero, desgraciadamente, Gregori y yo nos perdimos la boda debido a circunstancias imprevistas.

—¿Es peligroso viajar para Shea? —Corinne no quería pensar que otra mujer había puesto en peligro su propio hijo por ella.

—Jacques nunca permitiría que Shea hiciera nada peligroso —señaló Savannah—. Cuando se trata de ella, él se convierte en el Señor Protección.

Desari y Tempest se echaron a reír.

—¿Y Gregori no está contigo?

Corinne frunció el ceño.

—¿Dónde están Lisa y Cullen? —inquirió—. ¿Se encuentran bien? Lisa debe estar muy asustada.

A Desari se le borró la sonrisa de la cara. Guardó silencio un momento antes de contestar, porque era evidente que estaba consultando con alguien.

—Lisa y Cullen están relativamente a salvo en el lugar donde se encuentran. Barack y Syndil están con ellos. Julian, mi compañero, ha estado también allí y ha eliminado todas las amenazas inmediatas. Se encuentran bajo su protección. Julian tiene cierta reputación en materia de seguridad —dijo Desari, diciéndolo de la manera más delicada posible para no alterar el precario equilibrio de Corinne.

Ésta palideció.

—Pensé que esa gente me quería matar a mí. ¿Lisa todavía corre peligro?

—La sociedad tiene en su punto de mira a cualquiera que tenga capacidades paranormales aunque, al parecer, sus miembros no son muy duchos a la hora de distinguir esos rasgos. Dado que Lisa pertenece a tu familia, también la han incluido en su lista. Cullen ya estaba en ella desde hace algún tiempo. Después de que Dayan te trajo, intentaron matarlo de nuevo en el hospital. Desde luego, Barack y Syndil estaban presentes, de modo que Lisa y Cullen no resultaron heridos. Los hemos trasladado a un lugar mejor custodiado.

—¿Por qué no los habéis traído aquí? Lisa se asusta facilmente.

Que experiencia más horrible para ella. Tengo que ir a verla —dijo Corinne, y cogió el edredón como si fuera a echarlo a un lado.

Desari la detuvo con una delicada mano.

—No estás pensando con claridad, Corinne. Tu primer deber es para con tu hija y tu propia salud. Puede que te sientas mejor, si bien la mejoría es puramente pasajera. No puedes empezar a moverte y obligar a tu corazón a trabajar más de lo necesario. No le harías ningún bien a Lisa, ni a Cullen ni a nadie si murieras. —Se inclinó más cerca, hasta que sus ojos negros la miraron directamente—. Eso lo sabes, ¿no es cierto?

Corinne pestañeó, como queriendo deshacerse de la ilusión de que caía libremente en el espacio.

—Lo que sé es que quiero a Lisa y que debe estar muy asustada. ¿Cullen vivirá?

Desari asintió con un gesto de la cabeza. Tratándose de un ser humano, Corinne tenía una mente extraordinariamente fuerte. Dayan les había dicho que se requería una fuerza superior a lo normal para poner barreras a su mente o para persuadirla. Desari no quería presionarla de ninguna manera que fuera a alarmarla.

—Cullen sufrió heridas muy graves y la verdad es que Barack le dio de su sangre, lo cual es algo que no hacemos a la ligera. No hemos podido restablecerlo del todo. Estará el resto de su vida conectado con Barack. Queremos mucho a Cullen, y Darius no habría permitido que nos dejara si estaba en nuestro poder salvarlo. Ahora Lisa está con él y ayuda a cuidarlo. Creo que le sentará bien ocuparse de Cullen.

Corinne observaba la expresión de Desari.

—Porque pensáis que voy a morir.

Desari sacudió resueltamente la cabeza.

—Porque Dayan no tiene otra alternativa que traerte del todo a nuestro mundo, y Lisa no te podrá seguir. Continuaréis siendo buenas amigas, pero tú ya no le organizarás la vida. —Desari hablaba con voz suave, si bien se adivinaba la seriedad en sus ojos oscuros y expresivos.

Corinne apretó el edredón en sus manos, a la vez que frotaba con gesto nervioso el extraño símbolo bordado en una punta.

—Traerme del todo a vuestro mundo —repitió Corinne con voz queda.

—El mundo de Dayan —recordó gentilmente Desari—. Eso tenlo siempre presente. Tú estarás en su mundo.

—¿Y qué pasará con mi bebé? —Corinne finalmente se atrevió a hacer la pregunta en que hasta ese momento no había querido pensar. Estaba aterrada por la suerte de su bebé.

Desari le sonrió para darle ánimos.

—¿Eres lo bastante fuerte para saber la verdad, Corinne? Porque tienes que saber que cuando pides saber la verdad es porque deseas realmente saberla.

Corinne se había percatado de que frotar aquel extraño símbolo del edredón tenía un efecto relajante. Le ayudaba a evitar que su mente se cerrara, cayera presa del miedo.

—¿Mi bebé vivirá y será una niña sana?

—Estamos haciendo todo lo que está en nuestro poder para que así sea. La sangre de Dayan, que creemos te salvará la vida y te convertirá, también convertirá al bebé si la recibes mientras estás embarazada. Eso representa para nosotros unos cuantos problemas nuevos y un campo que desconocemos del todo. —La voz de Desari era inolvidablemente bella y sosegadora—. Te cuento honestamente lo que ocurre. No tenemos las respuestas que tú buscas. Esto nunca nos había sucedido antes, al menos que yo sepa. Una cosa es segura: que nunca le había ocurrido a Gregori, y él es el curandero reconocido por nuestro pueblo.

Palpando, Corinne encontró el siguiente símbolo en el edredón y siguió el perfil con los dedos.

—Intento comprender lo que me cuentas. Si Dayan no me da su sangre, seguro que moriré. Me lo dices como un hecho.

Desari asintió con gesto solemne.

—Sólo estamos aplazando lo inevitable. Dayan ya habría llevado a cabo la conversión si tú no estuvieras embarazada.

Corinne sintió que el corazón se le desbocaba y se dio un momento para tranquilizarlo.

—¿Cómo lo hace? ¿Cómo lleva a cabo la conversión?

Desari mantuvo su mirada cautiva, casi como si compartiera con ella su valentía.

—Tiene que haber tres intercambios de sangre. Cada intercambio te acercará un paso más a nuestro mundo. Y, desde luego, como ya eres la compañera de Dayan, él terminará el ritual y te hará completamente suya.

—¿Y creéis que eso me salvará la vida? —preguntó Corinne, dudosa, mirando atentamente a Desari. Dayan lo creía porque tenía que creerlo. No tenía otra alternativa, o se volvería loco. Pero Desari no tenía vínculo alguno con ella—. ¿Crees de verdad en lo que dices, Desari?

Desari dejó escapar un suspiro suave.

—Creo que si todo va bien y lo hacemos en el momento adecuado, tienes las probabilidades a tu favor. Sabes tan bien como yo que tu corazón está enfermo. Aunque la sangre de Dayan reconstituya tus órganos internos, tendrás que tener la fuerza necesaria para someterte a la conversión real. Gregori cree que podemos ayudarte a superarla, y yo he oído decir que el Oscuro es capaz de grandes milagros.

—Te aseguro que lo es, Corinne —afirmó Savannah.

Corinne sonrió con un dejo de tristeza.

—Aún así, por el bien del bebé, tengo que tener a Lisa conmigo. Si algo me ocurriera, ella es quien deberá cuidar de la niña. Será el único pariente vivo que tenga mi hija.

Desari negó con un gesto de la cabeza.

—Cuando Dayan te dé su sangre, ésta pasará al bebé a través de la placenta. Entonces tendrá la sangre de Dayan y su código genético, no el de tu ex marido. Con el tiempo, la niña será una de nosotros.

Corinne guardó silencio. Oía los ruidos de la casa, el viento en la ventana, las ramas que se mecían y bailaban. Oía su propia respiración y los latidos del bebé que crecía en su vientre.

—Ya me dio sangre en una ocasión. ¿Qué le ha hecho al bebé? —Corinne intentaba desesperadamente entender.

—Corinne —empezó a decir Desari, suavemente.

Corinne negó con un gesto de la cabeza.

—No, no quiero que me tratéis como a una niña. Decídmelo en pocas palabras. ¿Qué le ha ocurrido a mi bebé?

—Tu hija no habría sobrevivido al parto —dijo Desari—. Tu corazón a duras penas daba para ti sola, y mucho menos para las dos. Sin la sangre de Dayan, las dos habríais muerto, ésa es la verdad. Tu hija ya lleva el código genético de Dayan, pero todavía no pertenece completamente a nuestro mundo. Darius hizo un seguimiento de ella junto con Gregori durante el intercambio. Cuando fue demasiado para el feto, se detuvo la transfusión para darle tiempo a adaptarse.

—Desari hizo uso deliberadamente del término humano «transfusión» para tranquilizar a Corinne.

—Creía que no se podía convertir a un ser humano a menos que él o ella tuviera un compañero. —Corinne se sentía aturdida, atrapada, temerosa de pronto de las consecuencias de su decisión. Una cosa era tomar la decisión para ella misma, elegir el mundo de Dayan, pero otra muy distinta hacerlo en lugar de su hija. ¿Dónde estaba Dayan? Su cuerda de salvamento, su cordura—. ¿Dónde estás? —preguntó, más allá del tiempo y el espacio, buscándolo. Volvió a coger el edredón entre los dedos, un gesto curioso y, a la vez, muy relajante.

—*Estoy aquí, amor mío, siempre contigo, como una sombra en tu mente. Voy en busca del maligno para hacer del mundo un lugar seguro, pero nunca estoy lejos de ti ni de nuestra hija. Volveré sano y salvo a tu lado en cuanto hayamos llevado a cabo lo que es necesario. Nos enfrentaremos juntos a aquello que te asuste, como tiene que ser. Unir nuestros dos mundos no es tan difícil cuando se siente lo que sentimos nosotros. El amor por nuestra hija nos ayudará en nuestras decisiones.* —Su voz era una mezcla de luz y calor, de música y melodía, tan bella que a Corinne le robó el aliento. Dayan se sentía fuerte, y real. Se sentía como una parte de ella.

—Tu hija posee unos talentos psíquicos muy marcados, puede que incluso superiores a los tuyos —dictaminó Desari—. Se le puede convertir sin riesgo para su equilibrio mental, pero hay otras complicaciones. No es algo que nos propongamos hacer a la ligera, Corinne.

Ella sintió unas lágrimas inesperadas brotaron de la nada.

—Me siento como alguien al que le entregan las piezas de un enorme rompecabezas de una en una o de dos en dos, y que no alcanza a abarcarlo todo. ¿De qué otras complicaciones me habláis?

—Nuestra especie tiene problemas para que los bebés sobrevivan, sobre todo las niñas. Somos pocas las que concebimos niñas, y las que sí lo hacen rara vez llegan a término. Además cuando nacen, nuestros bebés no suelen vivir más allá del primer año. Es una horrible tragedia, y ha contribuido a la decadencia de nuestra raza. Y como hay que darte sangre para salvarte la vida, el bebé recibirá la misma sangre…

—¡No! —exclamó Corinne, tajante—. Su vida es más importante que la mía. Ella debe ser la primera, en cualquier decisión. Sé que Dayan no lo quiere así, pero es una decisión que me corresponde tomar a mí, no a él. No quiero darle la vida sólo para ver cómo la pierde más tarde, sólo porque yo he satisfecho egoístamente mis ganas de vivir. Sería preferible parir ahora y dejar que los médicos hagan lo pue puedan. Han obrado verdaderos milagros con bebés prematuros. Vosotros mismos habéis dicho que es fuerte.

Desari negó con un gesto de la cabeza.

—No habría sobrevivido si hubieras dado a luz la noche que Dayan te sacó del hospital. Fue necesaria toda la fuerza y todo el poder de Gregori para mantenerla con vida. Ahora es demasiado tarde para volver atrás. Tiene la sangre de Dayan en su sistema. Nos necesita a nosotros para sobrevivir. Un médico humano jamás podría salvarle la vida.

Corinne enredó los dedos en el edredón, presa de una gran agitación.

—Me siento impotente —le confesó a las dos mujeres—. Siempre he sido yo la que se ocupaba de los problemas en nuestra vida cotidiana, y ahora no puedo ayudar a mi hija cuando más lo necesita.

—Estás muy equivocada, Corinne —dijo Desari, sacudiendo la cabeza—. Ahora, más que nunca, debes tener la fuerza de voluntad para que pueda nacer. Ya has aprendido a seguir tu propio corazón e intentas controlarlo.

—Siento a Dayan conmigo cuando tengo problemas. Él es quien regula mi pulso y filtra el aire por mis pulmones —corrigió Corinne—. Sé que está ahí.

—Desde luego, es tu compañero —dijo Desari, complaciente—. Pero no puede salvarte si tú no estás dispuesta a que te salven. Haces uso de tu voluntad, que es considerable —dijo, y dio unos golpecitos sobre el edredón—. Veo que te agrada. Lo ha hecho Francesca para ti, la compañera eterna de Gabriel. Es una gran curandera que vive en París. Cuando se enteró de que estabas embarazada y que necesitabas ayuda, lo tejió especialmente para ti. Es un edredón con propiedades curativas. Además de los símbolos curativos, ha utilizado otros para protegerte en caso de que te encuentren tus enemigos.

—Es muy bello —dijo Corinne, y hablaba en serio—. No quería renunciar a él. Espero que algún día tendré la oportunidad de agradecerle un regalo tan único.

Desari le dio unos golpecitos en la mano.

—Me gustaría examinarte y renovar el proceso curativo, si es posible. ¿Recuerdas cómo te sentías? Savannah y Tempest me prestarán su fuerza, y al menos te dejaremos sintiéndote más aliviada. Tiéndete y comenzaremos.

Volando por los aires, Dayan apareció como una larga estela de gotas de vapor, muy parecido a un cometa desplazándose velozmente por el cielo nocturno. Lo flanqueaban Gregori y Darius, dos formidables cazadores. Sin embargo, la amenazada había sido la compañera eterna de Dayan, y debía ser él quien la salvara. Ahora sentía a la bestia creciendo en su interior, luchando por la supremacía. En ese momento, Gregori, cuyas tormentas tenían fama, desató unos vientos feroces y el cielo se llenó de nubes negras que, en medio de la noche, cubrieron su vuelo en persecución del vampiro.

Los relámpagos zigzaguearon, formaron arcos entre las nubes, intensas y peligrosas. Sombras de color púrpura oscuro y negro mancharon el cielo y las estrellas se fueron desvaneciendo poco a poco. Los truenos resonaron en todo el valle, dejaron su eco entre las quebradas, anunciando una tormenta de enorme magnitud. Mucho más abajo, mientras los tres cazadores cruzaban los cielos turbulentos, unas criaturas salvajes que percibieron a los peligrosos predadores encontraron rápidamente refugio y se quedaron muy quietas. Los perros domesticados aullaron de miedo y corrieron a esconderse cuando las sombras pasaron sobre sus cabezas.

—*Dayan* —dijo Gregori, con voz imperativa, una orden leve—. *La bestia en ti es fuerte. Recuerda que corres un doble peligro. Tu compañera eterna no está atada a ti. No hay nada que te mantenga anclado. La violencia desatará la irrupción de la bestia. Es un momento de prudencia, no de ira. Además de tu vida, está en peligro mortal tu alma.*

Dayan oyó la pureza en la voz de Gregori, una voz que lavó la nube roja de ira que le nublaba el pensamiento. Por un momento, volvió a ver y a oír con nitidez. Sin embargo, la sola idea del vampiro persiguiendo y amenazando a Corinne volvió a consumirlo, y siguió adelante en su febril búsqueda de aquel enemigo.

Darius y Gregori volaban flanqueando a Dayan y lo seguían sin dificultades, los sentidos alerta para detectar cualquier trampa oculta. El vampiro no había intentado ocultar sus huellas al huir. Ellos sabían, por siglos de experiencia, que si de verdad intentaba perderlos, idearía algún subterfugio.

Dayan era muy consciente de las intenciones del vampiro. No le importaban. Tenía una confianza ciega en su fuerza y su destreza. Aunque no se consideraba a sí mismo un cazador de criaturas inertes, había acompañado a menudo a Darius en esas cacerías. Ahora su compañera estaba amenazada, y su código de honor decía que era responsabilidad y derecho suyo eliminar aquella amenaza.

De pronto cayó una lluvia ácida desde más arriba de las nubes que cogió a los cazadores por sorpresa. Comenzaron a llover unos trazos de luz plateada entre los remolinos de negro vapor. Eran casi imposibles de ver, gotas cuyo ácido cáustico les quemaba la piel. Las gotas caían como dardos envenenados, directos hacia los cazadores. Ellos sabían que aquella lluvia asesina era una táctica de dilación del vampiro en su huída.

Llevado por su instinto, Gregori se situó enseguida por encima de Dayan para protegerlo, y mientras Gregori lo hacía, Darius lanzó una andanada de luces llameantes y anaranjadas, energía pura que vaporizó las astillas de ácido antes de que hicieran blanco.

Dayan divisó a uno de los vampiros a través de las nubes, surcando el cielo veloz. Dobló su velocidad y se lanzó como una flecha hacia el vampiro que huía. Dayan era un protegido de Darius, y había aprendido de él. Creía en la lucha directa, en llevarla al terreno del enemigo. Sentía la presencia del maligno, una sustancia espesa y sebosa que dejaba en el aire la pestilencia de las criaturas inertes. Lanzó una onda de vibraciones, un sonido de alta frecuencia que ensordeció los cielos y golpeó al demonio, expulsándolo del cobijo de las nubes.

Más adelante, vieron la figura que intentaba mutar de forma y hacer crecer sus alas. Ya estaba peligrosamente cerca del suelo y, en el último momento, el vampiro realizó una pirueta asombrosamente atlética y giró, aterrizando sobre las patas, como los gatos. Intentó enseguida ocultar su presencia de los cazadores y de los mortales que merodeaban por el área.

—¡Dayan! —La advertencia de Darius fue seca—. ¡Es una trampa! Examina el terreno.

Por instinto, Dayan ya lo había hecho al salir volando tras el vampiro. Había cuatro humanos en una pequeña cabaña, todos machos. Eran fanáticos. Llevaban pegado al cuerpo el hedor de la sociedad. Dayan sabía que no estaban aliados con las criaturas inertes. Era el vampiro, que simplemente los utilizaba como táctica de dilación. Pero él tenía una absoluta confianza en Darius y Gregori. Sus reputaciones eran leyenda. No tenía que mirar para saber que lo seguían. Sabía que estaban ahí y confiaba en ellos para que se ocuparan de aquellos hombres.

—Creo que querías presentarte —le dijo Dayan al vampiro, con voz pura y melodiosa, un ruido que llenaba el espacio que los rodeaba hasta el último átomo, a pesar de que no había alzado la voz—. Te girarás y te enfrentarás conmigo, vampiro. Estoy muy dispuesto a aceptar tu desafío.

El vampiro se estremeció con el esfuerzo que tuvo que hacer para liberarse del sonido de aquella voz. Era una voz hecha para melodías doradas, para la verdad y la honestidad. Le sonaba aberrante a la criatura, que se tapó con fuerza las orejas intentando bloquearla. Se giró lentamente, con las manos agarrándose la cabeza y sacudiéndose ligeramente. Al girarse, abrió la boca como si fuera a hablar. De su boca surgió un enjambre de insectos que lo rodearon por todas partes, hasta que el aire se volvió espeso y se formó una sólida pared que, por un momento, nubló la visión que Dayan tenía de la criatura inerte.

Dayan avanzó, protegiéndose de los insectos venenosos sin mayor esfuerzo, lanzándolos hacia los lados gracias a una poderosa corriente de aire que produjo con un movimiento de la mano. Siguió moviéndose rápidamente, una mancha borrosa que avanzaba rompiendo el escudo de bichos. Supo enseguida que el vampiro había usado los insectos para volver a huir. Había desaparecido como si nunca hubiera estado, dejando a su paso un espacio vacío. La nada.

A sus espaldas, Dayan oyó los gritos de los humanos, la sonora descarga de un arma. El aire vibró de energía, la tormenta arreció y, aún así, nada importaba sino la persecución de su presa, del vampiro que había acechado a su compañera. Utilizó la nada para seguir la huella del maligno. El vampiro disimulaba sus formas, pero no podía engañarle. El hedor de su presa era superior a todo, y él lo siguió sin titubear. No miró a sus espaldas. Sabía que Darius y Gregori se ocuparían del enemigo y que lo seguirían en cuanto fuera posible.

Era una tormenta feroz, una masa hirviente y torbellinesca de grandes nubes negras. Los relámpagos cruzaban el cielo como arcos y empezó a producirse una rápida acumulación de electricidad a ras del suelo. Los rayos caían de las nubes a tierra con un ruido ensordecedor. La tierra tembló. No lejos de ahí, un árbol enorme explotó en medio de una descarga de fuego. Las chispas cayeron a la vegetación. Un muro de fuego cercó a Dayan, un antagonista rojo anaranjado, vivo y despiadado que se le acercaba rugiendo. Se giró velozmente y un manto de húmeda neblina lo cubrió cuando atravesó el fuego corriendo a una velocidad sobrenatural. Oyó la neblina que se evaporaba ante la pared de calor, pero alcanzó a cruzar y pasó al otro lado.

Justo delante había una sombra oscura, huyendo hacia el interior de un bosque. Dayan alzó el vuelo, mutando de forma, hasta adoptar la morfología de un estilizado raptor, volando por encima de las copas de los árboles, para dar alcance a la criatura inerte antes de que ésta llegara a su guarida. Vino desde muy alto, bajando a tal velocidad en picado desde los cielos turbulentos, que el vampiro no pudo advertirlo. Con su enorme envergadura, el ave golpeó a la criatura nocturna y le hizo perder el equilibrio al rasgarlo con sus afiladas garras. La sangre manchada salpicó el lecho de vegetación, que enseguida se volvió mustia.

El vampiro lanzó un gruñido y vaciló, rasgando ciegamente el aire a su alrededor, intentando destruir a su enemigo, haciendo ondular la cabeza hacia atrás y hacia adelante, como un reptil. Era un ser asqueroso y depravado, con la firme determinación de vivir, costara lo que costara. Intentó desesperadamente recuperar el equilibrio y orientarse, buscando a su atacante en el aire y en la tierra.

Dayan se movía tan rápido que no era más que una mancha borrosa, un camaleón que se mimetizaba con los árboles, y volvía a asumir su forma humana. Golpeó directamente a aquel ser abominable, y la furia de la puesta a muerte se despertó al calor de la batalla. De las profundidades de sus ojos negros nacieron unas llamas, y desapareció hasta el último vestigio del poeta. Quedó sólo la bestia, y la lujuria de la batalla que había en él. Hundió el puño en el pecho del vampiro, sin apenas resistencia, yendo directo al corazón marchito y ennegrecido. La llamada atávica de la bestia estaba en él. El gusto de la sangre era como una bruma roja que le nublaba el juicio y el sentido del honor, lo llamaba sin respiro. Más, siempre pedía más, nunca saciado, nunca satisfecho.

Corinne oyó la dulce voz del líder de los Trovadores Oscuros. Darius. Un susurro puro, suave y perfecto, purificador y curativo como una lluvia fresca.

—*Corinne. Te necesita. Debes llamarlo de vuelta a ti. Nadie más puede salvarlo ahora. Alimentaré tu fuerza con la mía. Llámalo a tu lado. Debes hacerlo ahora.* —Era una voz calmada, serena y, aún así, Corinne supo que había una terrible urgencia. No se paró a preguntar. Estaba tan conectada con Dayan que en cuanto penetró en su mente sintió el frenesí asesino, el asidero implacable de la bestia.

Corinne se quedó muy quieta. Instintivamente, respiró profundo y espiró lentamente para relajarse. Concentró sus pensamientos en Dayan, y bloqueó todo lo demás a su alrededor. La habitación desapareció, como desaparecieron las limitaciones de su estado físico, incluso su conciencia de Darius, hasta que en su mente sólo quedó Dayan. Su Dayan. Alto y noble y amante. Generoso. Entregado. Corinne cerró los ojos hasta que casi olió su aroma limpio y selvático.

—*Dayan.* —Pronunció deliberadamente su nombre. Llamándolo. Buscando su intelecto—. *Dayan, vuelve a mí.*

Al instante, Dayan conectó profundamente con ella, de modo que Corinne se encontró de pronto en el calor de la batalla, con el olor de la sangre y la sed de matar que se había apoderado de su cerebro. Guardó silencio un momento, verdaderamente sorprendida al ser testigo del lado violento que siempre había intuido en él. Se quedó muy quieta y se mantuvo del todo concentrada. Sin darse cuenta, utilizó su propio talento y creó una corriente de energía. Era simplemente otro aspecto de Dayan. Su Dayan.

—*Vuelve a mí. Deja ese lugar y vuelve adonde te necesitan.* —Puso toda su energía en esa llamada, pero eso no importaba. Lo que importaba era Dayan.

Corinne intuía aquella terrible batalla. Había otra cosa que también luchaba por él. Algo oscuro, no tangible, pero, aún así, muy poderoso. Sintió la mancha oscura extendiéndose como una infección, el triunfo de la bestia que amenazaba con consumirlo. Al comienzo, Corinne creyó que Dayan se había trabado en mortal combate con el vampiro. Fuera lo que fuera, el adversario era codicioso y deseaba apoderarse de él. Y luego se dio cuenta de que el vampiro se estaba muriendo. Esta otra fuerza que luchaba contra ella quería el alma de Dayan, quería convertirlo en una de esas cosas que él cazaba y destruía. No entendió gran cosa, pero instintivamente se prendió de la corriente mental que fluía de Darius a ella. Reguló su respiración y luego intentó regular la de Dayan. La adrenalina fluía por su organismo, mezclándose con el frenesí salvaje del predador hasta que éste fue más animal que hombre. Astuto, salvaje, una criatura de la noche.

—*Eres Dayan, un músico sin igual, un poeta cuyos versos me roban el aliento. Eres mi compañero, mi corazón y mi alma. Vuelve a mí, Dayan, deja ese lugar. Deja a esa pobre aberración desgraciada. Ruega a Dios para que encuentre un lugar mejor para él. Nada más puedes hacer por él. Vuelve a casa, vuelve a mí.* —Corinne hablaba desde lo más profundo, poniendo el alma en cada palabra, en cada inflexión de la voz. Dayan estaba tan entrañablemente afincado en su corazón, sepultado tan hondo en su alma que Corinne no sabía dónde acababa él y dónde empezaba ella.

Por un instante, la razón y el juicio volvieron a ser un destello en su cerebro, una niebla plateada y torbellinesca que se imponía a la nebulosa roja y asesina.

—¿*Corinne?* —Su voz era distante, apenas un hilo en la lejanía, ahogado rápidamente por un bramido rabioso.

Corinne permaneció muy serena, sin dejar de transmitir su amor y tranquilidad a Dayan. Él la acompañaba, la guiaba a gran distancia. En algún sentido, ella era consciente de su dirección, pero la mayoría de sus actos eran instintivos. Se trataba de Dayan, de su otra mitad, perdido en algún lugar de la noche, rodeado de rayos y truenos que retumbaban contra la tierra a su alrededor, un trasfondo adecuado para su propia turbulencia mental. Estaban tan estrechamente conectados que Corinne sentía las rachas de viento, el temible vórtice de la violencia, girando como un tornado, poderoso y destructivo, decidida a borrar al hombre y dejar sólo a la bestia enardecida.

—Dayan, vuelve a mí, deja ese lugar y ven a mí. El bebé descansa tranquilo y estoy muy cansada. Te necesito aquí, donde está tu lugar.

Corinne estaba cansada. Le costaba mantener el vínculo mental, a pesar de la fuerza que recibía de Darius. Sentía el cuerpo desgastado y cansado. Un ruido comenzó a imponerse en la violencia que reinaba en la mente de Dayan. Era débil, irregular, un latido sordo como un tambor lejano. El ritmo era extraño y errático. Un compás. Un silencio.

Corinne sentía a Dayan moviéndose en su mente. Un silbido suave, un gruñido de desesperación.

—¡*Corinne*! —Murmuró su nombre con su voz de terciopelo. Ella cerró los ojos, segura de que él vendría. La bestia jamás podría retenerlo si ella lo necesitaba. Nada lo detendría si decidía volver a ella. Corinne sintió la fuerza de su determinación, supo que Dayan luchaba por la supremacía, para enjaular a la bestia que anidaba en él. Lo dejó hacer. Ahora respirar le suponía todo un esfuerzo, y sus pulmones estaban agotados.

Intuyó la presencia de Desari a su lado, sosteniéndole la mano y susurrando una canción. Sintió la energía curativa de las tres mujeres, como un hormigueo cálido que le recorría todo el cuerpo. Desari estaba tranquila, siempre estaba serena, aunque Corinne percibió su desasosiego. No importaba, nada importaba. Dayan iba a volver y ella sabía que, de alguna manera, él restablecería un orden. Ansiaba oír su voz.

Corinne se dejó ir a un mundo de sueños. Oyó su música, los bellos versos llenos de poesía que brotaban de su alma cuando expresaba su amor por ella. Su necesidad de Corinne. Sólo Corinne. Por fin, ella le creía. Dayan era capaz de cosas que para otros eran imposibles, y volvería a ella después de esa lucha horrible y tenebrosa por su alma. Tenía fe en él.

—Una fe absoluta. —Dijo las palabras en voz alta, pero su voz era demasiado débil, incluso para el agudo oído que había adquirido hacía poco—. *Dayan.* —Su nombre era su fuerza, su ancla, el asidero que no la dejaría alejarse demasiado del mundo real.

—*Corinne.* —La voz de Dayan fue como un susurro en su mente, le llenó el corazón y los pulmones, así que por un momento le fue más fácil respirar. Sus largas pestañas aletearon cuando quiso transmitir a las mujeres la seguridad de que todavía estaba viva. No recordaba que las pestañas le pesaran tanto. Al final, le resultó un esfuerzo demasiado grande abrirlas, así que en su lugar decidió sonreír.

—*Sabía que vendrías. Date prisa, Dayan, no sé por qué estoy tan cansada.* —Corinne estaba segura de que pensaba las palabras con claridad en su mente, pero le parecía que se arrastraban, se pegaban unas a otras como finos granos de arena. Deslizó la mano libre velozmente por el grueso edredón, buscando algo que necesitaba.

Desari apretó el edredón hasta que un símbolo concreto estuvo al alcance de los dedos inquietos de Corinne. Enseguida la mano de ésta se cerró sobre él, serenada una vez más.

Dayan cruzó los cielos más rápido de lo que jamás había volado en su vida. Corinne empezaba a desvanecerse. Sentía que se deslizaba fuera de su alcance, moviéndose en una dirección que él no le permitiría seguir. Los oscuros vapores se separaban cuando él irrumpía en las masas de nubes, un punto verdiazul contra unos cielos negros y agitados. La niebla giraba dejando largas colas en el suelo y comenzaba a arremolinarse alrededor de árboles y casas.

Darius lo seguía, concentrado en el bebé, cuyo vínculo con la vida era tan débil que empezó a inquietarse mucho, algo poco habitual en él. Gregori intentaba mantener a Corinne atada a la tierra, concentrado en su corazón desfalleciente. La cantidad de energía que había utilizado para evitar que Dayan sucumbiera a la tentación de la puesta a muerte había sido más de lo que aguantaba su débil corazón. Corinne luchaba contra ello, no tenía miedo, sencillamente confiaba en Dayan, sabía que él estaría junto a ella como ella había estado junto a él.

Dayan no encontró recriminación alguna en la mente de Corinne, ningún asombro suyo ante el descubrimiento del lado más oscuro de él. Lo aceptaba igual que siempre, y su aceptación era para él una lección de humildad. Mientras cruzaba el cielo nocturno en medio de la tormenta que había desatado y que reflejaba su aflicción interior, se recompuso, preparándose para la ceremonia que lo esperaba. No tenía alternativa. Tenía que atar a Corinne a él por el bien de ambos. Tenía que darle su sangre curativa. El bebé corría peligro y

Dayan sabía, mejor que nadie, que ella jamás aceptaría la pérdida de su hija. Antes prefería dar la vida por ella.

Dayan vibró en el aire hasta recuperar su forma. Se inclinó sobre Corinne mientras la transformación tenía lugar. Con su mano enorme cogió la de ella y se la llevó a los labios. Ella no levantó las pestañas, pero una sonrisa le curvó los labios.

—*Sabía que vendrías.*

Capítulo 15

Empezaban a reunirse todos. Dayan arropó a Corinne con el edredón que tanto le gustaba para trasladarla a la caverna donde se llevaría a cabo la curación. La sostenía sin problemas, y su peso era para él como el de una niña pequeña. La sostenía con cuidado, como su tesoro más preciado, protegiéndola de los elementos mientras la llevaba volando por el cielo nocturno.

Corinne se frotó la cara en su hombro, acurrucándose cerca de él, sintiéndose una vez más conectada con él en un curioso mundo de ensueño. El viento soplaba con fuerza y las ráfagas la sacudían mientras surcaban el aire, pero, en lugar de darle miedo, aquello le pareció excitante. Se sentía perfectamente segura y protegida en brazos de Dayan, aún viajando a esa velocidad y de manera tan extraña. Volvió la cara hacia el cielo, observó los matices de color púrpura que formaban estrías entre las nubes revueltas. Era increíblemente bello, y sintió que las lágrimas le quemaban los ojos. Aquel era el mundo de Dayan, un mundo de magia. La noche era suya, y podía volar como un águila o correr por el bosque tan veloz como los lobos. Corinne nunca había podido correr. Aquel era su momento, su última oportunidad para volar.

Dayan, que leía sus pensamientos, pestañeó para retener las lágrimas que estaban a punto de quemarle los ojos y que le dificultaban la respiración.

—*Eso no es verdad, amor mío. Tenemos toda la eternidad.*

A medida que atravesaban la tormenta a toda velocidad, Darius y

Gregori permanecieron muy cerca de ellos. El compañero de Desari, Julian, también se dirigía hacia la caverna, aunque todavía estaba lejos. Le habían encargado la importante tarea de limpiar todo rastro del vampiro destrozado y de los miembros humanos de la sociedad, de los cuales el vampiro había intentado servirse para despistar a sus perseguidores.

Corinne se alegraba de encontrarse en brazos de Dayan. Sabía que también vendrían los demás, algunos con sus parejas, otros solos. Constató que había adquirido los atributos de los carpatianos con facilidad. Su oído era mucho más agudo, y podía ver en la oscuridad sin problemas. Ella poseía el talento de la telequinesia, pero ahora todo lo percibía con los sentidos agudizados. Sabía que los carpatianos se estaban reuniendo para ayudar a Dayan a salvarla a ella y a su hija. Los curanderos se preparaban para un parto prematuro, y quizá contemplaran la posibilidad de salvar al bebé en caso de que ella no sobreviviera. No estaba segura de si recibía esa información de Dayan o si estaba conectada con los curanderos de tal manera que podía leer sus pensamientos.

Dayan se deslizó por la caverna curativa estrechando a Corinne en sus brazos. Parecía que flotaban, ligeros como una pluma, sin tomar contacto con el suelo. Se encendieron las luces, cientos de velas cuyas llamas parpadeaban y bailaban en las paredes de la caverna. Era una maravilla. Los cristales de todos los colores, que en algunos casos formaban altas torres, y otros en hileras de columnas más bajas, lanzaban destellos de un fuego mudo. Las piedras preciosas reflejaban los colores y las llamas de las velas, las amplificaban y proyectaban sombras por todo el aposento, aumentando la claridad. Las velas despedían aquella fragancia suave que Corinne recordaba de antes. La combinación de aromas provocaba una tranquilidad apacible en todos aquellos que la respiraban. Ella sintió que la energía de aquel lugar se movía por su cuerpo junto con la fuerza que le transmitían los curanderos.

Hizo un esfuerzo por mirar a su alrededor, deseosa de ver a quienes habían viajado largas distancias, algunos cruzando océanos, para ayudar en el esfuerzo de salvarle la vida a ella y a su hija. Reconoció algunas caras de su primera visita a la caverna, pero ahora eran más numerosos. Hasta su mente llegaba el suave cántico de las voces, no sólo las de los presentes en la caverna sino también de carpatianos desconocidos que vivían muy lejos. Por Dayan, sabía que se trataba de un esfuerzo coordinado de los curanderos, que estaban decididos a no dejar que se la llevara la muerte. Decididos a no perderle a él. Ni al bebé.

Corinne estaba agradecida, pero le daba la impresión de que aquello le ocurría a otra persona. Ella lo observaba todo como si planeara por encima de la escena, en lugar de encontrarse en el centro. Había machos decididos a salvarla por motivos que iban más allá de la mera simpatía. Corinne era una mujer de talentos psíquicos extraordinarios. Su hija ya era muy apreciada por esa gente, un tesoro que guardarían y protegerían si algo le ocurriera a ella. Lo sentía. Lo percibía en sus mentes, que permanecían todas fundidas en una.

Volvió su atención a Dayan, en cuyo rostro bello y pálido habían aparecido unas arrugas profundas. Dayan dejó vagar su mirada oscura por su rostro, una inspección profunda y sensual que a Corinne le llegó al corazón. Tenía el aspecto de un hombre solo, salvaje y vulnerable. Corinne alzó la mano y le tocó la cara, siguió la línea de sus labios con la punta de los dedos.

—No estés tan triste, Dayan —le dijo, con voz suave—. Has vuelto. Es lo único que importa.

—Jamás debería haberte dejado. Había otros cazadores que podrían haber eliminado al vampiro. Debería haber sido lo bastante fuerte para vencer mi propia naturaleza.

Dayan le hablaba de algo más que de culpa. También le mostraba su corazón y su alma, los ponía ante sus ojos, sin importarle que ella viera su vulnerabilidad desnuda y su dolor. Su miedo.

—Tú eres mi vida, Corinne. Lo eres todo para mí. Quiero que luches. No sólo por el bebé sino por nosotros. Que sepas que luchas por nosotros dos, por nuestras vidas. Guarda esa certeza en tu corazón y en tu mente y en tu alma cuando te unas a mí y a mi gente para conservarte con vida, para seguir todos vivos.

Corinne le sonrió, una sonrisa serena y llena de amor.

—No tengo miedo, Dayan, y quiero que tú tampoco lo tengas.

Él inclinó la oscura cabeza para eliminar el espacio que los separaba, sin importarle que hubiera tantos testigos. Su boca encontró la suya, suave, tierna, en una melodía oscura de amor que le retorcía el corazón. Muy a su pesar, Dayan alzó la cabeza lentamente. El corazón de Corinne luchaba ahora latido a latido. Lo oían todos, a pesar del ruido del agua que fluía por las paredes de la caverna, a pesar de los cánticos de los antiguos que se sumaban desde remotos países.

Gregori se situó al lado derecho de Corinne y le cogió la mano pálida. Darius se acercó por la izquierda y le puso la mano suavemente sobre el abdomen. Por toda la caverna, los carpatianos se conectaron unos con otros, física y mentalmente. Julian y Desari permanecían de pie, con sus esbeltas figuras, detrás de Dayan, y dejaron descansar una mano sobre sus hombros para darle su firme consuelo.

—*No podemos arriesgarnos a que se repitan los acontecimientos de esta noche* —le aconsejó Darius—. *Deberás atarla a ti mientras le das de tu sangre. Es necesario que así lo hagas.*

—*No me arriesgaré a que pierda la vida. En su frágil estado, no sobreviviría a una separación* —respondió él, tajante.

—*Entonces deberás acompañarla en todo momento, despierta o dormida. Veo que su temor no la ha desbordado. Es preferible arriesgarse a que conozca nuestras debilidades a que tenga otro encuentro con la bestia.* —Darius había liderado a su grupo de carpatianos a lo largo de los siglos con audacia. Ellos confiaban en su sabiduría y en sus destrezas, y rara vez impugnaban sus decisiones.

Corinne sabía que el hombre al que Dayan llamaba su hermano le hablaba telepáticamente.

—Siento que se inquieta por ti Dayan. Sea lo que sea que te pida, por favor, hazlo —murmuró junto a su cuello.

—No quiero que sigas sufriendo por mí.

Ella le sonrió aunque ya había cerrado los ojos.

—Yo nunca he sufrido por ti. ¡Qué idea más disparatada! El corazón me ha fallado desde el día en que nací. Tú no tienes nada que ver con ello.

—¿Estas segura? Quiero que estés segura, Corinne. No hay vuelta atrás. Cada paso que das es un paso que te acerca más a nuestro mundo.

—Nunca he estado más segura. Cualquiera que sea el mundo donde vives, Dayan, yo también pertenezco a él.

Siguió un momento de silencio en toda la caverna. Un compás de espera. Corinne se dio cuenta en el momento en que Darius y Gregori se fundieron con ella. Gregori se internó en su cuerpo y buscó al bebé.

—*Te amo* —le murmuró ella a Dayan. Quería que él lo supiera, quería que supiera que si aquello no concluía como todos esperaban, ella lo había amado y aceptado incondicionalmente, aunque nunca hubieran tenido una oportunidad para consumar su amor.

Dayan la besó en la frente y en los párpados, y luego se deslizó hacia su boca. Tomó posesión de ella con un apetito elemental, con una necesidad cruda y doliente, hasta que la tierra se remeció bajo sus pies.

—Te reclamo como mi compañera —murmuró suavemente junto a los labios de Corinne, pronunciando el antiguo cántico curativo. Deslizó la boca sobre su cuello, ligero como una pluma, sensual, un susurro de satén y seda—. Te pertenezco. Te ofrezco mi vida. Te doy mi protección, mi alianza, mi corazón, mi alma y mi cuerpo.

El dolor incandescente que sacudió a Corinne se convirtió enseguida en placer puro, un placer que la recorrió de pies a cabeza, y luego a él. A Corinne la embargó una pereza inesperadamente sensual, y sintió el cuerpo tenso y ardiente de excitación y deseo. Intentó permanecer despierta, no dejarse ir a la deriva, deseosa de vivir la belleza de lo que estaba ocurriendo, queriendo sumar su escasa ayuda a la de todos los que luchaban por su vida, pero se dio cuenta de que se relajaba, inmersa en esa conexión. Sintió la lengua de Dayan cuando le cerró los orificios diminutos.

Él le siguió dejando un reguero de besos por el cuello, hasta llegar a la comisura de sus labios.

—Protegeré todo lo que es tuyo. Tu vida, tu felicidad y tu bienestar estarán por encima del mío. Eres mi pareja, unida a mí para toda la eternidad y siempre bajo mi cuidado.

Gracias a esa nueva conciencia, Corinne sintió que Dayan la apartaba aún más de lo que estaba ocurriendo. Como en un sueño, vio que una de sus uñas se alargaba hasta convertirse en una larga garra afilada como una navaja. Dayan se hizo un corte en el pecho, abrió el grueso músculo y le apretó la boca para hacer que su sangre fluyera hacia ella.

Corinne se asombró al darse cuenta de que bebía con auténtica voracidad, y también le asombró percatarse de que no sentía ningún tipo de rechazo. Era como si la fuerza llegara a todas las células de su cuerpo, una sensación de energía que nunca había experimentado. Esta vez sintió el poder de Dayan, la avidez con que las células y tejidos de su cuerpo absorbían el regalo de la vida que él compartía con ella.

Dayan la sostenía con delicada ternura, y la miraba como si fuera la mujer más bella del mundo, como si fuera un tesoro, un regalo de valor inestimable que él debía custodiar. Corinne sintió que las lágrimas le quemaban la garganta y los ojos. Dayan era tan atractivo y, a la vez, parecía un ser tan torturado, con el rostro marcado por aquellas arrugas de inquietud y dolor que ella le había dejado como impronta.

—Eres mi compañera, unida a mí para toda la eternidad y siempre bajo mi cuidado. —Dayan susurró las últimas palabras rituales, uniéndolos a ambos mediante aquella ceremonia carpatiana tan antigua como el tiempo. Las palabras estaban impresas en su mente y en la de todos los machos, incluso antes de nacer. Cada macho poseía la extraordinaria capacidad de unir su compañera a él para toda la eternidad.

Corinne lo sintió enseguida, en el alma y el corazón, incluso en su mente, que ahora buscaba la de Dayan. Era como si miles de hilos se tejieran entre sí hasta juntarlos, creando un vínculo indestructible. Ella se volvió más consciente de lo que le ocurría interiormente. Gregori trabajaba con ahínco para reparar los daños de su corazón ya casi desintegrado, mientras Darius continuaba vigilando al bebé para detectar problemas potenciales provocados por la transfusión de aquella rica sangre en su organismo. En el interior de Corinne, los órganos y tejidos empezaron a adquirir nuevas formas, y su hija fue objeto de la misma transformación.

Entonces supo en qué momento la abundancia y energía de la sangre fue demasiado para el bebé. Oyó su propia protesta, e intentó apartarse de Dayan justo cuando Darius le ordenaba detenerse. Julian cerró la herida en el pecho de Dayan con su propia saliva curativa. Durante un momento, Corinne se quedó quieta, temerosa de pensar o respirar, envuelta en el edredón relajante y en el refugio de los brazos de Dayan. Su bebé se debatía por sobrevivir. La sangre estaba cambiando su pequeño organismo demasiado deprisa, y eso le provocaba malestar y miedo. Corinne oyó que Darius le susurraba al bebé, le transmitía imágenes, más que palabras. Imágenes bellas que inducían a la serenidad.

El bebé era consciente de que su entorno se deterioraba, de los rápidos cambios que experimentaba su cuerpo. Corinne sumó su voz a las demás para transmitirle bienestar a su hija. Dayan se unió a ella y le ofreció su amor y dedicación al bebé. Y luego se unió Gregori. Corinne se quedó asombrada ante el poder y la fuerza que irradiaba éste, y la destreza suya para impedir que el bebé abandonara el incómodo hogar que habitaba. El cuerpo de la niña estaba caliente, sus interiores ardían. Gregori la calmó y le proporcionó un bálsamo que le alivió el intenso dolor.

Corinne pestañeó y las lágrimas le bañaron las mejillas.

—*¡Está sufriendo por mí, por lo que me hacéis a mí!* —El grito fue como un desgarro del corazón—. *Le duele. ¡Siento que le duele!*

Su pulso se volvió irregular, y retumbó en las paredes de la caverna con su ritmo asincopado. Desari se situó junto a Dayan y le cogió la mano a Corinne.

—Corinne. —Desari le habló en voz alta para anclarla en la serenidad—. La sangre de Dayan es lo único que os mantiene vivas a ti y a ella. La conversión es un proceso difícil para el organismo, y es doloroso. Darius hace lo que puede para disminuir el dolor del bebé, y nosotros sumamos nuestras fuerzas a la suya, pero no podemos eliminar del todo el dolor. Su cuerpo es diminuto, y una pequeña cantidad de sangre le está provocando grandes cambios. Tienes que convertirte. La intervención en tu corazón no te mantendrá viva más de un día o dos, quizá sólo horas. El bebé nacerá y debemos estar preparadas para ello. Le damos un tiempo que casi no tienes. Con esta sangre, y con los cambios en su organismo, esperamos que su corazón y sus pulmones estén lo bastante maduros para aguantar el mundo exterior. Es una compensación que nadie acepta con mucha alegría, pero se considera necesaria.

Dayan se inclinó y dejó vagar una amorosa mirada por el rostro de Corinne.

—Ahora no te puede entrar el pánico, amor mío. Hemos escogido un camino y ya nos hemos embarcado en él. Haremos el viaje juntos. Ella crecerá y se pondrá fuerte, confía en Darius. Él pertenece a la familia. A nuestra familia, la familia del bebé. Y confía en Gregori. Es un gran curandero y hará todo lo posible por proteger a nuestra hija. Ni Darius ni su hermano pierden las batallas en las que deciden lidiar.

Corinne se recordó a sí misma que debía tragar oxígeno para el bebé, o quizás alguien se lo recordó. Era consciente de que todas las mentes compartían una voluntad mediante un cauce de comunicación distinto del que ella usaba exclusivamente con Dayan. El suyo era un canal privado, parecía íntimo y sensual. Acunada por los brazos de él, se sentía amparada y querida por la familia y por los amigos de Dayan.

Estaba agotada, y no quería sentirse de esa manera. Todos hacían un gran esfuerzo, y Darius y Gregori estaban desplegando por ella una enorme energía. Corinne quería restablecerse para todos ellos, pero el corazón le fallaba, y un extraño letargo comenzaba a adueñarse de su cuerpo. Aquello la debilitó y fue incapaz de hacer otra cosa que abandonarse a los brazos de Dayan, respirando lo más lenta y regularmente que podía.

Desari le lanzó a Darius una mirada de aprehensión. Éste estaba demacrado y pálido debido al extenuante esfuerzo de mantener al bebé con vida. Gregori sacudió la cabeza.

—Una noche, quizá dos. Al bebé le servirá cada hora que podamos ganar a su favor —dijo, y le cogió la mano a Corinne—. Es una luchadora, como tú. Ha seguido tu ejemplo y acepta lo que le está ocurriendo. Sé que todo esto ha sido difícil, nuevo y completamente extraño para ti, pero lo estás haciendo muy bien. No perderemos a tu hija. Ella está dispuesta a luchar con nosotros y eso significa que tenemos ganada más de la mitad de la batalla.

—Gracias. —Corinne se obligó a hablar en voz alta, apenas un hilo de voz, pero Gregori la oyó con claridad. Después, se dejó ir, cerró los ojos y se acurrucó junto a Dayan, fuerte y acogedor.

—Es incapaz de regular la temperatura del cuerpo —le dijo Dayan a Gregori con un visible dejo de ansiedad—. ¿Por qué no responde a la sangre y a tus curaciones?

—Sí que ha respondido, Dayan —dijo Gregori, con voz queda—. Su corazón sigue latiendo, a pesar de que se está desintegrando muy rápido. Corinne utiliza toda la energía que tiene sólo para vivir. Cuando ya no pueda seguir adelante gracias a su sola fuerza de voluntad, debes convertirla enseguida con la energía que le proporcionamos nosotros. Debemos estar preparados. Cuando ocurra, será rápido. Y ojalá que suceda mientras estamos en el apogeo de nuestra fuerza, no cuando el sol esté en su cénit.

—Espero que no —dijo Dayan, que se había puesto pálido.

—La niña es consciente del peligro —dijo Darius, en voz baja, una voz poderosa y serena a la vez—. Intentará aguantar durante nuestras horas de mayor debilidad. La pequeña lo entiende, y luchará para aguantar.

—Yo no estoy del todo desprovisto de fuerza a esa hora y ayudaré en caso de que el parto se adelante, pero nada podré hacer si el corazón le falla a Corinne —dijo Gregori.

—Entonces la convertiré ahora —dijo Dayan, y en sus ojos oscuros brillaron unas flamas que reflejaron los cristales. De pronto fue como si un viento frío barriera el aposento enorme, haciendo bailar frenéticamente las luces titubeantes de las velas.

La pequeña mano de Corinne se agitó, encontró la boca de Dayan y sus dedos se movieron recorriendo sus facciones perfectamente esculpidas en un gesto de tierno reproche.

—*Me lo prometiste, Dayan. Confío en que cumplirás tu palabra.*

Él le besó enseguida la palma abierta y le apretó con fuerza la mano, como si pudiera encadenarla a la tierra junto a él.

—*No puedo hacer otra cosa que honrar mi palabra* —dijo.

—Corinne. —La voz de Savannah era suave—. Shea es una gran curandera. Antes de que fuera una de nosotras, era cirujano, humana, muy parecida a ti. ¿Recuerdas que hablamos de ella? La he llamado. Ha venido lo más rápido posible. Nos será de gran ayuda con tu bebé. ¿Me has entendido?

Corinne asintió con un gesto de la cabeza.

—Entiendo lo que intentas decirme. Aguantaré hasta que llegue. Supongo que con ella aumentarán las posibilidades de mi hija. Por ella haré lo que sea.

—Shea es una mujer excepcional —añadió Gregori—. Hace tiempo que investiga este problema y cree que ha encontrado maneras de ayudar a nuestros hijos a medida que crecen.

—Corinne está muy cansada —dijo Dayan, con voz suave—. Gracias a todos por vuestra ayuda.

Corinne era consciente del movimiento en el aposento y, después, de la actividad mientras le preparaban una cama. Nadie pensaba en devolverla a la superficie, a la casa donde originalmente la habían llevado. Permanecería con Dayan en lo profundo de aquel mundo de cristal hasta que su corazón dejara de latir.

Dayan la sostuvo a su lado mientras murmuraba sus agradecimientos a aquellas sombras, figuras de vago perfil que salían de la habitación. Corinne se alegró de estar en sus brazos, y agradeció que la acogiera con su solidez. El ambiente de aquel aposento estaba impregnado de un aroma que le transmitía tranquilidad y serenidad. Se sentía en paz, libre para gozar lo que pudiera de aquel extraño mundo subterráneo.

Darius se inclinó y dejó descansar la mano en su sedosa cabellera.

—Bienvenida a nuestra familia, hermanita. Nos alegramos de que te hayan encontrado. —Retiró la mano y se apartó en silencio, llevándose consigo todo el aura de su enorme poder.

Tempest se inclinó para besarla en la mejilla.

—Sé fuerte, Corinne. Y te doy la bienvenida. —Cogió la mano que le tendía Darius y salieron.

Desari y Julian le estamparon en la frente un beso de aliento y bienvenida, cruzaron un saludo con Dayan y salieron.

Gregori y su compañera Savannah fueron los últimos en salir. Le aseguraron a Dayan que permanecerían cerca por si los necesitaba.

—Por fin —murmuró Dayan, con voz queda—, estamos solos. —Acomodó a Corinne en la cama. Aunque el ruido de la cascada debía ser fuerte, ya había aprendido a desactivar el oído, de modo que era una cosa menos que Dayan tenía que hacer por ella. Él la tapó con el edredón—. Después de que nazca el bebé, estarás totalmente sana y me pasaré noches enteras haciéndote el amor. ¿Mi pelo ya ha cambiado de color? Supongo que después de tantos sustos, uno de estos días me levantaré y tendré canas.

Ella sonrió y enredó la mano en su melena larga y oscura.

—Me fascina tu pelo tal como lo tienes. No críes canas por culpa mía. Al fin y al cabo, ¿cuál de los dos ha sido el desquiciado que se ha ido a luchar contra el dragón maligno? *En cualquier caso, ¿qué era aquello?* —Era demasiado incómodo seguir hablando, así que Corinne cambió a la intimidad de la conexión mental con Dayan—. *¿Acaso creías que necesitaba una aventura? ¿Un príncipe azul que se enfrenta al fuego implacable con un cubo de agua?*

Dayan rió por lo bajo cuando se tendió a su lado y volvió a estrecharla en sus brazos.

—Me parece que has mezclado las historias —dijo, y deslizó la punta de los dedos por la cara de su amada, siguiendo cada delicado hueso, cada curva.

—Este lugar es muy bonito. —Corinne tenía los ojos cerrados

y su voz era de una perezosa alegría—. Sabía que sería así. Solía soñar con explorar nuevos mundos. Quería nadar en el mar y ver los arrecifes de coral —dijo, y le acarició el pelo—. *Me has dado tanto en tan poco tiempo, Dayan. Gracias. He volado por el cielo como un ave. He podido descender al subsuelo y ver cristales y piedras preciosas.* —Una sonrisa asomó, intrigante, en la comisura de sus labios—. He conocido a algunos músicos muy famosos… el sueño de mi vida, ya sabes.

Dayan cerró los ojos con fuerza y sintió que una mano le apretaba el corazón como un puño. El pecho le quemaba, y lo embargó el pánico. Corinne se deslizaba poco a poco más allá de su contacto mental y, sin darse cuenta, empezó a hablar en voz alta.

—Te amo, Corinne —murmuró él, también en voz alta.

—*Yo también te amo.* —Ahora Corinne se había quedado a la deriva en sus brazos—. *Enséñame a ser como tú, Dayan, a correr, a volar, y a gozar de una libertad tan maravillosa.* —Corinne sentía el enorme dolor que embargaba a Dayan y tuvo instintivamente ganas de aliviar su sufrimiento. Le tiró suavemente del pelo, deseando que él la transportara y la llevara en un viaje increíble a través del tiempo y el espacio.

—No te puedo llevar de viaje —dijo Dayan, con voz queda, ansioso de darle todo lo que quisiera, deseando cogerla en sus brazos y volar con ella por los cielos nocturnos—. Va a hacer frío y se acerca una tormenta. No sería seguro.

—¿Dónde está tu imaginación esta noche, Dayan? *¿Dónde está mi poeta? Canta para mí y déjame ver tus recuerdos. Quiero los recuerdos más salvajes de tus correrías y tus vuelos, cosas que jamás me atrevería a imaginar.* Compártelo conmigo. —No abrió los ojos para mirarlo y, sin embargo, Dayan la sentía en su interior, en lo profundo de su alma, ahí donde importaba.

Dayan se inclinó más cerca, puso la mano encima de su hija, la hija de los dos, la hija de John, para incluirla, para enseñarle su mundo nocturno. Sintió que el bebé respondía moviéndose, y sonrió. Corinne le cogió la mano, entrelazando los dedos. Él bloqueó sus temores, el terror de perderlas a las dos, y se conectó mentalmente con Corinne.

Ella permitió que los recuerdos de Dayan la embargaran, que se la llevaran hasta que sintiera la fuerza recorriéndola de pies a cabeza a medida que él mutaba su forma. Su piel se recubrió de una piel animal y sus músculos se convirtieron en fibrosas cuerdas que se propagaron por todo el cuerpo. Los dos se reencontraron mentalmente dentro del cuerpo del leopardo. El felino avanzó, lento y a paso seguro, con sus patas acolchadas, moviéndose casi con pereza por la densa vegetación. Era asombroso, porque Corinne sentía el viento agitar la piel del animal, percibía los olores en el aire, y sabía lo que sucedía a su alrededor por el extremo de sus bigotes.

—*¡Es como un radar!*

Dayan estaba dichoso de poder darle una alegría. De pronto, el leopardo dio un salto hasta la rama de un árbol a dos metros del suelo. Fue un salto sin mayor esfuerzo, un movimiento fácil para sus músculos estilizados, similar a un simple encogerse de hombros. A su alrededor, la densa jungla, las enormes hojas de los árboles y las frondas que parecían espadas elevándose hacia el cielo. La brisa soplaba sobre las copas de los árboles, meciéndolas, y los chorros de luz proyectaban sombras que bailaban sobre el suelo. Corinne estaba asombrada ante la aguda inteligencia del leopardo. Al principio, pensaba que se debía a que Dayan se había encarnado en el cuerpo del gran felino, pero luego se dio cuenta de que su mente permanecía profundamente oculta mientras el animal se movía y cazaba.

—*Tú y el leopardo convivís en este cuerpo.*

—*Esto es un recuerdo de mi infancia. Yo tenía que dominar ciertas destrezas. Los leopardos son criaturas verdaderamente sorprendentes. Son rápidos y astutos, cautos, y siempre difíciles de detectar. Se adaptan bien a diferentes entornos, desde la selva hasta el desierto. Solíamos explorar los diversos hábitats con el fin de perfeccionar nuestro saber. Los animales pueden proporcionarnos numerosos conocimientos sobre nuestro mundo.*

Corinne estaba fascinada con aquel tema, y quedó muy impresionada por la comprensión profunda y el respeto que Dayan tenía por los animales.

—*Enséñame más cosas.*

Esta vez el escenario fue del todo diferente. Incluso el leopardo tenía otro aspecto: una piel más tupida y manchas más grandes. Corinne lo examinó de cerca.

—*Parece un leopardo de las nieves, pero no es exactamente eso.*

—Esta especie se llama el leopardo del Amur, y su nombre se

debe a la frontera fluvial entre Rusia y China. Los encontramos en una estrecha cadena montañosa a lo largo de la frontera de Rusia, Corea del Norte y China. Son animales muy bellos, pero sus presas escasean y están en peligro de extinción, muy similar al caso de nuestra especie.

De pronto, Dayan sintió una ola de tristeza que parecía vinculada a la suya. Estaban tan profundamente conectados que no podía establecer dónde acababa ella y dónde empezaba él. Era una intimidad a la que todavía no estaba acostumbrado y, aún así, le agradaba. Ahora él tenía un hogar, y se llamaba Corinne. Ella era su mundo, era el aire que penetraba en sus pulmones. No soportaba verla triste, ni siquiera por un asunto tan crucial como lo era una especie en peligro de extinción.

Dayan buscó en sus recuerdos, y le transmitió el acecho del leopardo mientras se desplazaba, implacable, con un solo objetivo en mente: la busca de su presa. Su mirada era de concentración, resuelto, despiadado. Corinne sintió que la naturaleza salvaje se adueñaba de ella a través de Dayan.

Éste percibió que la respiración de Corinne se volvía más agitada. El bebé dio un respingo bajo la palma de su mano. Corinne lo buscó enseguida para calmarla, y Dayan añadió su propio alivio. La felicidad de la madre, junto a la seguridad que transmitía Dayan, permitieron que el bebé aceptara con más facilidad aquellas nuevas impresiones.

Entonces volvió a cambiar sus recuerdos, buscando algo que despertara menos temor: la simple mecánica de la vida diaria de un felino. El leopardo se estiró sobre la rama de un árbol y permaneció ahí un rato largo, husmeando el viento para arrancarle la información que éste podía darle. Se estiró perezosamente y de un salto se posó en el suelo. Avanzó sobre sus patas acolchadas y silenciosas en dirección a un arroyo pequeño donde pudo saciar su sed. A su alrededor abundaban las huellas de criaturas más pequeñas que corrían a sus madrigueras para huir del peligro, del felino que se movía con rapidez a través de la espesa vegetación. Empezó a correr, una muestra de fuerza y velocidad, avanzando velozmente por puro placer. Eran los recuerdos de Dayan, de su goce durante la infancia cuando se encarnaba en un leopardo, y Corinne le agradecía que los compartiera con ella.

Dayan abandonó aquella selva de tiempos pasados y transportó a Corinne a un concierto de la edad moderna, a una sala enorme llena de gente que hablaba y reía. Las luces se apagaron y se produjo un murmullo de expectación. El momento se alargó. Corinne esperó, presa de la misma excitación que el resto del público, a que aparecieran los integrantes del grupo, los Trovadores Oscuros, conocidos por su música, por la belleza de sus canciones y por su extraordinario talento con los instrumentos. De pronto, sus componentes aparecieron sobre el escenario y la multitud rugió y se levantó, golpeando y pateando el suelo con fuerza.

—*Eres increíblemente atractivo* —dijo Corinne. Había en su pensamiento un dejo de orgullo, un placer agradable y más bien posesivo que hizo a Dayan sumamente feliz.

Con la yema de los dedos, y siguió la curva de su boca.

—Mi pequeña admiradora —dijo, sonriendo, e inclinó la cabeza para buscar sus labios. No podía evitarlo. Ansiaba el sabor y la textura de su boca de seda. Se mostraba exquisitamente tierno, pero ferozmente posesivo, presa de un deseo atroz. Corinne respondió con la misma ternura caliente, su única manera de expresar el amor cada vez más intenso que sentía por aquel ser salvaje y solitario. Le echó los brazos al cuello para atraer su cabeza hacia ella, lo que significó un esfuerzo enorme, cansada y desgastada como estaba.

Dayan sintió enseguida su cansancio y lentamente, aunque a regañadientes, interrumpió el contacto y le besó la comisura de los labios y el mentón, y luego siguió por la línea dulce y vulnerable de su cuello. Se consumía de amor por ella, y tenía la certeza de que a ella le ocurría lo mismo. Aquello le daba una lección de humildad como ninguna otra cosa podía hacerlo. Ahora podía leer todos sus pensamientos, ver fácilmente entre sus recuerdos. Él había vivido solo durante siglos, rodeado de personas que sólo recordaba haber amado. Ella había cambiado su mundo, le había dado un bien de incalculable valor.

Corinne lo aceptaba por lo que era. Empezaba a tener acceso a sus recuerdos y a sus pensamientos gracias a la posibilidad de permanecer conectada mentalmente con él, y también gracias al ritual de su unión y a su vínculo por la sangre, pero su aceptación iba mucho más allá de eso. Él lo percibía, veía que ella lo aceptaba no porque fueran compañeros eternos, sino por el profundo amor y el compromiso que sentía para con él. Corinne confiaba en sí misma y en su juicio. Intuía el bien que latía en Dayan y se entregaba a él. Amaba al poeta que llevaba dentro, su manera de expresarse con su música y la letra de sus canciones. Aceptaba su parte oscura, sabía que correspondía a su naturaleza, y era parte de su ser. Ella creía en él y en quien era.

—Quiero que duermas, amor mío —dijo Dayan, con voz suave, mientras seguía con la boca la línea de su delicada clavícula—. Siento que estás cansada. Cierra los ojos y duerme. Le darás a tu cuerpo un descanso. Yo me quedaré aquí, a tu lado.

Muy a su pesar, Corinne dejó caer flojamente en el edredón los brazos que le tenía al cuello. Aquella incursión de la boca de Dayan la despojaba de la capacidad de pensar adecuadamente. Si cerraba los ojos, brotaban unas lágrimas ardientes que quedaban atrapadas en sus pestañas. A Corinne le dolía pensar en él, pensar en su dolor. Dayan no quería dormirse. Le aterraba la sola idea de despertarse y descubrir que ella lo había dejado. Por eso había perdido su calma habitual. Gracias a su nueva conciencia, Corinne descubrió que se volvía cada vez más parecida a Dayan y que, a medida que pasaban las horas, poseía habilidades cada vez más poderosas.

—¿*Estás a salvo aquí conmigo*? —Intentaba calmarlo, darle tranquilidad.

Dayan le cogió la mano, se la llevó a los labios. Le mordisqueó los dedos con sus fuertes dientes, pero con extraordinaria delicadeza. Corinne lo estaba volviendo loco.

—Ahora estamos en las entrañas de la tierra. Yo no siempre tengo que dormir bajo un manto de tierra. Prefiero quedarme junto a ti. Si te despiertas antes de que se ponga el sol, no te asustes. Parecerá que mi cuerpo es el de un muerto. Pero no es más que un rejuvenecimiento, un estado natural de los carpatianos. No quiero que te alarmes, por la razón que sea.

Su tranquilidad la hizo sonreír. Todo en Dayan era extraordinario y mágico. Tratándose de él, era capaz de creer cualquier cosa, incluso que podía despertarse de un estado que se confundía con la muerte. Había descubierto unas imágenes en su mente. Los carpatianos descansaban sumidos en un estado muy parecido a la animación suspendida. Corinne sentía el bienestar de la tierra curativa tal como la sentía él, como un estado natural en el que podía realmente constituir una unidad con la tierra y el cielo.

—Si me despierto, no tendré miedo, Dayan. Esperaré a que aparezcas como si fuera la bella durmiente. —Aunque su voz era tan débil que apenas era inteligible para el oído humano, Dayan la oía sin dificultad. En la voz de Corinne asomó una sonrisa—. Si te beso, ¿te despertarás?

—Si tu me necesitas, Corinne… —Dayan sabía que ella bromeaba, pero contestó con voz solemne—, yo te oiré. —Entrelazó los dedos de ambas manos—. Siempre oiré tu llamada.

—*Ya sé que la oirás. Ya no tengo miedo, Dayan, de veras. Ocurrirá lo que tenga que ocurrir. Hemos hecho todo lo posible para prepararnos. O yo logro sobrevivir y tenemos un final feliz, o no lo logro. Quiero disfrutar de mi tiempo contigo, cada minuto, cada segundo. Por favor, no sientas miedo por mí.*

Dayan sentía que su corazón latía exageradamente de puro miedo. Respiró hondo y sus pulmones aspiraron el aroma de Corinne. Aquello le daba seguridad y le serenaba el ánimo. Permitió que fluyera en él, que lo empapara, sabiendo que lo que había dicho era verdad.

—No temo viajar a otro mundo. Si tú estás ahí, ahí es donde estaremos los dos. Espero quedarme en este tiempo y lugar para compartir la belleza de este mundo contigo. Quiero ser capaz una vez más de sentir amor por mi familia y criar a nuestros hijos aquí antes de reemprender el viaje a otra vida. Pero si éste no es mi destino, que así sea.

Corinne seguía tendida a su lado, cada vez más sumida en un estado cercano al sueño. El bebé se movió en su interior, al contacto de la cálida mano de Dayan con la barriga, y ese movimiento los unió a los tres en una misma conexión. Dayan sintió que aquella conexión era muy fuerte y Corinne sonrió, relajada y feliz. Dayan le había dado un tesoro que no tenía precio. La había amado tal como era. Con su corazón desintegrándose y el bebé de otro hombre en su interior. La amaba con un extraño talento y con una manera de darlo todo por sentado. La habían aceptado por lo que era. Ni más ni menos. Nadie podía pedir más.

Quería escuchar su música, dejarse ir en los sueños donde él aparecía acompañado de la melodía de sus canciones en el recuerdo. Dayan, que percibía su deseo, miró por la caverna y de pronto se percató de que no tenía su preciado instrumento y que no había pensado en ello en ningún momento. Siempre lo tenía al alcance de la mano, pero ahora que lo necesitaba, no se veía por ningún sitio.

—¿*Buscas tu manta de seguridad*? —En sus palabras asomaba la risa, como si Corinne adivinara que el pánico de él iba a más.

Dayan rió, tranquilo, aprovechando la calidez de su compañía.

—No puedo tocar para ti si no tengo mi guitarra.

—No pienso dejarte ir así de fácil. Canta para nosotras, para el bebé y para mí. —Corinne sonaba satisfecha, parecía contenta y de buen humor.

Dayan la estrechó con fuerza y ella apoyó cómodamente la cabeza en su hombro. Él no podía hacer otra cosa que satisfacerla. Su bella voz estaba llena de su amor, y las letras salían de su boca como un hilo de oro fundido. Corinne se durmió en sus brazos y una ligera sonrisa le curvó la boca. Bajo el contacto de su mano, el bebé se acurrucó y se durmió con su madre.

Capítulo 16

Corinne se despertó temblando de dolor. Oyó el eco distante del grito del bebé, y temió que su hora de parir hubiera llegado demasiado pronto. Aquel grito breve y lejano que reverberó en su mente le ayudó a conservar la calma. Respiró lenta y profundamente para darle a su bebé el preciado oxígeno.

—Estamos bien, pequeña —canturreó suavemente—. Ya sabíamos que esto ocurriría.

La caverna estaba a oscuras. Sólo el agua, que lanzaba destellos de plata negra, despedía una luz tenue, quizá el reflejo de algún respiradero muy por encima de sus cabezas. Sin embargo, Corinne veía con la misma nitidez que si fuera de día. Hizo un sereno reconocimiento de su estado físico, excitada, temerosa, pero decidida. Intentó no darse cuenta de que el corazón le latía con demasiada fuerza y a duras penas.

No quería pensar en morir, ni asustarse pensando en ello. Había amado. Con plenitud. Totalmente. Sin reservas. Y la habían amado de la misma manera. ¿Cuántas personas podían decir eso? También sabía que llevaría a cabo la tarea más importante, más monumental de su existencia. Dejaría un legado de bellezas y maravillas. Un tesoro para el mundo. Su hija. Cerró los ojos y respiró hondo, concentrándose. Podía hacerlo. Siempre podía hacer lo que se le pedía. Más que cualquier cosa en su vida, aquél era su momento más importante. Dar a luz a su hija.

—Podemos conseguirlo, pequeña —murmuró suavemente. Las

dos juntas. Podemos conseguirlo. —Muchas otras mujeres la habían precedido, y después de ella vendrían millones, pero éste era su momento en la vida y no le fallaría a su hija.

Giró la cabeza lentamente para mirar a Dayan que permanecía tendido a su lado, totalmente inmóvil. Estaba muy pálido y no se advertía el vaivén de la respiración. Su pecho, que normalmente era cálido al tacto, estaba como un témpano. ¿Estaría muerto? Corinne encontró su pelo negro, largo y sedoso y hundió los dedos para conectar con él. Lo necesitaba, lo necesitaba en carne y hueso a su lado. Dormido o despierto, él la tranquilizaba con su presencia. El sol todavía no se había puesto, pero ella sabía instintivamente que no faltaba mucho. Era raro no sentir la presencia de Dayan como una sombra en su mente. Se había colado en ella en tantas ocasiones que ya lo daba por hecho, aunque hasta ese momento, no se había dado cuenta de que siempre se sentía conectada con él, ni de lo importante que eso era para ella.

—*Ya ves, amor mío, está ocurriendo.* —Apretó los cabellos entre los dedos y se acercó un mechón sedoso a la cara—. *Creo que estamos preparadas, más preparadas imposible. Te amo mucho, Dayan, te amo.*

Aquella onda volvió, un dolor largo y rabioso que no paraba de aumentar, hasta que Corinne acabó respirando con dificultad, concentrándose en el aire que se movía por sus pulmones y recorría el camino hasta su bebé. La criatura estaba incómoda y atemorizada. Algo la apretaba desde arriba, presionándola para que se moviera, pero ella no quería que eso ocurriera todavía.

Al final, primó el instinto, y madre e hija empezaron a trabajar al unísono. Corinne se ordenó a sí misma relajarse y tranquilizarse, mientras respiraba a lo largo de las incómodas contracciones, sin dejar de calmar mentalmente a su hija. Le asombró darse cuenta de que conectaba con la mente de la pequeña, y que ésta fuera tan inteligente y despierta a una edad tan temprana. El bebé le avisaba antes de que ella empezara a sentir las contracciones, lo cual le permitía aspirar profunda y tranquilamente para aguantar y respirar a lo largo de cada una de ellas. Deseaba ponerse de pie y caminar, sabiendo que aquello aceleraría el proceso, pero no se atrevía a correr ese riesgo. A pesar de su determinación de no ceder al pánico, Corinne constató que el miedo se apoderaba de ella a medida que las contracciones aumentaban y sintió como una piedra pesada que se le asentaba en algún lugar del pecho.

Supo el instante exacto en que Dayan se despertó. Ya estaba en su mente, en cuanto respiró por primera vez, en cuanto el ruido de su corazón llenó aquel espacio con su latido regular y tranquilizador. Dayan era su roca. Su ancla.

—*Dayan.* —Pronunció su nombre apenas como un suspiro, que aprovechó para inhalar su aroma. Era evidente que él acudiría a ella en un momento de necesidad.

Dayan le palpó el rostro, un gesto tierno y amoroso. Corinne sentía el amor que fluía de su corazón y su alma hacia ella.

—Nunca estarás sola, amor mío, nunca más. Pase lo que pase esta noche, estaré contigo.

—Me alegro de que estés conmigo. Quería que fuera Lisa, pero sabía que ella tendría problemas. No podía apoyarme demasiado en ella. Esto la hará sentirse muy culpable. No se da cuenta de las muchas otras cosas que me ha regalado. No necesito apoyarme en ella para amarla —alcanzó a decir, y se le apagó la voz cuando la próxima contracción comenzó a aumentar como una gran ola.

—Es el momento —dijo Dayan, con una suave afirmación, con su voz de tono aterciopelado. Sus ojos negros encontraron los ojos color verde musgo de Corinne y enseguida ella comenzó a caer a través del tiempo y el espacio, en un pozo insondablemente profundo. Dayan cambió de posición mientras la mantenía hipnotizada con su poderosa mirada.

—*Ha llegado el momento. El bebé va a nacer y el corazón le falla. Necesitamos a los curanderos ahora.* —Envió aquella señal en la noche, sabiendo que los otros se encontraban cerca, durmiendo en las entrañas de la tierra en la red de túneles y cámaras subterráneas. Su llamada los alertaría al instante.

Mantuvo a Corinne presa de su mirada, eliminando el dolor de la experiencia del parto para que su corazón descansara. Ahora oía aquel ritmo asincopado que anunciaba el desastre. Corinne ya estaba agotada, y aquello acababa de comenzar.

—Ya no siento las contracciones —murmuró ella—. Se supone que tengo que ayudar al bebé, Dayan. Si no puedo sentir lo que está ocurriendo, ¿cómo voy a ayudarla?

—Sólo he bloqueado el dolor como hacen los mortales con sus

fármacos cuando las mujeres dan a luz. Sentirás las contracciones sin los dolores del parto. —Dayan conservaba una apariencia de tranquilidad, sereno en su mente, donde ella podía conectar con él. Y en lo más profundo, donde ella no podía ver, una mano le apretaba el corazón como un puño—. No hay por qué cansar innecesariamente al corazón si puedo impedirlo. —Intentaba hablar como dándolo por sentado. En cuanto acabó la contracción, Dayan la acogió en sus brazos, sabiendo que Corinne necesitaba cambiar de posición.

Ella ponía hasta el último gramo de voluntad para que su corazón siguiera funcionando, pero aquello estaba agotando rápidamente sus fuerzas. Dayan hundió la cabeza en su pelo sedoso, escondiéndose ahí un instante mientras combatía sus propios temores.

—Desearía poder hacer esto en tu lugar, Corinne —murmuró, con voz queda.

Ella giró la cabeza para besarlo.

—Lisa es una mujer muy frágil, Dayan. Es de mi familia y la quiero mucho. —A Corinne le costaba respirar el aire suficiente para hablar.

Dayan la sostenía en sus brazos, como si eso fuera a impedir que Corinne viajara más allá de su mundo.

—Shh, querida. Yo me ocuparé de que Lisa esté protegida y querida toda su vida. No tienes por qué preocuparte por ella ahora.

—*¿Y qué pasará si no lo consigo, Dayan? ¿Quién se lo dirá? ¿Cómo llegará hasta aquí para estar con el bebé y contigo? Cullen...*

—Cullen se encuentra perfectamente en este momento, y está descansando cómodamente junto a Lisa, que le sostiene la mano —le aseguró, precipitadamente—. Savannah y Barack cuidan de ellos, y se ocuparán de que no les ocurra nada malo. Puedo conectar con ellos en cualquier momento, igual que tú. Sólo tienes que transmitirles tus temores a tus hermanos y ellos te tranquilizarán, como yo. Syndil sabe que estás de parto; ella nos sigue a nosotros y yo a ellos.

—*No dejes que le diga a Lisa que hay problemas. Si algo me ocurre, irás a ver a Lisa en persona. Ve tú, Dayan. Tú debes ser quién le cuente lo ocurrido.*

—Quiero que estés tranquila, querida. Conserva tu energía. Tú deber es mantenerte con vida, y darle la vida a nuestra hija. No te preocupes por algo que quizá no ocurrirá jamás y, desde luego, no te preocupes por Lisa, que se encuentra perfectamente a salvo.

La próxima contracción barrió a Corinne como una ola, mucho más intensa que la anterior. Su corazón reaccionó latiendo desesperada y violentamente. Le era imposible respirar. Una piedra le aplastaba el pecho y, en su interior, el bebé se quedó muy quieto. A Corinne le entró el pánico cuando empezó a debatirse para respirar. Sabía que Dayan le ayudaba, pero no conseguía tragar aire.

Apareció Gregori en la habitación, apenas un brillo trémulo. En un momento, no había nadie junto a la cama y, en el siguiente, la figura esbelta e invencible del Oscuro se había corporeizado. Su sonrisa transmitía paz, pero Corinne empezaba a conocerlo a través de sus repetidas conexiones mentales. En la mente de Gregori se insinuaba una inquietud. Luego vio a Darius, imponente, una figura más grande que el tamaño natural, tan poderoso que parecía indestructible. De pronto apareció una mujer de la nada, primero transparente como el aire y, luego, muy real. Era una mujer pequeña, de pelo color rojo vino, y daba la impresión de que poseía una gran sabiduría en las cuestiones relativas a su oficio. Se inclinó y le puso a Corinne la mano sobre la barriga. Sólo un ligero ceño de concentración turbó su expresión.

—Te presento a Shea, Corinne —dijo Gregori, con voz suave—. Confía en su juicio como lo hacemos nosotros. —Gregori le cogió la mano—. Los nuestros se están reuniendo, donde quiera que estén, y también nos prestarán su ayuda. Podremos conseguirlo.

Corinne no le quitaba los ojos de encima a Dayan.

—*Salva a mi bebé.* —Aquello era una imploración desesperada—. *Algo va mal, lo presiento.*

—Corinne. —La voz de Shea era amable, pero firme—. Voy a sacar al bebé enseguida. Tiene problemas y tenemos que sacarla de inmediato —dijo, y miró a Dayan—. *Tienes que llevar a cabo el ritual mientras yo intervengo, Dayan. Tráela a nuestro mundo y esperemos que su organismo crezca lo bastante rápido durante la conversión para mantenerla con vida. Gregori y Darius te ayudarán. Julian está presente para dar su sangre, y Jacques también.* —Mientras le hablaba a Dayan, ya empezaba a preparar a Corinne, cortando diestramente su ropa, sin necesidad alguna de luz. Dirigía mentalmente a Darius y Gregori, sin pronunciar palabra, mientras trabajaban juntos como una máquina bien lubricada.

Dayan volvió a cambiar de posición, estrechando a Corinne, que descansaba la cabeza en su pecho. Shea era rápida y eficaz, una experta en cirugía y una curandera carpatiana experimentada. Para Corinne era evidente que Shea sabía lo que hacía. No sentía dolor, ya que el esfuerzo y la concentración de todos juntos lo eliminaba. Experimentó una sensación extraña mientras Shea seguía adelante con el procedimiento de urgencia y le abría el vientre para tener acceso al bebé.

Corinne se sentía desconectada de lo que ocurría. Volvió a caer en un mundo de sueños, sin saber qué era realidad y qué pertenecía a un sueño. Vio a la mujer de pelo rojo cortándola. Vio a Dayan, que le acariciaba el cuello con los labios, sondeándole el pulso y mordisqueándola, pero nada de aquello la alarmaba. Gregori estaba del todo concentrado, y cuando abandonó su propio cuerpo lo hizo como pura luz y energía que fluyó hacia Corinne para ralentizar el proceso de muerte y acelerar la conversión.

Corinne oyó voces que entonaban un cántico en una lengua antigua, percibió la agitación a su alrededor cuando entraron otras figuras en la habitación trayendo algo que se parecía a una incubadora. Dayan alzó la cabeza, y en su rostro se reflejó su terrible aflicción. Aquello la conmovió cuando nada parecía conmoverla. Ansiaba estar junto a él, acompañarlo en su dolor. Ahora daba la impresión de que había envejecido. Unas arrugas profundas le surcaban el rostro oscuro y sensual. Vio que Dayan se hacía un corte delgado en el pecho, duro y musculoso, por encima del corazón. Luego lo vio apoyar el pecho contra su boca mientras le murmuraba, le ordenaba, que tomara lo que le ofrecía para que ambos vivieran.

Se vio a sí misma intentando obedecer sus órdenes, con movimientos tan débiles e inciertos que Dayan tuvo que sujetarle la cabeza, mientras le acariciaba la garganta para que tragara convulsivamente. Al mismo tiempo, vio que Shea levantaba al bebé, una silueta diminuta. Sus ayudantes ahora se movían velozmente, cortaban el cordón y se ocupaban de la niña bajo la dirección de Darius, que permanecía en primer plano. Darius se inclinó sobre el bebé con gesto protector, tiernamente.

Corinne sintió las lágrimas en la cara. La alegría. Había acabado. Su hija estaba viva y rodeada de personas que la amarían y la cuidarían. Flotando por encima de todo, sintió el cansancio, las ganas de cerrar los ojos y dejarse ir. Dormir un tiempo muy largo, quizás una eternidad. Tenía la sensación de que había estado cansada toda su vida.

—¡No! —Era una orden tajante—. *Aún no has acabado tus asuntos en este mundo. Te prohíbo dormirte.* —Era una orden imperativa, tajante. La siguió en su sueño hasta arrastrarla fuera de su estado. Corinne se encontró en brazos de Dayan, con la boca pegada a su pecho y sintiendo el líquido cálido y salado que le bajaba por la garganta.

—¡*Basta*! —Gregori advirtió a Dayan antes de que Corinne comprendiera cabalmente qué estaba ocurriendo y le entrara el pánico, o sintiera rechazo y se resistiera—. *No puede haber resistencia por su parte. Sencillamente no tendrá suficiente fuerza para sobrevivir si se resiste.*

Dayan dejó enseguida que Julian le cerrara la herida en el pecho y sostuvo a Corinne, anclando la mente de ella en la suya. Corinne se desvanecía, Dayan sentía que su espíritu se alejaba de él cada vez más, aunque su alejamiento no fuera una decisión consciente. Ella parecía incapaz de reunir la fuerza suficiente para seguir luchando, incluso después de haber recibido su sangre, una sangre antigua como el tiempo, y a pesar de que los carpatianos transmitían su fuerza de voluntad a su organismo debilitado.

Dayan dejó descansar la cabeza junto a la de ella. Habían esperado demasiado. Su pobre cuerpo mortal había luchado mientras era capaz, y había permanecido viva justo el tiempo suficiente para dar a luz a una nueva vida. Ahora, esa fuerza vital la abandonaba. Corinne ya no sentía la sangre corriendo por sus venas. Su corazón debilitado seguía bombeando porque Gregori obligaba al órgano dañado a cumplir con su cometido, pero ella parecía estar demasiado lejos como para poder rescatarla.

Dayan los sentía a todos a su alrededor, su familia, su gente. El cántico se hizo más fuerte. Dayan oyó el llanto suave y desamparado del bebé mientras Shea cuidaba de él. Inhaló el aroma de las velas curativas. Por un momento, se permitió el lujo de asimilarlo todo, la belleza de aquel aposento, la avalancha de recuerdos de su vida, sus mutaciones, sus vuelos, su desafío a las leyes de la gravedad a medida que adquiría conocimientos. Recordó su amada música, aquella parte indisociable de su persona. Dayan amaba todo aquello, pero la mujer que tenía en sus brazos lo era todo para él. Nada volvería a importarle. Sin ella, no habría más colores ni luz, y la música dejaría de habitar en su corazón y en su alma.

Inclinó la cabeza para rozarle los párpados, la comisura de los labios.

—*Te amo, Corinne. No te marchas sola a un mundo desconocido. Yo estoy contigo.*

De pronto se oyó una fuerte protesta. Seca. Exigente. Eran todos juntos. Su familia. Desde la distancia, escuchó las expresiones de alarma de Barack y Syndil. Percibió el eco de Cullen, que debía haber recogido la protesta del pensamiento de Barack. Oyó la negación abierta de Julian, los suaves susurros de Desari, que también expresaba su resistencia. Tempest lo llamó, y Gregori y Savannah añadieron sus propias demandas. Pero el único al que contestó fue a Darius, a quien Dayan había seguido toda su vida. Y fue Darius quien le dio la orden en ese momento.

—*No la seguirás, sino que la salvarás.* —Era una voz increíblemente suave, aunque Darius nunca tenía que alzar la voz para que le obedecieran.

—*No quiere continuar, Darius. No puedo hacer otra cosa que dejarla descansar.*

Darius posó con fuerza la mano sobre el hombro de Dayan, y los dos quedaron físicamente conectados.

—*Serás su compañero eterno más tarde, y le concederás todos sus deseos, pero no ahora. Eres un carpatiano, Dayan. Amamos la vida, y perduramos. No la dejarás ir de este mundo, ni tampoco te marcharás tú.*

—*Tiene derecho a tomar su propia decisión.* —Él tenía derecho a tomar su decisión, y Corinne se merecía el mismo respeto. Era lo último que podía darle.

—*¡No ha sido su decisión, Dayan!* —insistió Darius—. *Nunca ha tenido la libertad de elegir. La muerte era inevitable, y ella lo sabía y lo aceptaba. Ahora está cansada y débil, pero no es su decisión. Ella te amó, te aceptó, sabiendo quién eres. No se resistió cada vez que tú le ofreciste traerla a nuestro mundo. Tú no le ocultabas esa verdad, ella siempre lo supo de alguna manera. Pero Corinne optaría por la vida, por ti, por su hija. No puede tomar esa decisión, así que tú debes tomarla en su lugar. No te das cuenta de lo cansado y agotado que estás tú mismo, ni sabes cuánta energía has derrochado para mantenerla con vida y darle una oportunidad a su bebé. No piensas con claridad.*

No te marcharás con ella. Te quedarás con nosotros y volcarás tu voluntad en ella para evitar esta tragedia. —Aquello equivalía a un decreto en toda regla, a una orden que debía ser obedecida.

De pronto, Darius se agachó y miró a Dayan a los ojos.

—Si alguna vez confiaste en mí, o confiaste en mi juicio, si alguna vez creíste en mí, sígueme.

Dayan percibió la fuerza de su líder, de aquel hombre que él llamaba hermano. Sintió la fuerza que fluía hacia él, y asintió con un gesto de la cabeza. Una sonrisa lenta y triste le curvó la comisura de los labios. Había pasado mucho tiempo desde la última vez que había conocido las emociones en el entorno de su familia, y ahora se sintió embargado por el orgullo y el amor hacia todos ellos. Se volvió hacia sí mismo e inició una rápida persecución de aquella luz débil y titilante que se alejaba de él, hasta que la alcanzó. Arropó por entero el espíritu de Corinne, su voluntad se convirtió en un sólido muro, en un ancla que la ataba a su mundo.

—*Corinne, soy yo.*

Percibió su respuesta. Débil y vacilante. Pero Corinne lo reconoció. Desde luego que sí. Lo reconocería donde fuera. ¿En qué había estado pensando? Corinne amaba la vida. Puede que aceptara las dificultades que la vida había traído consigo, pero era capaz de encontrar la alegría en todo y la belleza en el mundo que la rodeaba. Quería criar a su hija, ver a Lisa feliz junto a Cullen. Corinne deseaba compartir una vida con él.

Dayan no la soltó. Algo intentaba arrancarle su espíritu, separarlo de su cuerpo doliente. Vio como se esmeraban Darius y Gregori, dos puntos de pura luz que le masajeaban y estimulaban el corazón. Supo que Gregori ordenó que le dieran más sangre. Se la proporcionó Jacques, hermano del príncipe. Dayan vio a los dos curanderos trabajando furiosamente para orientar esa sangre a los órganos vitales de Corinne con la esperanza de acelerar la conversión. Los dos estaban exhaustos después de permanecer tanto rato ajenos a su propio cuerpo, pero ninguno de los dos flaqueó en su tarea.

—*Estoy cansada. Déjame dormir un rato.*

Aquellas seis breves palabras convencieron a Dayan. Corinne quería descansar, no morir. No deseaba entregarse al sueño eterno.

—*Todavía no, amor mío. Esto todavía no ha acabado. Sólo una cosa. Sólo falta una cosa y te dejaré dormir todo lo que quieras. Únete a mí, conecta tu mente con la mía para que pueda mantenerte a salvo mientras tú haces la travesía hacia mi mundo.*

La primera descarga de dolor fue un golpe. Como si un fuego corriera por las venas de Corinne. Se contorsionó y se agitó en brazos de Dayan. Éste apenas podía creer en la fuerza de aquella descarga, una bola de fuego que la consumía. Corinne gritó, un alarido arrancado a sus cuerdas vocales, un grito que retumbó en la quietud del enorme aposento y dejó un eco que se elevó hacia el cielo de la noche.

—*Dios mío, no podrá sobrevivir a esto. No quiero que sus últimos momentos sean tan dolorosos.* —Las palabras se desprendieron de su boca al tiempo que unas diminutas gotas de sangre le perlaban la frente. Dayan no podía eliminar el dolor. Lo había mitigado, pero aquello era algo que nadie era capaz de impedir.

—*Debe vivir.* —Darius se mostraba implacable en la decisión que había tomado.

Dayan respiró hondo, permitió que el dolor penetrara en su propio cuerpo y lo recorriera antes de que él volcara interiormente toda su atención hacia aquel espíritu abandonado, débil, entre las paredes que él había construido. Corinne no dejaba de asombrarlo. No tenía miedo. Aceptaba la conversión con la misma entrega con que había aceptado su parto. Sin embargo, estaba débil, y era incapaz de ayudarlo para reunir fuerzas para la batalla que se avecinaba.

La siguiente ola de fuego le quemó a Corinne los organos internos con una descarga tan feroz que casi se desprendió de los brazos de Dayan. No fue un dolor que se acumuló progresivamente. Los curanderos se habían propuesto forzar la conversión para aliviar su débil corazón, que habría fallado horas antes si ellos hubiesen renunciado a su tarea.

Dayan le sostuvo la cabeza a Corinne mientras vomitaba violentamente, una y otra vez. Estaba demasiado débil para moverse o para colaborar. Él se cuidaba mucho de que no inhalara, viendo que Corinne expulsaba de su cuerpo todas las toxinas dañinas. Se dio cuenta de que tenía los dientes apretados mientras aguantaba las horribles descargas de dolor que recorrían el cuerpo de ella. En lo profundo de su mente, intuyó que su espíritu flaqueaba, que la lucecilla se apagaba.

—*¡No!* —exclamó. Se aferró a ella, volcó hasta el último gramo de voluntad para impedir que la luz se extinguiera. Habían llegado tan lejos que la muerte no podía llevársela ahora.

El cántico era un constante murmullo en su mente, y Dayan sabía que los ayudaba, aunque no era suficiente. Necesitaba algo más, algo que condujera a Corinne hacia él. El bebé guardaba silencio, luchaba su propia batalla por la vida con la ayuda de Shea. Entonces se le ocurrió. La única cosa que él podía darle y que ella amaba. Su música. Comenzó a cantar. Al principio, lo hizo suavemente, una melodía de un amor oscuro y peligroso. Una balada del deseo. De la lucha desesperada de un hombre por la mujer que quería por encima de todas las cosas.

Desari se unió al coro, y su bella y mágica voz fue como un regalo del cielo. Cantó con él, le ayudó a usar su voz para arrancar a Corinne de las fauces de la muerte. Las notas temblaron en el aire, notas de oro y plata, como si la luz del sol bailara en el aposento a oscuras.

De pronto, percibió la respuesta de ella. Era débil, pero se captaba. Corinne se aferró al coro de voces, dejó que su melodía la distrajera de la horrible quemazón que sentía en todo el cuerpo, de la humillación al ver que su sistema se libraba de las toxinas humanas. Eso la sustraía a la pérdida de control, a esa sensación de impotencia de estar tendida sin poder moverse, a la vez que se contorsionaba y retorcía de dolor. Corinne se prendió de esas notas, del regalo que Dayan le hacía, y flotó por encima del fuego, aferrándose a la vida, a Dayan, su ancla más sólida.

Dayan se sentía humilde ante la absoluta confianza y la fe que ella depositaba en él. Ignoraba si él mismo habría puesto tan decididamente su vida en manos de otro. Estaba asombrado y agradecido, y pensó que aquello había sido para él una lección de humildad. Unas lágrimas rojas como la sangre le cayeron sobre el dorso de su mano, pero su voz no vaciló en ningún momento mientras le cantaba.

Para Dayan, aquella horrible experiencia duró una eternidad, y sus emociones recién descubiertas todavía eran emociones en estado bruto. Sin embargo, cantó con todo su corazón y su alma. Su voz envolvió a Corinne, la encumbró por encima del dolor horrible y la mantuvo firmemente anclada a su lado.

—Ahora, Dayan —le dijo Darius, en cuya voz era perceptible el alivio—. Hazla dormir y podremos llevar a cabo el proceso de curación.

Dayan tardó unos momentos en entender lo que quería decir Darius. Los curanderos habían conseguido utilizar su sangre y la pre-

ciosa sangre del linaje del príncipe para convertir el corazón desfalleciente de Corinne en un poderoso corazón carpatiano. El peligro había pasado, pero él no se daba cabalmente cuenta de que eso era posible. Se sentía como si hubiera luchado diez mil batallas, como si
hubiera estado luchando toda su vida.

Le ordenó dormir, una orden estricta, imperativa e inmediata. A
Corinne no le quedó más remedio que obedecer y, en su estado de
debilidad, a Dayan no le costó ponerla a dormir como lo hacían los
carpatianos. Después, dejó escapar un suspiro de alivio. Por fin, ella
estaba más allá del dolor. Alzó la mirada, con los hombros hundidos,
totalmente vaciado de su energía. Le había dado a Corinne una gran
cantidad de sangre, y no se había alimentado ni había dormido en la
tierra rejuvenecedora. Había dado hasta la última gota de energía
para mantener funcionando el corazón y los pulmones de ella, para
atarla a él. Las emociones que había soportado habían sido lo bastante fuertes para vaciarlo de su portentosa fuerza. Estaba alarman-
temente débil y pálido.

Miró a su alrededor por la sala, y vio a los demás que tanto habían
dado de sí por él y por Corinne. Shea cuidaba del bebé. Dayan se dio
cuenta de que sonreía, una sonrisa lenta que reemplazó su fatiga con
un sentimiento de calidez. Su hija. Quizá Corinne pensara en su hija
como la hija de John, y él lo entendería. Pero, en realidad, el bebé llevaba la sangre de su estirpe en su organismo. Mientras Darius y Gregori seguían trabajando para sanar a Corinne, miró detenidamente al
bebé.

—¿Vivirá? —le preguntó a Shea con voz queda.

La pelirroja lo miró.

—Es muy fuerte y se aferra a la vida. Corinne, Darius, Gregori y
tú habéis hecho un buen trabajo al infundir en ella la fuerza de voluntad. Tendrá unos padres que la amarán y cuidarán. Creo que será mejor si se queda aquí unas semanas para darle tiempo a su organismo a
acostumbrarse al mundo exterior, pero está bastante recuperada.

—Son pocos los bebés que superan el año de vida —dijo Dayan.
Enseguida sintió un dolor lacerante al pensar en la pérdida de la hija.
Se empezaba a desatar en él un instinto ferozmente protector.

—Así es —declaró Shea—, pero he llevado a cabo una exhausti-
va investigación, y creo que puedo mantenerla con vida. La dieta es
importante. El cuerpo de un niño carpatiano es diferente al de un

adulto. No podemos amamantarlos como los humanos, y necesitan una mezcla de nutrientes. Nuestra sangre es demasiado rica para ellos. Por eso era importante no convertirla antes de que naciera. Es demasiado pequeña para soportarlo.

—No tiene sentido que una madre no pueda alimentar a su propia hija. ¿Siempre ha sido así? La naturaleza suele proveer para los pequeños.

Shea asintió con un gesto de la cabeza.

—Hace cientos de años, según Gabriel y Lucian, nuestro pueblo no tenía este problema. Algo ha sucedido en los años que han pasado para provocar esta situación. El cambio se produjo a finales del siglo catorce o principios del quince, estoy casi segura. Me falta muy poco para descubrir la verdad —dijo, muy segura de sí misma—. Entretanto, este bebé tendrá necesidades especiales. No es totalmente humana, ni es totalmente carpatiana. En lugar de convertirla, creo que deberíamos dejarla crecer tal cual, al menos hasta que sea mayor. Yo no era del todo carpatiana y logré sobrevivir. Gregori y yo hemos trabajado en una dieta que creo le ayudará a esta pequeña a crecer fuerte. Y si surgieran problemas, podemos hacer un seguimiento a distancia y prestaros ayuda inmediatamente. Tiene buenas probabilidades de sobrevivir, Dayan.

—Te agradezco lo que has hecho por nosotros.

Shea lo miró sonriendo.

—Me alegro de haber llegado a tiempo. El viaje ha sido largo, y sólo podíamos desplazarnos de noche para cubrir tantos kilómetros. Intuyo que estás preocupado por Corinne, pero te aseguro que Darius y Gregori la sanarán por completo. Cuando se despierte, tendrá un corazón fuerte y su organismo estará totalmente curado. No sufrirá ninguna de las secuelas del parto, y ellos velarán para que no sienta incomodidad alguna. Déjala descansar varias noches en las entrañas de la tierra curativa. Entretanto, el bebé estará a salvo con nosotros. Nos conoce y, aunque desee el calor de la madre, nosotros nos ocuparemos.

—¿Quién cuidará de ella durante las horas de luz? —No puede yacer como nosotros en el subsuelo, y está demasiado débil para no tener quien la atienda y la ponga a dormir durante nuestras horas de sueño. Debemos traer a Lisa. —De pronto, Dayan había empezado a pensar como un padre, no como un carpatiano.

Shea sonrió para tranquilizarlo.

—Hemos traído al pobre Gary Jansen con nosotros. Nos ha sido de gran ayuda durante mi investigación y se encuentra totalmente protegido por todos los carpatianos. Él se ocupará del bebé mientras nosotros yacemos en las entrañas de la tierra.

Dayan se mostró escéptico.

Shea rió.

—Gary es perfectamente capaz de cuidar de este bebé. Confiad en mí. Siempre trabajo con él. Además, lo dejaron al cuidado de Falcon y de los niños adoptados de Sara durante las horas de luz.

Dayan asintió a pesar de sus reparos y luego señaló el pequeño artilugio.

—¿Qué es eso? —preguntó.

—Es algo muy parecido a una incubadora de los humanos. La niña todavía es demasiado pequeña para vivir por sí sola, pero con vuestra sangre y vuestros cuidados, no tardará en crecer. —Shea carraspeó y volvió su mirada al bebé.

—Cuando Corinne se despierte, querrá ver a su hija, Dayan. Es normal que una madre sienta ese impulso.

Dayan sonrió, enseñando su hilera de blancos dientes, borrando por un momento los estragos del cansancio en su rostro sensual.

—¿Intentas decirme, a tu delicada manera, que mi compañera no se despertará con el mismo apetito que yo?

Shea rió por lo bajo.

—Creo que tendrá tanta hambre como tú, Dayan, pero sus instintos la impulsarán a ver a su hija.

—Corinne quería ponerle Jennifer, como la madre de John y Lisa. He percibido en su pensamiento que tenía miedo de darle un nombre a su hija, temiendo que, de alguna manera, aquello significaba echarle un maleficio. —Dayan se inclinó para mirar aquel artilugio transparente. Se quedó mirando a la niña con expresión de pánico—. Podría caber en mi mano —dijo.

Shea volvió a reírse de él.

—No pesa ni siquiera dos kilos. No te preocupes, aumentará de peso rápidamente.

—Dayan —dijo Julian, y le dio una palmada en el hombro—. Te damos la enhorabuena. Tienes una compañera y ahora eres padre. Es motivo para una gran celebración. Sin embargo, tendremos que aplazar cualquier fiesta hasta después de que te hayas alimentado y descansado en las entrañas de la tierra. Ha sido una experiencia difícil y larga, y tienes que recuperarte adecuadamente, mientras tu compañera sana en la tierra acogedora. Darius y yo custodiaremos tu lugar de descanso y a tu hija con nuestras vidas. —Mientras hablaba, se había llevado el brazo a la boca con un gesto que parecía anodino. Sin ni siquiera una mueca de dolor, se abrió una herida en la piel y apretó la mano contra la boca de Dayan—. Toma lo que te ofrezco libremente para que puedas fortalecerte y proteger a tu compañera y a tu hija.

Dayan aceptó gustoso la sangre antigua. Empapó sus células y tejidos, y aportó una descarga de energía a su cuerpo agotado. Julian se había ofrecido libremente, sabiendo que Dayan no dejaría a Corinne. Había vivido demasiados traumas con ella como para confiársela a nadie. Dayan cuidaría a Corinne en persona, y Darius cuidaría de toda la familia, como lo había hecho durante siglos. Julian, el compañero de Desari, había ocupado su lugar para cubrirle la espalda a Darius.

Barack y Syndil le transmitieron a Dayan su alegría a través del aire de la noche, una lluvia de piedras preciosas rutilantes como fuegos de artificio en el cielo por encima del respiradero del aposento subterráneo. Dayan se sentía agradecido con su familia por compartir su alegría.

Desari, la niña amada del grupo, se inclinó para rozarle la mejilla con un beso, radiante de felicidad. Su compañero, Julian, le lanzó su habitual sonrisa de bromista. Vieron cómo los otros carpatianos abandonaban el aposento, ya acabada su bondadosa misión. Ahora todos eran libres para volver a sus hogares.

Además de la familia de Dayan, sólo Gregori y Shea se quedaron con sus respectivos compañeros. Los curanderos estarían agotados cuando terminaran su tarea, desesperadamente necesitados de sangre, y sus compañeras se la proporcionarían antes de que ellos salieran a cazar por la noche.

Gregori fue el primero en volver a la superficie, con evidentes muestras de cansancio en su rostro sereno. Luego vino Darius, tambaleándose, y Tempest y Julian se apresuraron a ayudarle. Su piel se había vuelto casi gris. Se aferró a la cintura de su compañera con gesto amoroso.

—Lo hemos conseguido, Dayan. Vivirá, estará entera y será una niña fuerte.

—Déjala descansar en las entrañas de la tierra unas dos o tres noches —aconsejó Gregori, asintiendo con la cabeza—. Shea, Darius y yo nos aseguraremos de que el bebé viva. Ahora Corinne necesita desesperadamente tiempo para terminar de sanar. Es el trabajo más difícil que jamás he llevado a cabo. Os recomiendo cautela antes de despertaros. Comprueba cómo está antes de despertarla, y si tienes alguna duda, conecta conmigo o con Darius. La examinaremos y te diremos qué hacer.

A espaldas de Dayan, Julian rió por lo bajo.

—Veamos, Gregori, quizás aceptarás mi oscuro abrazo para reponer tus energías. Savannah es más bien pequeñita.

Savannah se echó a un lado la rica cabellera negra y le dio a Julian en todo el pecho cuando pasó al lado de su robusta figura para cogerle la mano a Gregori.

—No sé por qué os da por insistir en que soy pequeña. Os diré que me veo a mí misma como una mujer *muy* alta.

Dayan sonrió al ver la expresión de ternura de Gregori cuando éste bajó la mirada hacia su compañera más bien pequeña. Intentó recordar todo lo que había escuchado acerca del curandero. Gregori, el Oscuro. Su reputación de cazador de vampiros era por todos conocida. El Oscuro era un ser al que los demás procuraban evitar si alguna vez se cruzaban con él. Sin embargo, Dayan sospechaba que a Savannah su elegido no la intimidaba en lo más mínimo. Parecía una mujer muy enamorada y segura en su relación.

Dayan conocía a Julian bastante bien. Como compañero de Desari, Julian viajaba con los Trovadores Oscuros, pero era decididamente un hombre que obedecía a sus propias leyes, seguro y confiado de sus propias capacidades después de deambular siglos por el mundo. Podía picar fácilmente a Gregori o a Darius con su acendrado sentido del humor, como si se riera íntimamente de ellos dos por haber sucumbido ante sus respectivas mujeres. A Dayan le agradaba aquel carácter irónico e independiente de Julian, aunque recordaba que al principio a la familia le había costado no poco aceptarlo.

Gregori le sonrió a Savannah con una expresión colmada de amor, y luego volvió sus ojos plateados hacia Julian, con una mirada gélida.

—Debería aceptar tu oferta, Julian, y dejarte seco. Eso te llevaría a las entrañas de la tierra durante unos días y ya no estarías pendiente de tu compañera todo el tiempo.

Julian rió por lo bajo y arrimó la cabeza a la cabellera larga y sedosa de Desari.

—A ella le encanta que esté pendiente de ella, ¿no es cierto, Desari?

Dayan percibió la sensación de alivio que ahora reinaba en la cámara, ya que a través del humor liberaban la tensión. Gregori estaba casi gris de fatiga, pero nadie lo mencionó. Savannah miró al curandero y los dos se disolvieron en un hilo de niebla y desaparecieron antes de que Dayan hubiera tenido tiempo de darles las gracias. Sabía que tenía una gran deuda pendiente con Gregori.

—Ahora te dejaremos —dijo Desari, con su templada voz musical—, para que nadie turbe tu sueño. Anhelo que llegue el momento de saludar a Corinne como hermana. Esta noche también veré cómo está Cullen. No te preocupes, todos estamos comprometidos por la palabra de Darius. Él ha acogido a Cullen en la familia, y con Corinne llega Lisa. Son seres humanos, pero los queremos. Me ocuparé de que Lisa reciba las noticias y sepa que Corinne se encuentra fuera de peligro. Le diré que llevarás a Corinne y al bebé a verla en cuanto tu compañera pueda viajar sin problemas. Syndil me ha dicho que Lisa se sentirá muy aliviada cuando tenga noticias de Corinne.

Dayan se pasó una mano por su oscura cabellera y aún se quedó más despeinado.

—Gracias, Desari. Corinne ha estado muy ansiosa a propósito de Lisa. Y sé que Cullen siente un profundo afecto por ella.

—Eso me ha contado Syndil. Deja de preocuparte, Dayan. Todos tardaron un tiempo en aceptar a Julian en la familia. Tarde o temprano, Lisa y Corinne también encontrarán su lugar. Sé que te preocupa que quizá Corinne no quiera viajar con nosotros porque tiene un bebé, pero te ama. Sabe que tienes corazón y alma de músico. Y así como ella es tu hogar, tú eres el hogar de ella —dijo Desari, y se inclinó para abrazarlo—. Te quiero mucho y estoy muy contenta por ti.

Dayan se despidió con un beso y la vio salir de la habitación junto a Julian. Julian le puso el brazo sobre sus finos hombros y le susurró algo dulcemente al oído con una mirada sugestiva. Dayan oyó la risa apacible y alegre de Desari, y lo embargó un sentimiento de calidez.

Corinne estaba viva y ya no corría peligro. La niña también estaba a salvo en la incubadora. Darius abrió la tierra y le hizo un gesto a Dayan para que cogiera a Corinne en sus brazos. Dayan vaciló.

—¿Estás seguro de que ese Jansen cuidará de mi hija?

Shea rió dulcemente.

—Te estás convirtiendo en todo un padrazo preocupado por su hija. Puedes confiar en Gary. Yo estaré aquí con Jacques, desde luego. Darius y Tempest dormirán en el nivel por encima de donde estáis tú y Corinne. Gregori y Savannah están en el aposento adyacente. Nuestra gente está en todas partes dentro de esta red de túneles. El bebé no sufrirá daño alguno mientras tú descansas.

Dayan lanzó una última mirada al bebé, y tocó la tapa transparente de la incubadora con la punta de los dedos, justo por encima de la cabeza de la recién nacida. Luego flotó hasta la profundidad de la tierra fértil y acogedora con Corinne, estrechándola cerca de él, protegiéndola con todo el cuerpo mientras permitía que su corazón ralentizara su ritmo hasta detenerse del todo.

Darius cerró la tierra por encima de sus cabezas, se giró hasta quedar en los brazos de su amada compañera, Tempest, y se dispuso a recuperar fuerzas.

Capítulo 17

Dayan se despertó en las profundidades de la tierra con el corazón desbocado y el cuerpo ardiendo. Corinne. Giró la cabeza para mirarla, temeroso, pero entusiasmado, tan deseoso de ella que pensó que el fuego lo consumiría. Ella estaba tendida a su lado donde él la había dejado, totalmente quieta. Parecía muerta, increíblemente pequeña y frágil a su lado. Sin duda, su cuerpo era el de una mujer, suave y curvilíneo. Él sabía que Corinne tenía un corazón de leona y, aún así, mientras dormía su aspecto era el de una niña.

Habían pasado tres noches desde que él se tendiera con ella en la tierra. Él se había despertado cada noche para confirmar que el bebé estaba vivo y que se sentía bien dentro de su pequeña crisálida artificial. Sabía que eso era lo que Corinne esperaría de él, pero también lo hacía, según se dio cuenta, porque le preocupaba la suerte de la niña. Cada vez que respiraba, le entraba miedo por la pequeña, su hija. *Su hija*. Saboreó la palabra. Ahora era padre.

Llevó a cabo instintivamente un barrido visual del perímetro, primero para buscar algún indicio de peligro en los alrededores, y luego para asegurarse de que no había nadie de su estirpe cerca del lugar de descanso. Darius y Tempest se habían despertado y estaban a cierta distancia. Shea ya estaba despierta y cuidaba de la niña, alimentándola con una fórmula que había preparado.

—¿*El bebé se encuentra bien*? —Dayan hizo la pregunta incluso antes de apartar la tierra de su lugar de descanso, ansioso por tener noticias y con ganas de buscar un contacto mental con la pequeña.

—*Cada noche que pasa se hace más fuerte, Dayan.* —La respuesta de Shea llegó hasta él, amable y paciente.

Dayan se concentró en los otros dos curanderos, fijando totalmente su atención.

—*Quiero traer a Corinne a la superficie.*

Siguió una breve pausa, como si los curanderos se consultaran mutuamente. Gregori fue el primero en contestar.

—*Vendré en seguida.*

Dayan esperó con impaciencia a que Gregori acudiera al aposento. Con un gesto de la mano, abrió la tierra por encima de su cabeza. Esperó, presa de la ansiedad, mientras Gregori se tomaba su tiempo, concentrándose, fijando su objetivo, desplazándose fuera de su propio cuerpo para entrar en Corinne y examinar las curaciones. Prestaba atención hasta al más mínimo detalle para asegurarse de que Corinne estaba del todo sana antes de despertarla. Dayan vio que Gregori se reincorporaba a sí mismo, frunciendo el ceño ante la evidente ansiedad de Dayan.

—Está curada, Dayan, y totalmente preparada para comenzar su vida contigo. Examinaré al bebé y no te molestaré más —dijo, con voz cansina, sabiendo perfectamente en qué pensaba Dayan.

Cuando Dayan salió flotando de su lecho en la tierra con Corinne en los brazos, se limpió y luego la limpió a ella, y le examinó su cuerpo exquisito en busca de marcas o señales de su terrible experiencia. En su piel no había ni la más mínima marca, ni siquiera el corte largo y horrible que le habían practicado para sacarle el bebé. Dayan la arropó a su lado, conociendo la natural timidez de Corinne.

Después de dar la orden de despertarse, la dejó en lugar seguro en el suelo e inclinó su oscura cabeza hasta encontrar su boca y capturar su primer aliento. Corinne. Su compañera eterna.

—*Te amo más de lo que mi cuerpo es capaz de soportar.*

Corinne estaba tan profundamente conectada con él que percibió la urgente demanda de sus sentidos y no supo evitar una excitación similar, como si ambos estuvieran perfectamente compenetrados. Se dio cuenta de que Dayan se había puesto duro, y que por su mente desfilaban pensamientos e imágenes eróticas. Él revivió mentalmente los momentos en que Shea lo había tranquilizado cada noche, de modo que Corinne supo enseguida que el bebé saldría adelante.

Dayan la llevó velozmente hasta el rincón del aposento donde Shea había dejado a la niña para protegerla. Corinne dejó escapar un grito apagado al ver a su hija. Le echó los brazos al cuello a Dayan y estalló en lágrimas. Apenas podía creer que estuviera viva. Ella misma se había vuelto más fuerte y flexible, y supo que su corazón latía al unísono con el de Dayan. Cada una de sus células rebosaba vida y ardía de pasión. Corinne deseaba a Dayan tanto o más de lo que él la deseaba a ella.

—*Eso es imposible.* —Era la voz de Dayan, y era pecaminosamente pícara.

Corinne rió en medio de su llanto, tan desbordante de alegría que no cabía en sí.

—Tengo que cogerla. Tengo que tenerla en mis brazos. —Miró a Dayan con el corazón reluciendo en sus enormes ojos—. ¿Tú la has cogido?

Él negó con la cabeza.

—Sólo la han cogido Shea y Gary. Gregori y Darius la han examinado a diario, y todos la hemos acompañado, pero ella te quiere a ti.

—Es un bebé muy fuerte, Corinne —dijo Shea, sonriendo. Es evidente que quiere estar con su madre. No es bueno tenerla mucho rato fuera de su ambiente protegido. Dayan y yo os protegeremos con una defensa mientras tú estas con ella. Pero serán sólo unos minutos. Es preferible no correr riesgos.

—¿Le ocurre algo malo? —preguntó Corinne, con un dejo de ansiedad.

—Quiero que se fortalezca su sistema inmune. Lo ha tenido muy difícil y hay que darle un poco más de tiempo. ¿Habéis pensado en un nombre? Dayan pensaba que quizá quieras ponerle Jennifer, como la madre de Lisa y John.

Corinne asintió con un gesto de la cabeza, incapaz de quitarle los ojos de encima a su hija.

—Es muy guapa. Pequeña Jennifer, por fin nos conocemos.

Shea sacó al bebé con cuidado de la incubadora y dejó el diminuto cuerpo en los brazos anhelantes de Corinne. Dayan, conectado con ella, compartió el vínculo inmediato que se estableció entre madre e hija, un vínculo indestructible, un intercambio de amor y un reconocimiento mútuo. El sentimiento de esa aceptación y ese amor los desbordó a los tres por igual. A Dayan las lágrimas le ardieron en los ojos. Era su familia para siempre, para toda la eternidad.

—*Lo tenemos todo, amor mío. No puedo creer en tanta buena suerte.*

Corinne le cantaba al bebé con voz suave, meciéndola tiernamente mientras Dayan las rodeaba a las dos con su abrazo.

—Mira qué pequeños tiene los dedos de los pies y de las manos —observó él, maravillado—. Lo tiene todo como una persona de verdad. —Casi tenía miedo de tocar el cuerpecito de la niña. Cuando le cogió el dedo índice a Dayan con su manecita, éste pareció enorme.

Corinne rió por lo bajo.

—Nunca habías tenido un bebé en los brazos, ¿no?

Él le sonrió, y le mordisqueó el cuello, con lo cual hizo saltar chispas inesperadas entre los dos.

—¿Se nota?

—Absolutamente. ¿Quieres tenerla en brazos?

Fue como si Dayan estuviera a punto de desmayarse, y las dos mujeres rieron de buena gana. Corinne fue la primera en serenarse.

—Lo siento, Shea. Savannah me ha dicho que vas a tener un bebé, y que has tenido que hacer un viaje muy largo para llegar hasta aquí. No sé cómo podré agradecerte tu generosidad. ¿Tu bebé se encuentra bien?

Shea se llevó ambas manos a la barriga con gesto protector, y entonces sintió el aliento de su amado Jacques en el cuello, a pesar de que no estaba presente en ese momento.

—Las mujeres carpatianas tenemos problemas para llegar a término. El bebé está bien, pero tuvimos que viajar lentamente para evitar complicaciones.

—Dayan me ha contado que estáis preocupados porque los bebés carpatianos a menudo no sobreviven al primer año de vida —dijo Corinne, y miró a Shea sin ocultar la ansiedad.

Shea suspiró y se pasó la mano por el largo pelo color rojo vino.

—Es verdad, Corinne. Hemos tenido ese problema desde hace muchos siglos. Gregori ha llevado a cabo una larga investigación y, desde hace unos años yo trabajo con él. Hemos descubierto que el problema tiene orígenes más antiguos de lo que sospechábamos. Suponíamos que durante el siglo catorce, cuando la mayor parte de nuestra población adulta y de los niños fue aniquilada, perdimos a muchas, muchísimas mujeres. En casi todas partes se creía que las mujeres carpatianas tenían una composición química que sólo permitía que se implantaran en las paredes del útero los fetos masculinos.

Shea se inclinó y sonrió al bebé, que dormía.

—Creo que es mucho más que eso. Creo que tiene que ver con la peste.

Corinne alzó la mirada como un resorte y apretó al bebé contra su seno en un gesto de protección instintiva.

—¿Qué quieres decir? —preguntó.

Shea rió por lo bajo.

—Jennifer no tiene la peste, no temas. La peste ha estado entre nosotros más tiempo de lo que la gente normalmente cree. Sabemos de casos ocurridos en China en el 224 antes de Cristo, o que en Roma se produjo un brote hacia el año 262 después de Cristo que mató a cinco mil personas por día. Los cruzados llevaron la peste a Europa, que barrió el continente en el siglo catorce y comienzos del quince.

—¿Cómo es posible que los nuestros se vieran afectados? Las enfermedades de los seres humanos no nos producen ningún efecto —señaló Dayan—. Sus drogas y su alcohol tampoco.

—Eso es lo que se cree —dijo Shea, sacudiendo la cabeza—, pero no es necesariamente verdad. Las drogas y el alcohol son expulsados de nuestro sistema, y no sentimos los efectos. Lo mismo ocurre con las enfermedades humanas. Pero eso no significa necesariamente que no dejen huellas en nuestro organismo.

—¿Se ha conocido alguna vez el caso de un carpatiano que haya caído enfermo con ese mal? —A Dayan le costaba creer lo que contaba Shea—. He vivido cientos de años. ¿Cómo es posible que no haya contraído ninguna enfermedad?

Shea volvió a reír.

—Vosotros, los machos carpatianos tenéis un ego más grande que un continente. Leo tus pensamientos con la misma facilidad con que tú lees los míos, Dayan. Sí, mi madre era humana y mi padre carpatiano. Soy investigadora, y sólo contemplo una hipótesis. No me importa demasiado que te preguntes si soy capaz de comprender la constitución orgánica de un carpatiano o no. Lo que me importa es encontrar una respuesta a este dilema. Si lo descubrimos, podremos salvar a nuestros hijos. Y, con eso, tendremos una oportunidad para salvar a nuestra raza de la extinción.

Dayan hizo una reverencia con un elegante gesto de cortesía.

—Te pido perdón por mis pensamientos, Shea. Nunca he visto a un carpatiano contagiado por una enfermedad humana.

—Aún así, es posible que queden huellas —señaló Shea, paciente—. Los humanos descendientes de los sobrevivientes de la peste portan una mutación de un gen. Ese gen parece que es el que los hace inmunes al virus del VIH. En alguna ocasión, los nuestros se han visto obligados a usar a aquellos que estaban enfermos como sustento. Si había cinco mil muertos al día por la peste, es posible que no tuvieran alternativa. Fue en aquellos tiempos cuando empezamos a perder a nuestros bebés de forma sistemática. Pero puede que no exista relación alguna, o puede que se trate de una coincidencia, pero no deja de ser un hecho interesante.

—¿Cómo afecta todo eso a Jennifer? —preguntó Corinne, temerosa.

—Para ser sincera, no lo sé —dijo Shea—. Trabajaré en estrecho contacto contigo para asegurarnos de que se desarrolla bien con los nutrientes que le damos. Hasta ahora, le sientan bien. De aquí a una semana, más o menos, podrá estar contigo todo el tiempo. Por ahora, tiene que volver a su pequeña incubadora —dijo, sonriéndole a Corinne—. Yo sugiero que tú y Dayan os toméis un momento para estar a solas, que os divirtáis, que os lo tenéis bien merecido. Gregori, Darius, Gary y yo cuidaremos de Jennifer. Piensa en ello como si tuviera que quedarse en el hospital. Ya verás que dormirá muchas horas. Y tú sabrás cuándo se despierte, porque su mente conectará con la tuya.

Muy a su pesar, Corinne dejó que Shea le cogiera a la pequeña de los brazos.

—Parece tan pequeña e indefensa.

—Está creciendo —le aseguró Shea—. Estáis los dos muy pálidos. Iros por unas horas, son las órdenes del médico —añadió, con tono firme.

Corinne observó mientras Shea devolvía con sumo cuidado al bebé a su incubadora transparente. Dayan le rodeó la cintura con un brazo.

—No estés triste, querida —murmuró, rozándole la piel de satén con los labios—. Cuando se despierte, lo sabremos, y podremos venir enseguida. Vayamos a explorar tu nuevo mundo. —Dayan sentía un dolor brutal en todo el cuerpo, un dolor que le llegaba al alma.

Corinne lo percibió en su voz. Dayan nunca intentaba ocultarle sus puntos vulnerables. Algo profundo respondió en ella, una sensación que la calentaba y derretía, hasta que se ablandó y suavizó de deseo por él. Su mano subió por el cuello hasta la nuca de Dayan y empezó a masajearle suavemente los músculos tensos. Se inclinó hasta quedar muy cerca, deseosa de sentir los cálidos labios de él en su piel.

—*No podré esperar mucho rato más para estar contigo.* —A Corinne le faltaba el aliento al hablar, y eso imprimía a su voz un tono muy sensual. Dayan la cogió en brazos, cruzó el aposento con ella, y enfiló hacia arriba por los túneles hasta que salieron y alzaron el vuelo hacia el tormentoso cielo nocturno.

Corinne seguía en sus brazos, acurrucada contra su pecho. Cuando levantó la mirada para mirar a Dayan, vio que en su rostro había huellas profundas, arrugas que no había visto antes, fruto de su preocupación. Por ella. El viento sopló sobre sus cabezas, frío y cortante, pero Dayan le enseñó enseguida a regular su temperatura corporal, hasta que ella estuvo perfectamente abrigada. La bruma fría le bañó la piel con sus gotas diminutas mientras surcaban el aire hacia un destino que a Corinne le era desconocido. Por debajo se divisaban las copas de los árboles, meciéndose y bailando en el viento. Era curioso, las hojas tenían un color plateado en la oscuridad de la noche. Corinne cayó en la cuenta de que veía la superficie del suelo con toda claridad, a pesar de la velocidad a la que se desplazaban. Lo veía todo, hasta el más pequeño roedor escabulléndose entre las agujas de pino para guarecerse de la lluvia.

Las gotas de lluvia relucían como piedras preciosas en la noche. Dayan estaba caliente, el cuerpo endurecido, y volar por el cielo en sus brazos era absolutamente excitante. Corinne giró la cabeza y le buscó el cuello, acercó los labios, sintiendo la sangre que fluía, espesa, por sus venas, como lava candente que la recorría de arriba abajo. Sencillamente dejaba que sucediera, quería que sucediera. Dayan se había convertido en todo su mundo. Su manera de hablar, de girar la cabeza, su sonrisa lenta y sensual. Sus ojos que ardían cuando la miraba.

—*Te estoy leyendo el pensamiento. ¿Quieres que nos desplomemos desde las alturas?* —preguntó él, y estrechó su cuerpo suave con más fuerza, consciente de cada una de sus exuberantes curvas.

Ella lo besó en el cuello y aspiró su aroma. En lo más profundo de ella, algo luchaba para ser liberado. Era una naturaleza salvaje, de la que ella era consciente, y que deseaba —no, la palabra era necesitaba— salir. Corinne sonrió. Siempre había querido en lo más profundo de su alma tener la libertad para ser esa mujer. Ahora la tenía. Su lengua encontró el pulso de Dayan, giró en una breve caricia. Sintió su reacción en el vuelco súbito del corazón, en su manera de tensarse. Siguió subiendo hasta su oreja, que exploró y mordisqueó, y luego bajó a lo largo de su mandíbula.

—*Si no me besas, puede que muera, y nunca llegaríamos ahí donde sea que me llevas.*

Las gotas eran más grandes ahora, gotitas relucientes de agua que le corrían por el cuerpo y se evaporaban al contacto con la piel ardiente. La delgada seda de su blusa blanca se volvió transparente, atrayendo la mirada de Dayan hacia sus pechos, bellos, seductores. Aquello provocó estragos en su habilidad para desplazarse velozmente por el cielo. Dayan agradeció que la casa de piedra a la que se dirigían apareciera de pronto, al abrigo de un acantilado y al borde de un claro en el bosque.

Cayeron en picado cuando él buscó con su boca caliente y deseosa la de ella, posesivo, explorando, deseando más y más hasta que pensó que por mucho que lo intentara, nunca tendría suficiente de ella. La espera había sido interminable. Aterrizaron de manera más bien descoyuntada, no sobre, sino contra el porche, en una amalgama de brazos y piernas y ropa. Dayan solucionó enseguida ese problema, y sin esperar a estar bajo techo, empezó a quitarse toda la ropa y los zapatos que lanzó por los aires. Tenía que tocarla, hasta el último rincón de su piel satinada. Tenía que sentirla. Memorizarla.

Su boca estaba caliente y húmeda y hambrienta, y no le dio a Corinne la oportunidad de darse cuenta de que seguían en el exterior. A su alrededor caían gruesas gotas sobre la tierra y chisporroteaban al entrar en contacto con la piel de Corinne. Sus manos tenían vida propia, y tocaban a Dayan, iniciando su propia exploración, siguiendo la nítida línea de sus músculos, su cintura estrecha y sus caderas y, después hacia abajo, ahí donde él estaba grueso y duro de puro deseo. Corinne sintió que se sacudía, y luego respiraba con el aliento entrecortado cuando ella lo acariciaba.

En el cielo restalló un relámpago y abrió los cielos en dos mitades. La tierra tembló bajo sus pies cuando sus bocas volvieron a juntarse, unidas por el calor y el fuego. No podían acercarse lo suficiente, desesperados por fundirse en uno solo. Dayan creyó que se inflamaría, al sentirse tan caliente, duro y deseoso.

—*Tengo que poseerte, Corinne. Es posible que me vuelva loco si no te poseo ahora mismo.*

Corinne ahogó su risa ligera en un lado de su cuello. Su aliento encontró su pulso, lo mordisqueó y jugó con él. Había tal alegría en ella que se derramaba sobre él. Volvió a hacer girar la lengua y sus labios siguieron hacia la clavícula. Durante todo ese rato, con la otra mano lo tenía sujeto, probando su peso, duro y grueso y deseoso a más no poder. La punta de sus dedos bailaban y lo rozaban, mientras ella se movía, excitada, con sus propias y ardientes demandas.

—¿No quieres esperar? —Su voz era ronca y sensual como si fuera una promesa del paraíso. Su boca buscaba ahora en los duros músculos de su pecho, y seguía hasta el abdomen plano. Dayan tensó los músculos al sentir el fuego que se le desataba en la boca del estómago.

Deslizó las manos y la acarició, procurando memorizar hasta el último centímetro de su piel. Había perdido la capacidad de pensar racionalmente, pero eso ya no importaba. Con la incursión de sus manos y su boca, Corinne seguía inflamándolo, cada vez más, y sentía que ella estaba dispuesta, caliente y deseosa como él. Sus dedos encontraron su calor húmedo, la sondearon, empujaron, sintieron el flujo líquido y caliente que lo esperaba con ansias. Dayan la levantó, pensando en las instrucciones que le murmuraría, o quizás era sólo una imagen.

Corinne le rodeó el cuello con los brazos y la cintura con las piernas. Lo sentía, duro y grueso, apretando contra su cuerpo. Ella estaba abierta y era completamente vulnerable. Corinne cerró los ojos, saboreando aquel momento, el placer exquisito, el calor, el fuego, cuando finalmente lo acogió, lo aceptó dentro de ella, cuando ambos se unieron como estaban destinados a hacerlo. El placer era más intenso de lo que jamás había soñado. Corinne oyó su propia exclamción de alegría y sus caderas empezaron a moverse como si tuvieran vida propia. Empezó a montarlo con fuerza, acogiéndolo lo más profundo que podía, sus pechos rozando contra el torso de él y las gotas de lluvia corriendo por sus cuerpos como lenguas que lamían y dejaban breves caricias que ellos sentían a flor de piel.

Dayan se inclinó para besarle un pecho cuando ella estiró la cabeza hacia atrás, mirando a los cielos y sumida en una especie de éxtasis. Se suponía que así tenía que ser. Bien. Perfecto. Dos mitades de la misma unidad. La boca caliente de Dayan buscó la tentación, tiró con fuerza mientras ella apretaba todo el cuerpo y lo envolvía, lo acogía en su hendidura ardiente y aterciopelada hasta que él se sintió perdido para el resto de la eternidad. Rascó con los dientes, mordisqueó y luego los hundió profundamente.

Corinne dejó escapar un grito y le tiró del pelo con el puño cerrado al sentir que un fuego blanco incandescente la recorría de arriba abajo, un placer tan agudo que rayaba en el dolor. Se obligó a abrir los ojos para ver cómo él se alimentaba mientras la poseía, empujando con fuerza hacia arriba para llenarla, mientras aquel roce mantenía a Corinne al borde del abismo y la hacía apretar los dientes y aferrarse a él cerrando convulsivamente los músculos.

Era erótico mirarlo, ver su boca sobre su piel, su cuello palpitante, su pelo negro mojado por la lluvia, brillante. Fue el momento en que Corinne se dio cuenta de que su pelo no era de color negro ala de cuervo, sino de un suave tono carbón. Emitió un gemido, un suave grito de amor, de devoción, y los ojos se le llenaron de lágrimas. Él levantó la cabeza, y sus ojos lanzaron destellos de obsidiana. De los dos diminutos orificios en su pecho, dos hilos delgados de color carmesí se mezclaron con las gotas de lluvia. Dayan inclinó la cabeza y la miró, luego siguió las gotas hasta su origen y cerró los orificios con la lengua. Su sensualidad oscura desató en ella un deseo similar, un deseo profundo, elemental y sensual.

Corinne se tensó, se aferró a Dayan hasta que lo tuvo en un abrazo perfecto, ajustado y ardiente. Él se apartó el pelo mojado de la cara.

—Ven, amor mío. Hazlo por mí. Lo necesito.

Corinne ralentizó el movimiento de caderas y siguió con otros, más prolongados y lentos, dejando que el deseo la desbordara. Se inclinó poco a poco hacia delante, y vio cómo Dayan la miraba. Con la lengua, pausadamente, le lamió el agua por encima del pulso. Él dio un respingo, excitado a más no poder. Ella le mordisqueó, como experimentando. Sintió su viva respuesta cuando Dayan lanzó las caderas hacia delante un poco más deprisa. Entonces alzó la mirada hacia él, una mirada de sensual abandono.

—*Hago esto por mí misma porque lo necesito. Te quiero entero, Dayan. Quiero que me pertenezcas. Te quiero dentro de mí, todo tú, con el aire que respiro.*

Sin vacilar, Corinne dejó que sucediera. Lo buscó. Se entregó a ello. Ésta era su vida, y confiaba en él como guía, tal como había hecho a cada paso. No había rechazado su deseo, su hambre oscura. Muy al contrario, lo deseaba de una manera que nunca había creído posible. Más que nada, confiaba en él. Sabía que si ella no podía seguir adelante, él le ayudaría. Con esa virtud hipnótica suya sería fácil seguirlo hacia donde fuera. Dayan la amaba. Jamás haría nada que le hiciera daño a ella ni a su hija.

Dayan parecía crecer dentro de ella, hincharse, ponerse más grande y duro, mientras ella se aferraba a él. Unos instintos del todo desconocidos entraron en acción, y Corinne le hundió los dientes profundamente en el cuello, hasta que él se derramó en ella como un néctar. Ella lo sintió jadear cuando la bola de fuego incandescente le recorrió las venas, cuando la cogió por la cintura con las dos manos y embistió con poderosos movimientos. Y luego los dos explotaron juntos, las mentes se fragmentaron mientras sus cuerpos parecieron refulgir y luego arder, mientras la tierra bajo sus pies se remeció violentamente, y Corinne no supo si todo aquello era real o si se lo imaginaba. Sólo atinaba a aferrarse a Dayan, jadeando, sintiendo que cada una de sus células chillaba de felicidad. ¡Estaba viva! Había encontrado su paraíso, y era muy real.

Corinne cerró los orificios y dejó descansar la cabeza en el hombro de él. Permanecieron enlazados mientras sus corazones latían a toda marcha, esforzándose por controlar su respiración.

—Te amo, Corinne —susurró suavemente Dayan contra su piel. Tenía los ojos cerrados y sus pestañas oscuras acentuaban la palidez de su rostro—. Te amo, te amo mucho. —Alzó lentamente la cabeza de mala gana y la miró a través de los ojos semiabiertos.

Corinne lo miraba con el corazón. Los cuerpos seguían unidos y ella aún se estremecía bajo las réplicas del placer. Le acarició el pelo mojado y siguió la línea de su boca perfecta.

—¡Te agradezco tanto que me hayas encontrado!

Él sonrió, una sonrisa lenta y tierna que siempre le robaría el corazón.

—No tienes nada que agradecerme. —Pequeñas gotas de agua le cayeron del pelo y le mojaron la cara a Corinne. Los dos se echaron a reír—. Ni siquiera hemos llegado a entrar en la casa.

—Ya lo veo —dijo Corinne, mirando a su alrededor como si despertara de un sueño.

Dayan se separó muy a su pesar y la levantó hasta tenerla en brazos.

—Eres una loca. La próxima vez que quieras seducirme, procura que no sea bajo la lluvia.

Ella se inclinó para lamerle el agua en el hombro.

—No lo sé. Diría que me ha parecido más bien agradable.

El contacto de su lengua le dejó a Dayan en el cuerpo un reguero de flamas. Empujó la puerta con el pie y, con un ligero gesto de la mano, encendió las velas y la leña en el hogar. En el suelo de madera había una alfombra gruesa y mullida y él la tendió encima. Cuando ella sintió el contacto del pelo sobre la piel desnuda, volvió a tensarse, excitada nuevamente. Dayan se tendió de espaldas a su lado, cuan largo y masculino era.

—Ahora descansarás un rato —dijo. Era una orden—. No pienso llevarte de vuelta a los curanderos medio muerta.

Corinne rió.

—¿Crees que es posible morirse de tanto hacer el amor?

—Con nuestra manera de hacer el amor cualquier cosa es posible. —Dayan miró hacia el techo y observó los reflejos de la luz bailando en las paredes mientras la lluvia azotaba las ventanas. Buscó la mano de Corinne y entrelazó los dedos—. No quiero volver a sentir jamás lo que he sentido cuando creí que te morías, Corinne. Era como si me arrancaras el alma y te la llevaras contigo.

Ella se frotó la cara contra su hombro y contra su grueso pelo, ahora apenas entrecano, el emblema de su amor por ella.

—Eres un ser milagroso, Dayan, y te obstinas en pensar que el milagro soy yo —dijo Corinne, y lo miró con ojo crítico—. ¿Por qué estás tan pálido? Nunca te he visto así —dijo, y le tocó la cara.

—Tengo que alimentarme —dijo él, con toda naturalidad—. Dentro de un rato, saldré a cazar. Pero ahora no. Quiero estar contigo cada minuto, cada segundo que pasa.

Ella se quedó tendida en silencio un rato, asimilando lo que él le decía.

—¿Yo también tendré que hacer eso, Dayan? —le preguntó, y se giró de lado para mirarlo a los ojos—. Porque no estoy segura de que pueda hacerlo. Contigo es diferente, pero no sé qué podría ocurrir con cualquier otra persona.

Dayan paseó su oscura mirada por su rostro en una especie de grave escrutinio.

—No había pensado en esa posibilidad. La idea no me atrae demasiado. —Guardó silencio un instante, mientras la lluvia seguía cayendo sobre los muros y las ventanas de la casa—. Ahora que lo mencionas, no recuerdo haber visto jamás a Tempest alimentándose cuando estamos presentes.

—Tempest era humana —dijo Corinne, con un dejo esperanzador—. Es la compañera de Darius.

—Sí, era humana cuando nos conoció. Pero no recuerdo haberla vista alimentándose. —Una sonrisa lenta asomó en sus labios—. Darius nunca toleraría que se alimentara de otro macho, fuera humano o no. Creo que será mejor que adoptemos la misma política. Es muy posible que yo sufra ataques de celos.

Corinne se rió.

—No puedes estar en mi mente y sentir celos —dijo, y le tiró de la mano—. Venga perezoso, volvamos afuera. Quiero correr.

Él frunció el ceño.

—Si te sientes desbordante de energía, se me ocurren cosas mucho más placenteras que hacer que salir a correr. Ahora me estoy portando bien porque necesitas descansar.

Corinne rió por lo bajo.

—¿Crees que necesito descansar? —preguntó. Se estiró y levantó los brazos al cielo—. Tú eres el que ha parado, no yo. Quiero saber qué se siente como carpatiana, quiero correr, Dayan. Por primera vez en mi vida puedo correr. Y eso es lo que quiero hacer. Por favor, salgamos a correr.

—¿Ahora? —Dayan seguía tendido, perezosamente satisfecho, con las manos entrelazadas detrás de la nuca, mirándola atentamente, refocilándose con la perfección de su cuerpo. Adoraba su manera de moverse, la alegría que latía en ella, su naturalidad—. Allá afuera se ha desatado una tormenta —advirtió.

Ella rió, su risa llenó la sala con su calidez, y a Dayan le llenó el corazón y el alma.

—Creo que aquí dentro también hay una tormenta. Una pequeña tormenta nunca le ha hecho daño a nadie —dijo, y se inclinó para besarlo. Su pelo quedó desparramado sobre el pecho de él con sus rizos de seda, haciéndolo temblar de excitación.

—No digas que no. No estoy exagerando, de verdad, Dayan. Necesito correr.

—Eres una loca. —Dayan dejó escapar un pesado suspiro porque sabía que correría con ella en medio de la tormenta. ¿Cómo iba a resistirse a su alegría? Era imposible. Le habría gustado tenderse cómodamente con ella, pero Corinne quería vivir. Se enfrentaba a su nuevo mundo con la misma falta de miedo con que había luchado en su vida anterior.

Corinne lo cogió del brazo y tiró de él.

—Venga, so perezoso, que si no tendré que salir sola —dijo, mirando por la sala—. ¿Qué diablos hemos hecho con toda nuestra ropa? —Ahora se sonrojó entera, un rubor que le subió desde el cuello hasta las mejillas, hasta que pareció refulgir.

Él cambio de posición y se giró de lado, apoyando la cabeza en una mano y observando su cuerpo desnudo con ojos brillantes de deseo.

—No creo que necesites ropa, querida —observó él, como dándolo por sentado, con su oscura mirada regodeándose en sus generosos pechos.

Ella se estremeció enseguida con la excitación que le provocaba su mirada.

—Para, Dayan —dijo, y se apartó de él, pero sin intentar taparse. Le gustaba que él la mirara de esa manera intensamente deseosa—. Fuiste tú el que dijiste que teníamos que parar. Vamos. —Le dio la espalda y avanzó unos cuantos pasos, lentos, provocativos, hasta la puerta, cimbreando la caderas, invitándolo, llamándolo con el movimientos de sus prietas nalgas. Corinne tenía unas piernas bellas y una espalda larga y elegante. Dayan se la quedó mirando casi sin aliento.

De pronto, se movió rápidamente. Se puso de pie de un salto y llevó a cabo un barrido visual del área en el exterior de la casa para asegurarse de que no había peligro. Ella lo miró girando la cabeza por encima del hombro, con un dejo francamente sensual.

—No creo que correr desnuda, para mí, con este cuerpo, sea una buena idea —dijo, girándose para ofrecerle su perfil y llevándose las manos a los pechos.

Él se puso tenso con sólo contemplar el pezón que asomaba entre sus dedos.

—Entonces tendrás que *caminar* desnuda, porque yo tengo ganas de mirarte —objetó él, y le cogió la mano y deslizó los dedos para acariciarle la piel de seda.

Ella paseó la mirada por su desnudez y una sonrisa asomó en la comisura de sus labios.

—Eso ya se ve —señaló, y no cabía en sí de alegría. Podía conectar mentalmente con su hija y saber que dormía tranquilamente, al cuidado de los curanderos, mientras ella descubría los dones excepcionales que Dayan le había legado. Lo podía tener todo, vivirlo todo, y estaba decidida a hacerlo.

Salieron juntos al porche. Dayan la estrechó y la acercó para ponerla al abrigo de su ancho hombro.

—Recuerda regular la temperatura de tu cuerpo —le advirtió. Corinne lo rozaba mientras caminaban juntos. Sus epidermis estaban tan sensibles que entre los dos restallaban diminutos arcos eléctricos.

Corinne echó la cabeza hacia atrás y miró el cielo de la noche, observó las gotas de lluvia relucientes y plateadas que caían de las negras nubes por encima de sus cabezas. Una delgada franja de la luna se deslizó brevemente detrás de una nube oscura y proyectó su luz sobre la espesa arboleda que los rodeaba. Las sombras bailaban, el aire era limpio y fresco, y el ruido de la lluvia en la vegetación sonaba como una verdadera melodía.

Corinne se miró los pies descalzos, asombrada de poder caminar sobre ramas, piedras y agujas de pino. Era como si flotara por encima de la superficie, como lo haría un animal, y encontraba instintivamente la manera más fácil y silenciosa de avanzar por el bosque. Quedó admirada al constatar esa habilidad. No sólo se movía sin impedimentos; su sentido del olfato también se había vuelto más agudo, y ahora veía a pesar de la oscuridad cerrada. El viento que soplaba sobre ella venía cargado de información que asimilaba por todos los poros. Esta vez no se lo transmitía Dayan sino que lo percibía todo por sus propios medios.

Rió suavemente, feliz, incapaz de creer que estuviera tan viva, que el mundo a su alrededor fuera tan bello y tan nuevo. Ahora caminaba más deprisa, y oía los latidos de su corazón, deleitándose con su poderoso ritmo.

Dayan dejó que se deslizara fuera del amparo de su hombro, la observó moverse, sensual, cautivadora. Corinne volvió a alzar las manos hacia la luna y los negros nubarrones, con el pelo enredado y abrillantado por la lluvia, y los pechos alzándose cuando inhaló profundamente para aspirar los aromas de la noche. Parecía una diosa, una sirena salvaje e indómita elevando los brazos al cielo en un sacrificio pagano mientras daba vueltas en círculo.

—Quiero correr, Dayan —repitió.

—Entonces mutaremos de forma, querida. —¿Quién podía decirle que no? Dayan sabía que para él sería imposible—. ¿Recuerdas lo que te he dicho antes? Debes comenzar siempre por tu mente. Tienes que crear una imagen compleja en tu cabeza y prenderte de ella. Es una sensación rara, pero no es desagradable. Si te asustas, Corinne, conecta conmigo. Yo estaré presente en tu mente en todo momento.

Corinne se detuvo y se giró rápidamente para mirarlo, con los ojos exageradamente abiertos.

—No tengo miedo, de verdad, Dayan. No tengo miedo.

—Imagínate a un leopardo —dijo él, y él mismo lo imaginó por los dos. Creó una imagen para que ella la reconstruyera hasta en los más pequeños detalles.

Ella emitió un breve ruido, un ronroneo gutural cuando el pelaje le cubrió los brazos, sus músculos se contorsionaron, el cuerpo se le alargó… Y de pronto se echó a correr a cuatro patas como un estilizado felino de la jungla. Se sentía como una máquina bien lubricada, y empezó a correr velozmente, fascinada con su proeza. Todo su cuerpo se había convertido en un concierto de tejidos, músculos y fibras. Tenía patas acolchadas. Correr de esa forma era diferente de todo lo que jamás hubiera vivido, una libertad total y absoluta. Avanzaba dando grandes saltos, y apenas tocaba el suelo. El pelaje impedía que el agua penetrara hasta la piel. Los bigotes le servían de radar y le permitían saber todo lo que sucedía a su alrededor.

—¡Dayan! ¡Esto es maravilloso!

El leopardo macho salvó la distancia entre los dos de un solo salto, y con su complexión más grande y pesada caminó a su lado como si fuera su protector. No quería que Corinne se dejara llevar por su exuberancia. Había vivido una experiencia terrible y aunque ahora creyera que estaba lo bastante fuerte, él no podía correr el riesgo de que resultara herida. Ni siquiera una torcedura del dedo gordo. Ni siquiera una uña rota.

—*Leo tus pensamientos, y no son más que necedades. ¡Estoy entera! ¿No es una maravilla estar viva?* —Dayan oía su risa emocionada cuando de un salto fue a posarse sobre una gruesa rama de árbol y alzó el morro hacia el viento y la lluvia.

Dayan empezaba a conectar con su alegría. ¿Cómo no sucumbir a ella? Corinne lo bañaba con su calidez, con su luz, con el placer absoluto que experimentaba en ese momento. Se habría lanzado hacia la luna y la habría arrancado del cielo si ella se lo hubiera pedido. Se quedó agazapado por debajo de ella, con el oído y la vista aguzados y alerta al peligro, si bien seguían conectados mentalmente y él continuaba inmerso en su goce infantil.

Corinne saltó de la rama porque ya se sentía capaz de hacerlo. En aquel cuerpo felino había una fuerza insólita, y ella quería servirse de ese vigor, ponerlo a prueba, ver qué se sentía bajo la piel de un leopardo. Dayan era increíblemente sensual como leopardo macho. Se percató, no sin cierta sorpresa, de que ella también comenzaba a adoptar los atributos de aquel animal. Era asombroso. Se frotó contra los tallos de hierba y disfrutó de la sensación.

—*Cariño, ten cuidado. Estamos los dos muy despiertos sexualmente. Bajo esta forma, podemos acoplarnos, y puede que despiertes nuestros instintos. Pero no estoy seguro de que eso sea muy placentero para ti. Los leopardos siempre son peligrosos. Cuando se aparean, el macho debe sujetar a la hembra en una posición de sumisión para protegerse de ella. Necesitas tener más experiencia para controlar las pasiones animales. Cuando se anda a la caza de una presa, es una forma muy difícil de controlar.*

Corinne estaba tentada de saber de qué hablaba Dayan. Era evidente que el leopardo hembra quería aparearse, pero, al estar conectada con Dayan, veía a las claras que él estaba inquieto, aunque su deseo fuera tan intenso como el de ella. Controló enseguida sus impulsos y echó nuevamente a correr, estirando su cuerpo estilizado y musculoso. Corría en silencio, saltando por encima de troncos caídos y salvando arroyos anchos. Le fascinaba la sensación y quería que siguiera para siempre.

—*¿Podemos hacer esto en cualquier momento?*

—*Por supuesto. Deberías practicar conmigo. Hay muchas cosas que aprender, cariño y, por lo que veo, tú aprenderás rápido.*

—*¿Puedo volar?*

La risa de Dayan fue un sonido suave y gozoso en su mente.

—*Está lloviendo. A los pájaros no les gusta mojarse.*

—*A este pájaro le gusta. Podemos volar para ir a ver a Lisa y a Cullen.*

Sin abandonar su forma felina, Dayan la empujó con el hombro, obligándola a volver al abrigo de la casa.

—*Es demasiado pronto. Lisa sabe que has estado muy grave y que has tenido el bebé. Seguro que considerará normal que te tomes unos cuantos días para recuperarte.*

—*Ya han pasado unos cuantos días.*

—*Te quiero, Corinne. Te quiero para mí solo. Quiero saborear hasta el último rincón de tu cuerpo. Quiero hacer el amor contigo esta noche, y la próxima, y las diez siguientes.*

—*¿De verdad?* —La risa con que le respondió estaba llena de ternura—. *¿Y por qué no me lo habías dicho?*

Capítulo 18

Corinne miró a su alrededor, hacia la sala con paredes de cristal, las piscinas humeantes y las velas de llama vacilante. El agua lamía las grandes paredes de piedra y reflejaba los colores de los cristales en las paredes y en las bóvedas del techo. Aquella caverna subterránea, con su red de túneles y enormes espacios, comenzaba a ser como un hogar para ella. La niña seguía creciendo. Había ganado suficiente peso y, en opinión de Shea, podrían sacarla de la incubadora muy pronto. Corinne tenía en brazos a su hija por breves lapsos de tiempo, muy consciente de los peligros en el exterior de la incubadora. Dayan y Corinne se conectaban a menudo mentalmente con su hija para acompañarla y calmarla. Querían que ella supiera que la amaban y la deseaban, y que ansiaban que llegara el momento en que pudiera estar con ellos.

Desari y Julian los visitaban con frecuencia, y Corinne los apreciaba a los dos. Encontraba que el sentido del humor de Julian compensaba a la perfección su intimidante aspecto. Sabía que a Desari no le parecía nada intimidante. Ella era una persona dulce y desde el comienzo la acogió como a una hermana. Había tardado su tiempo, pero Corinne empezaba a pensar que encajaría en la familia de Dayan. Todos parecían muy ilusionados con el bebé, incluso Darius, que era de lejos el hombre de aspecto más terrible que Corinne hubiera conocido jamás.

—Darius no es para nada terrible —negó Dayan, acercándosele y apoyando la cabeza en su hombro para mirar a la niña—. Hoy Jennifer tiene mejor color.

—Me vuelves a leer el pensamiento —dijo Corinne, y se reclinó para apretarse contra él, mucho más sólido. Él respondió de inmediato a aquel estímulo, y se tensó al contacto de sus nalgas.

Dayan siempre estaba dentro de su cabeza. Si pudiera conseguirlo, estaría también siempre dentro de su cuerpo. No quería separarse de ella. Corinne captó el eco de sus pensamientos y rió por lo bajo.

—Ya veremos qué aspecto tendrá eso cuando toques con el grupo y estés en el escenario. A mí me parece un poco pornográfico. No sé si los censores te dejarán salirte con la tuya.

Dayan se dio un momento de alivio. En los últimos días, Desari había hecho en varias ocasiones breves referencias a sus viajes con el grupo por la carretera, pero Corinne no había contestado ni en un sentido ni en otro. Cuando Dayan tomaba contacto mentalmente con ella para sondearla sobre el tema, siempre constataba que se resistía a pensar en ello.

—¿Tienes alguna objeción de echarte a la carretera con el resto del grupo y viajar de ciudad en ciudad? ¿Dejando atrás todo lo que tienes?

Corinne se frotó provocadora contra él.

—Todo lo que amo está aquí, conmigo. Y Lisa. No puedo quedarme en casa sólo por ella. Lisa tiene dinero para viajar, si quiere visitarnos. Pero si de verdad está enamorada de Cullen, como me dice todo el mundo, entonces supongo que querrá tener su propio hogar.

Dayan le levantó el pelo a la altura de la nuca y le dejó un reguero de besos en su piel cálida.

—Cullen decidirá qué hacer.

Corinne saboreó sus labios por un momento y luego volvió a dejar al bebé en la incubadora. Al hacerlo, se apretó ligeramente contra él, que se aprovechó y, cogiéndola por las caderas, tiró aún más de ella. Ella se tomó su tiempo, desbordante de alegría, mientras besaba tiernamente a su pequeña y la dejaba, ya durmiendo, en la incubadora. Se incorporó, sin dejar de mirar al bebé.

—¿No te parece bella, Dayan?

Él deslizó lentamente las manos desde atrás, desde las caderas hasta su estrecha cintura, y siguió por las costillas hasta cogerle los pechos en el cuenco de las manos.

—Es verdaderamente muy bella, Corinne, igual que su madre.

—Le susurró las palabras al oído, le rozó la piel con la lengua, saboreándola porque, sencillamente, a veces tenía que hacerlo.

Ella se apoyó contra él, cubriéndole las manos con las suyas, mientras él le frotaba los pezones con los pulgares hasta convertirlos en duras puntas, con los pechos hinchados, dolientes de deseo.

—A veces, cuando me despierto, el corazón me retumba de terror porque temo que todo esto no sea real. —Se giró para mirarlo por encima del hombro—. Temo que no seas real, que me despertaré y que todo habrá sido un sueño.

Él le exploró el cuello con sus labios. Con los dientes encontró el lóbulo de la oreja y se lo mordisqueó con fuerza. Ella lanzó un grito de dolor y lo miró indignada. Dayan sonrió sin dar muestras de arrepentimiento.

—Sólo quería que vieras que soy muy real —dijo, e hizo girar la lengua en su oreja para aliviarle el dolor.

—Quiero ir a ver a Lisa y a Cullen hoy. Ya sé que Barack y Syndil cuentan milagros de su recuperación, pero quiero verlo con mis propios ojos. Y aunque me digan que Lisa está bien, sé que debe estar inquieta.

—De acuerdo, querida. Entonces, iremos cuando Shea acabe de examinar a Jennifer. —Hundió la cabeza en su cuello y aspiró su aroma. Dayan le hacía sentir escalofríos en la columna, mientras la lava ardiente le recorría las venas. A él le bastaba con sólo mirarla para que ella supiera que lo deseaba. Más que desearlo, se moría por sentir su aroma, tocarlo y verlo desnudo. Oír su bella voz. Quería mirarlo mientras le hacía el amor, observar su rostro marcado por su belleza sensual. Se giró en sus brazos y a ciegas encontró su boca, le echó los brazos al cuello y toda ella se volvió enseguida suave y flexible, excitante.

—Eres asombroso —le susurró al calor de su boca.

Él le cogió el pelo y le echó la cabeza hacia atrás para poder explorarla mejor. Se tomó su tiempo besándola, saboreándola.

—Tú sí que eres asombrosa —le corrigió, mientras le encontraba el pulso con la punta de la lengua—. Por tu manera de confiar en mí, por haberte entregado a nuestro mundo y haberlo acogido con los brazos abiertos. Necesitas muy poca ayuda, incluso cuando te alimentas.

Ella alzó la cabeza.

—Y yo que creía que lo hacía todo sola. Debo reconocer que me he quedado asombrada de mí misma. Si me pongo a pensar en ello, la idea me repugna, pero cuando estoy contigo… —dijo, sin acabar, y se apoyó del todo en él.

—Yo potencio tu necesidad y tu deseo de alimentarte —reconoció él—. No quiero que te sientas incómoda. A lo largo de los siglos, he vivido unas cuantas situaciones en que la ilusión de comer no era suficiente y me veía obligado a consumir comida humana. Las verduras no estaban tan mal, aunque mi organismo las rechazaba enseguida, pero la carne de animales muertos me resultaba del todo repugnante. Sé que experimentas lo mismo a propósito de la sangre. Para nuestro pueblo, es sagrado, y una costumbre muy natural.

Dayan de pronto gruñó, le cogió la cara con ambas manos y volvió a apoderarse de su boca. Oía la risa silenciosa de Corinne que dejaba un eco cálido en su mente. El oído de ella se había vuelto muy agudo, y en ese momento se percató del ruido que Shea hizo deliberadamente al acercarse al aposento.

—*Ha sido muy amable al advertirnos.*

—*Ha sido necesario, pero no amable. Hemos desperdiciado el tiempo en que estábamos a solas.* —Dayan volvió a gruñir, y su aliento en el cuello de Corinne era cálido—. *Deja de reír. Puede que tenga que caminar doblado en dos.* —Dayan le dejó palpar la dolorosa hinchazón, mientras la cabeza se le llenaba de ruidos. Volvió a gruñir deliberadamente.

Corinne rió en voz alta, una carcajada despreocupada y alegre.

—Pobre nene. Bienvenido a la vida real.

Él la estrechó en sus brazos.

—No quiero la vida real. Quiero sexo —dijo, y se inclinó hacia ella—. Sexo caliente, sexo ardiente. —Aquella voz junto a su oreja era maligna, y su aliento le agitó los rizos del pelo y la hizo estremecerse.

—En realidad, no siento ninguna lástima por ti. —Corinne le empujó a la altura del pecho intentando apartarse. Reía y sus ojos bailaban mientras lo provocaba—. Eres un hombre muy malo y te mereces que te duela. —Dayan sabía muy bien la reacción que despertaba en ella, la descarga de calor, el fuego que se extendía. Y no se arrepentía de nada.

Shea entró en la habitación sin dejar de meter ruido para advertirles de su llegada. Los oía reír juntos, y gracias a su sentido superior del olfato, olió la llamada del apareamiento, antigua como el tiempo. Les sonrió cuando ellos se separaron con un dejo de culpabilidad en la mirada.

—Yo cuidaré de Jennifer mientras duerma. ¿Vais a visitar a Cullen y a Lisa hoy? He examinado a Cullen mientras dormía sólo para asegurarme de que estaba sanando bien. Ya tiene ganas de levantarse. Gregori también ha ido dos veces... para asegurarse.

Dayan deslizó la mano por el brazo de Corinne y la esposó con los dedos a la altura de la muñeca.

—Al menos suena como lo que diría Cullen.

—Lisa tiene muchas ganas de ver a Corinne —reconoció Shea—. Cullen no quiere que se preocupe, así que ha decidido levantarse y salir a buscaros a ambos.

—Hacia allí íbamos ahora mismo —le aseguró Dayan a la curandera.

Corinne asintió.

—Yo he estado muy preocupada por Lisa, pero, según Dayan, era demasiado pronto para que Lisa creyera que yo podía viajar después de todo lo ocurrido.

Shea se encogió de hombros mientras se inclinaba sobre la incubadora.

—Creo que a estas alturas Lisa se alegrará tanto de verte que no hará ningún tipo de preguntas. Prefiere no enfrentarse a nada que no encaje con su visión del mundo.

Corinne tiró de Dayan.

—Venga. Tengo muchas ganas de verla. Jennifer duerme. Es nuestra oportunidad. —De pronto le sonrió, mostrando sus blancos dientes y los ojos bailando de ilusión—. Podemos volar. Me puedes enseñar a volar. Date prisa, Dayan. No puedo esperar —dijo, tirando de él hacia la puerta de la sala.

Dayan no pudo dejar de reparar en su entusiasmo. Corinne le traía recuerdos de la infancia, de aquellos tiempos de sus primeras experiencias con sus habilidades. La detuvo.

—¿Ves esa chimenea del túnel de ventilación? Es mucho más rápido por ahí.

Ella lo miró un momento, sin saber si Dayan bromeaba.

—Parece muy estrecha. ¿Cómo cabríamos, aunque fuéramos pájaros?

—Los murciélagos viven en las cavernas. Son pequeños y caben en lugares muy estrechos.

—No puede ser. ¿De verdad puedes hacerte tan pequeño?

—Puedo ser la niebla en el viento, las moléculas en el aire. Claro que me puedo hacer pequeño. Tú también puedes. Es exactamente igual a lo del leopardo. Estudia la imagen en mi cabeza para que tengas la réplica exacta, y luego concéntrate en esa imagen. Puedes conseguirlo. —Él le ayudaría a concentrarse en la mutación, como había hecho con el leopardo.

Corinne siguió su ejemplo sin titubear, deseosa de experimentar todo lo que la vida le ofrecía. Las sensaciones eran totalmente diferentes. La información que recibía el murciélago le llegaba de forma distinta que al leopardo. Cuando salió al cielo de la noche, Dayan ya le ofrecía la imagen siguiente, la de una lechuza. En pleno vuelo, Corinne llevó a cabo la transformación. Esta vez, consciente de que él la ayudaba, no puso reparos.

Surcar el cielo volando era tan increíble que perdió la imagen en más de una ocasión y tuvo que depender de Dayan para que la conservara por ella. No importaba, estaba bajo un hechizo. En lo alto, por encima de los árboles, dio vueltas en círculos, y luego planeó silenciosamente barriendo la tierra con la mirada, escuchando y mirando.

—*¡Me podría quedar aquí arriba para siempre!*

Dayan vivía el vuelo y la mutación de su morfología a través de los ojos de Corinne. Para él era algo tan normal que había olvidado la experiencia del goce. O quizá nunca lo había sentido con la misma intensidad que ella en ese momento, ni siquiera cuando era sólo un niño y sus emociones aún eran vírgenes. O quizá la fuerza de sus sentimientos se debiera a la presencia de Corinne a su lado, en su corazón y en su alma, o porque tenía con quien compartir todos sus placeres y pesares. Quizá fuera ésa la diferencia. Él sólo tenía la certidumbre de que ella lo había completado, que había convertido el mundo en algo nuevo y reluciente, y que la alegría que la desbordaba siempre la recibía él.

Dayan la orientó hacia la casa donde Barack y Syndil habían llevado a Lisa y Cullen para protegerlos de los miembros de la sociedad. Dayan sabía que Darius había encontrado a los cazadores y conseguido diezmar su número. Ya lo había hecho antes en una ocasión. Era de esperar que aquellos fanáticos tardaran un tiempo en recomponer sus filas antes de enviar a otros asesinos a la caza de su familia. No le transmitió esa información a Corinne porque no quería que tuviera que enfrentarse a los aspectos más difíciles de su vida hasta que no fuera necesario.

Allá abajo apareció la casa, una estructura larga y amplia en medio de un bosque. En un claro, justo al lado, había un jardín de flores silvestres y helechos. Un roble enorme crecía a un costado, y de una de sus ramas colgaba un columpio hecho con un neumático. La casa parecía bien cuidada. Dayan planeó antes de aterrizar, guiando a Corinne mientras intentaba agarrarse a las agujas de pino y a la vegetación. La lechuza hembra casi fue a dar contra el columpio. Recuperó su forma natural mientras se reía a gusto. Dayan les proporcionó ropa.

—Dayan, esto es muy divertido. ¿Me has visto? Creí que me daría contra el roble. Quería posarme sobre una rama pero en el último segundo creí que no lo conseguiría.

Corinne tenía el pelo hecho una maraña de seda, las mejillas rojas de excitación, y sus ojos color verde musgo volvían a sonreír. Él sintió que le robaba el aliento y lo hacía derretirse por dentro.

—Lo has hecho muy bien, aunque tu aterrizaje podría mejorar algo.

Su voz era burlona, una melodía de terciopelo negro que le llegaba al alma y le tocaba el cuerpo. Corinne le acarició la cara.

—Gracias, Dayan. Me fascina cada minuto, lo digo en serio. —Lanzó una mirada a la casa—. ¿Aquí es donde está Lisa? Es un lugar maravilloso. ¿A quién pertenece?

Dayan se encogió de hombros.

—Los carpatianos tenemos propiedades por todas partes y nos las prestamos cuando tenemos necesidad. Escúchame, querida, antes de que entremos, te advierto que Lisa no debe enterarse de lo nuestro. De que somos diferentes. Será mejor para ella si nunca llega a saberlo. —Dayan hablaba con una serenidad extraordinaria.

Corinne alzó una mirada llena de afecto hacia él y le cogió la cara con las dos manos.

—Conozco a Lisa mejor que nadie, Dayan, y la amo. Nunca querría ponerle un peso encima que no pudiera sobrellevar.

Él asintió como muestra de conformidad e inclinó la cabeza para besarla en la boca que ella le ofrecía.

—Me temo que tienes un aspecto demasiado saludable considerando la grave experiencia que has vivido. No sé cómo Lisa se tomará lo de tu recuperación. —Le acarició el cuello delgado y deslizó la mano hasta tener uno de sus pechos en ella. Pensó que aquel contacto le bastaría, pero entonces sintió la descarga del deseo en todo el cuerpo. Antes de que pudiera evitarlo, se inclinó aún más para encontrar el pezón por debajo de la delgada blusa de seda y lo mordisqueó suavemente. Su boca cedió a un apetito caliente y urgente, y tiró con más fuerza.

Corinne cerró los ojos y se apoyó en él, deseando volver a tenerlo, sintiendo que se convertía en calor líquido. Le cogió la cabeza y lo apretó contra su pecho.

—¿Qué haces, Dayan? Estamos junto a la puerta de la casa. Cualquiera podría vernos a través de las ventanas si miraran. —Sin embargo, no lo rechazaba con demasiada convicción. Al contrario, lo apretaba, arqueándose para facilitarle el acceso. La respiración le venía en pequeños jadeos. ¿Cómo era posible que necesitara tanto el contacto con él? Lo deseaba ahí mismo, en ese momento, una y otra vez, todo él duro y grueso, embistiéndola.

—*Si queremos, podemos hacer que no nos vean.* —En la mente de Corinne la voz de Dayan también era ronca, sensual, malignamente erótica. Ella lo saboreaba en su boca, lo sentía profundo y, sin embargo, Dayan sólo le estaba mordisqueando el pezón, aunque su boca pedía cada vez más. Su boca, caliente y húmeda sobre la blusa de seda, empezaba a convertirla en una criatura salvaje y hambrienta.

—¿*Quieres decir hacernos invisibles*? —Aquella idea la excitaba. Tenerlo ahí mismo, en ese momento. Cuando ella quisiera. Ya había empezado a frotarse contra él, cediendo a sus propias demandas. —*Dime cómo.*

—*Para empezar, tienes que hacer lo que veas en mi mente* —dijo él, y le deslizó la mano por el vientre liso, le apartó la blusa para sentir su piel desnuda.

Dayan tenía unas imágenes en la cabeza, pero Corinne estaba segura de que no guardaban relación alguna con lo de volverse invisible. Oyó que Dayan reía suavemente.

—*A veces, eres muy malo.* —Tenía la intención de castigarlo, pero lo dijo con un tono pausado y sensual. Ya empezaba a responder a esas imágenes, confiando en él para que los ocultara a las miradas indiscretas. Ahora fue ella quien empezó a quitarle la ropa hasta que encontró su miembro endurecido, y entonces hizo bailar los dedos, provocadores, recitándole íntimas promesas.

Dayan los despojó a ambos de su ropa a la manera de los suyos, con un simple gesto, Corinne quedó desnuda, y él pudo contemplar sus curvas femeninas y maravillarse con su exuberante perfección. Deslizó la mano por su vientre plano, hasta llegar al nido de rizos y quedarse ahí, constatando su calentura húmeda y hambrienta.

—Podría poseerte una y otra vez y nunca tendría suficiente —susurró, y se echó hacia atrás para verle la cara mientras empujaba con la palma de la mano en su entrepierna. A Dayan le fascinaba verle la cara, su manera de acercarse a él, implorando más y más con el movimiento de las caderas, deseándolo con la misma avidez con que él la deseaba a ella.

—Dayan —susurró Corinne con un hilo de voz, un tono que lo decía todo. Él volvió a inclinarse para encontrar su boca, a la vez que introducía dos dedos en su hendidura caliente, frotando, excitando, acoplándose al ritmo de sus caderas. Corinne estaba ardiendo y todos sus aromas lo llamaban; se movía sin parar y se frotaba contra él, fascinada por la brisa que la acariciaba, con las manos de Dayan, que jugaban con sus pezones hasta convertirlos en puntas endurecidas e implorantes, para luego ceder a su invitación. Corinne disfrutaba viéndolo observar su placer, *sintiendo* su placer cuando se conectaba con ella.

—*Quiero saborearte, Corinne. Te quiero entera.*

—*No te negaría nada, Dayan. Lo sabes.* —Aquella fusión mental era una maravilla para Corinne, porque todo entre ellos se veía bajo una luz nítida. No tenía que decirle que quería que empujara con más fuerza, porque él ya lo sabía. Y él tampoco tenía que decirle que su manera de moverse o de mostrarle su necesidad de él lo excitaba hasta lo indecible.

Le rodeó la cintura con ambas manos y la levantó hasta dejarla inesperadamente sentada sobre la rueda del columpio. La hizo echarse hacia atrás para tener acceso a su hendidura.

—Espero que eso de ser invisible funcione —le advirtió Corinne, que ya le tenía el pelo agarrado con ambos puños, a punto de inflamarse.

Dayan buscó en su entrepierna dulce y caliente. Corinne temblaba de deseo y tenía los músculos cada vez más apretados. Le rodeó la espalda con las piernas, gimiendo de placer, incapaz de creer que se sintiera tan viva y presta a estallar en cualquier momento. Él mantenía las manos firmes en sus caderas, tirando de ella hacia él, hasta llevarla al borde del abismo y luego más allá, a una liberación que parecía no acabar. Satisfecho, se incorporó, tirando del columpio hacia delante y cogiéndola por las caderas para hundirse en ella y compartir su placer explosivo. Sus embestidas eran duras y prolongadas, mientras Corinne explotaba en torno a él y su asidero en la cuerda era lo único que la mantenía en contacto con la realidad.

Dayan afirmó sus manos en la curva de sus caderas y dejó que su naturaleza salvaje lo reclamara. Corinne lo alentaba con sus gritos breves, como sin aliento, rodeándolo con todo el cuerpo, atrayéndolo cada vez más dentro de ella. Un relámpago restalló como un arco y rasgó los cielos con una lluvia de chispas que se derramó sobre los dos. O quizá sólo estaba en su imaginación; Corinne no lo sabía con certeza. Era como si la electricidad chisporroteara entre ellos y las llamas crepitaran sobre su piel.

Dayan lanzó la cabeza hacia atrás, y embistió una y otra vez, con el viento dándole en la cara, todo él concentrado en su hendidura caliente y aterciopelada, apretada y ardiente, acercándolo cada vez más al abismo. Corinne era tan intensa en su conciencia que Dayan no sabía dónde empezaba su placer y dónde acababa el de ella. Sintió el primer estremecimiento, la contracción, los músculos de Corinne que se cerraban con fuerza en torno a él, hasta que se dejó ir deliberadamente con ella, saltar al vacío. Cayeron por el tiempo y el espacio mientras la tierra giraba y daba tumbos y los fuegos de artificio iluminaban el cielo en un despliegue de fulgurantes destellos.

Corinne se dio cuenta de que había recuperado su cuerpo, y que intentaba controlar su respiración desbocada, cogida a la cuerda del columpio con ambas manos. Dayan la observaba, y su corazón latía como un trueno en la cabeza de ambos. Su mirada oscura era tan deseosa e intensa que Corinne sintió que el corazón se le derretía enseguida. Los dos sonrieron, una sonrisa de alegre satisfacción. De íntima complicidad.

Dayan se desprendió gentilmente de ella y la ayudó a poner los pies en el suelo, manteniéndola cerca de él. Le fascinaba sostenerla tanto como hacerle salvajemente el amor. Tenía la cabeza llena de música, de notas y letras que brotaban de su corazón y su alma.

—*Corinne*. —Respiró su nombre, mientras los dos recuperaban su ritmo natural.

—¿He gritado como una bruja? —preguntó ella—. La verdad es que no me acuerdo.

—Si tú gritabas, entonces yo gritaba junto contigo —le aseguró Dayan. Dejó que el viento refrescara sus cuerpos desnudos antes de volver a vestirlos. Inclinó la cabeza a un lado y la miró con semblante serio—. Eres una mujer muy bella, Corinne. Cuando me encuentre en el escenario tocando y tú estés a mi lado, tocando conmigo, o sencillamente sentada entre el público, con todos los hombres solteros mirándote, pasaré unos momentos muy duros.

Ella rió, le echó los brazos al cuello y le dio un beso sonoro.

—Eres un loco. Acabamos de hacer temblar la tierra. Ya sé que me dirás que no tienes ninguna pretensión de parecer arrogante ni de creerte el mejor amante del mundo. ¿A qué viene entonces esta repentina inseguridad?

Él la miró sonriendo, enseñando sus blancos dientes y con un dejo de picardía infantil.

—Sabía que si lo planeaba bien, tú misma acabarías reconociéndolo —dijo. Se cogió el pelo con una mano y se lo ató por detrás con una tira de cuero.

Corinne le acarició con gesto tierno unas mechas oscuras que le caían sobre la frente.

—Por esta vez te lo merecías. Te amo mucho.

—Por fin. ¡Pensé que jamás lo dirías! Pensaba sonsacártelo si seguías esperando. Ya no somos invisibles. Creo que será mejor que vayamos hasta la casa y entremos por si acaso Lisa sale y se da cuenta de que no hemos venido en coche. Vi unas cortinas que se movían en la planta de arriba.

Corinne se giró con gesto impaciente hacia la casa y se dio prisa en subir los peldaños del porche que conducían a la puerta. Antes de que pudiera golpearla, ésta se abrió violentamente.

—¡Corinne! —Lisa se lanzó en sus brazos con tanto ímpetu que casi las hizo rodar a las dos por el suelo. Dayan lo impidió sujetando a Corinne por la espalda. Los ojos azules de Lisa se llenaron de lágrimas que se desbordaron por sus mejillas sin que nada las detuviera. Las dos mujeres permanecieron abrazadas, riendo y llorando, mientras Dayan las miraba sumido en impotente pavor masculino.

—Estaba tan preocupada por ti —dijo Lisa, sin soltarla—. Deja que te mire. En el hospital me dijeron que te ibas a morir. Y de pronto desapareciste de allí. Syndil me ha dicho que tienes el corazón fuerte y que tu hija esta viva. ¿Dónde está?

Corinne abrazó a Lisa y las palabras brotaron precipitadamente de sus labios.

—No me he muerto, y mi corazón está muy fuerte, más fuerte de lo que ha estado nunca. La familia de Dayan conoce a unos curanderos, unos médicos increíbles. Me han salvado a mí y al bebé. Jennifer todavía está en la incubadora, pero te prometo que en cuanto pueda tenerla conmigo, te la traeré. Cuéntame, ¿cómo está Cullen?

Lisa llevó a Corinne por los pasillos de la bella casa hasta la habitación de Cullen. Dayan las siguió guardando las distancias, dejando que Lisa tuviera toda la atención de Corinne.

—Cullen se está reponiendo muy bien, pero no se queda en cama por mucho que se lo pida. Ayer por la mañana quiso levantarse a prepararme el desayuno. Así es él, tiene unos gestos muy dulces. A mí me gusta hacer las cosas, pero él no me deja. Cree que se está imponiendo.

—¿Todavía no ha probado tu lasaña vegetariana? Eso lo convencerá de que eres una mujer muy hogareña —le aconsejó Corinne.

Lisa se detuvo antes de abrir la puerta.

—Me gusta estar con él, Corinne. Lo digo en serio. Nunca he conocido a nadie como él, alguien con quien pudiera hablar durante horas. Me encanta estar a su lado —dijo, y sonrió—. Es como tener un público cautivo.

—Eso está bien, ¿no?

Lisa se encogió de hombros.

—Hasta renunciaría a ser modelo para estar con él. Sabes cuánto significa para mí saber que tengo un fondo de pensión enorme y bastante dinero para ir tirando. Pero aun así renunciaría a todo por él, de ver..'ad que lo haría.

—Pero… —dijo Corinne, con voz pausada.

Lisa le lanzó una mirada a Dayan, que se había quedado a cierta distancia en el pasillo y ahora miraba un cuadro. Y bajó la voz.

—Cullen no me ha dicho nada. Creo que le gusta estar conmigo. Sé que se siente atraído, pero no lo que siente por mí. Ni hasta qué punto me quiere. Es muy diferente de los demás hombres, Corinne, muy diferente.

—Me alegro por ti, Lisa. Me gusta Cullen. Creo que podría llegar a quererlo y me imagino que llegará a adorarte al menos tanto como yo —afirmó, y cogió a Lisa por el brazo—. Antes de que entremos en la habitación, tengo que contarte que Dayan y yo nos hemos casado.

—¿Qué? —Lisa se la quedó mirando con expresión dolida.

—Fue necesario para proteger al bebé. Yo lo amo, lo amo de verdad, y deseo que tú también lo quieras como a un hermano. Ha sido muy bueno conmigo. Me salvó la vida. Le salvó la vida a Jennifer. —Corinne se giró hacia Lisa con la mirada fija, casi hipnótica—. Tengo la intención de vivir el resto de mi vida con él. Quiero que tú lo aceptes como parte de la familia.

Lisa asintió y volvió a echarle los brazos al cuello.

—Se lo debo todo por haberte salvado a ti y a la pequeña Jennifer.

—¡Lisa! —La voz de Cullen todavía era algo ronca, pero sonaba lo bastante fuerte—. ¿Qué haces ahí fuera?

Dayan sabía perfectamente que Cullen era capaz de oír con su fino sentido del oído. Siguió por el pasillo, pasó junto a las dos mujeres y abrió la puerta.

—Hola, viejo perezoso, éstas dos no saben si reír o llorar o quedarse ahí dándose abrazos. Necesito otro hombre para restablecer el equilibrio.

—No somos tan malas —dijo Corinne, cogiendo a Dayan por su delgada cintura. Lisa fue a sentarse junto a Cullen.

Éste estaba sentado en una silla, un poco pálido, pero su aspecto era más fuerte de lo que esperaba Corinne. Había algo diferente en él. Sólo tardó unos momentos, pero cuando miró a Dayan, éste asintió con un gesto casi imperceptible de la cabeza.

—*La fuerza reconoce la fuerza. Él no puede hacer lo mismo que nosotros, pero transita parcialmente por nuestro mundo. Puede contactar mentalmente con Barack.*

Corinne lo sabía porque Dayan había hablado con ella, pero le pareció raro ver la diferencia en cuanto entró en la habitación. Le tocó la mano con un gesto delicado.

—Lamento tanto que te hirieran, Cullen, y que el corazón me fallara justo en ese momento. Lo siento, por haberos hecho sufrir tanta incertidumbre. ¿Cómo te encuentras?

—Tan bien que saldría a bailar si se presentara la oportunidad.

—No deberías precipitarte, Cullen —dijo Lisa, con un dejo de ansiedad—. ¿A qué viene tanta prisa? —preguntó, mientras entrelazaba con él los dedos de una mano y le acariciaba el pelo con la otra.

—Un hombre no puede ir y pedirle a una mujer que se case con él cuando va vestido con una bata y no tiene un anillo como debe ser. Esas cosas no se hacen —afirmó Cullen.

Lisa lanzó una mirada de aflicción a Corinne, como si no se atreviera a entender la indirecta.

—No creo que a una mujer le importe mucho que lo hagas de una u otra manera —dijo, pausadamente—. ¿Habías pensado en pedirle a alguien que se case contigo?

—Quería preguntárselo a alguien —reconoció Cullen—, pero se trata de una mujer bella y famosa y demasiado buena para mí. Quizá lo consiga si lo hago vestido con elegancia y con una cena a la luz de las velas y un anillo, pero estas batas tienen algo que le quita a un hombre todo el arrojo.

Lisa parecía tan impotente que a Corinne le dieron ganas de abrazarla. Era evidente que Cullen tuvo el mismo impulso. Se la sentó en las rodillas y la estrechó en sus brazos.

—Lisa Wentworth, ¿considerarías la idea de casarte conmigo? Antes de que contestes, quiero que sepas que tengo enemigos. Pasaremos mucho tiempo en la carretera, viajando con el grupo. Y cuando no viajemos, estaremos ocultos en lugares como éste. Te prometo que haré todo lo que sea posible para escapar al peligro y poder vivir cómodamente en algún lugar. Sin embargo, entretanto, tendremos que viajar con los Trovadores Oscuros para estar seguros.

Lisa se echó el pelo hacia atrás.

—Quiero estar contigo, Cullen. Tendré que encontrar una manera para desligarme de mi contrato, pero lo haré. Ya encontraré la forma de hacerlo.

—Barack y Syndil te ayudarán con eso —dijo Dayan—. Déjalos que vayan contigo para ocuparse de ello. Barack es un excelente hombre de negocios y ya que Cullen no puede acompañarte, uno de nosotros debería protegerte a ti y tus intereses.

—Es una idea genial —dijo Corinne.

Lisa se dio cuenta de que asentía y pestañeaba rápidamente. A veces se sentía como si se precipitara hacia los ojos de Dayan cuando éste la miraba fijo. Era una sensación muy curiosa. Y ella siempre acababa diciendo que sí a cosas a las que normalmente se negaría. Sin saber qué hacer, le lanzó una mirada a Cullen.

—¿Qué piensas tú?

—Creo que si no puedo ir yo, Barack debería ir contigo. Conoce al dedillo todo lo que tenga que ver con contratos, y si alguien es capaz de encontrar un resquicio, él es el hombre. Si decides ir con ellos, Lisa, quédate junto a Barack y Syndil y haz todo lo que te digan.

—*¿Por qué Barack tiene que acompañar a Lisa? Deberíamos irnos, Dayan. Ella no se siente cómoda en esta situación* —sugirió Corinne.

—*No puede depender únicamente de ti, querida. Barack y Syndil la protegerán de cualquier miembro de la sociedad que ande al acecho y, desde luego, cualquiera de los dos puede persuadir a la otra parte del contrato para que la deje ir. Deja que Lisa dependa de Cullen y de los demás.*

—Syndil cree que tendré que seguir oculto aquí unos cuantos días, pero Lisa y yo nos reuniremos con vosotros antes del primer concierto —prometió Cullen—. Me gustaría casarme lo antes posible —dijo, y miró a Corinne—. ¿Te molestaría mucho que nos casáramos pronto? Sería peligroso programar una boda debido a lo conocida que es Lisa, y porque es evidente que llamaría la atención entre los componentes de la sociedad. Creo que deberíamos hacerlo en secreto y luego celebrarlo con los miembros del grupo. ¿Qué te parece, Lisa?

—Siempre había pensado que me gustaría una boda por todo lo alto, con un baile y con rosas por todas partes, pero, en realidad, sólo te quiero a ti. Sería maravilloso si Dayan y Corinne pudieran estar presentes como testigos.

—Tú dirás el día y el lugar, Cullen —se comprometió Dayan, sin vacilar—. Ahí estaremos. —Se alegró de haber dado esa respuesta al sentir la alegría que brotaba del corazón de Corinne y que llegaba hasta él. Corinne amaba a Lisa y quería verla casada. Dayan abrazó a Lisa por el hombro y la acercó a su lado—. ¿Barack cuida bien de vosotros? —le preguntó, como arrastrando las palabras.

—Se está acostumbrando a que Syndil me trate como un rey —dijo Cullen, riendo—. Ha sido así desde el momento en que me vio. Pero Barack no acaba de aceptarlo.

Para sorpresa de Corinne, Lisa rió con él.

—Cullen es muy malo con Barack. No para de guiñarle el ojo a Syndil y de soplarle besos. Le dice unas cosas escandalosas, y Barack pone unas caras, tendrías que verlo, Corinne.

—Todavía no conozco a Syndil y Barack —dijo Corinne—. Pero Desari y su marido, Julian, son muy buenas personas.

Lisa asintió con un movimiento de la cabeza.

—Han venido a vernos todas las noches. Apenas puedo creer que haya conocido a todos los miembros del grupo. También he conocido al guardaespaldas, Darius, y a su mujer, Tempest. Ella es muy simpática, pero Darius me intimida.

Corinne se sorprendió al percatarse de que había percibido el eco de los pensamientos de Lisa. *Igual que Dayan*. A Lisa le intimidaban tanto Dayan como Darius. Encontraba que Barack era divertido y que Syndil era una mujer maravillosa. Le tendió la mano a Lisa.

—Quiero contarte todo lo que pueda de Jennifer. Venga, vamos a hablar a solas un rato mientras Dayan examina a Cullen y se asegura de que se encuentra bien de verdad, tal como sostiene.

—¿Cuánto ha pesado? —preguntó Lisa.

—Es muy pequeña, sólo ha pesado un kilo ochocientos, pero está ganando peso. Pronto saldrá de la incubadora. Tiene mucho pelo y unos hoyuelos pequeñitos a los lados de la boca.

—Igual que tú —dijo Lisa.

Corinne rió y la abrazó.

—Estoy tan contenta, Lisa. Nunca en ni vida he estado tan contenta.

Capítulo 19

Corinne se despertó enredada entre las sábanas. El corazón le latía asincopadamente y en la garganta se ahogaba su grito de alarma. Tenía la cara bañada en lágrimas y, con gesto protector, se llevó las dos manos a la barriga que ya no estaba hinchada.

—¿*Qué ocurre*? —Era Dayan, que la abrazaba y la estrechaba en sus brazos, un refugio al abrigo de la tormenta de sus pesadillas—. *Dímelo, querida.* —Dayan hizo un barrido visual de los alrededores, conectando más profundamente con ella para tener un atisbo de los sueños que la perseguían.

—No podía respirar, Dayan… Por un momento, ¡no podía respirar! —Su corazón se acompasó poco a poco con el de Dayan, más pausado y regular. Ella escuchó el latido reconfortante del suyo y luego la respiración más suave, casi imperceptible, de su hija—. Por un momento, nada era real, ni tú, ni el bebé, ni mi corazón sano. Tú no estabas y yo me había quedado sola.

Dayan le besó la sien.

—Descansabas como los humanos, Corinne. Querías tenderte aquí en la cama, en nuestro nuevo hogar.

Corinne se dio cuenta de que sonreía, a pesar de las reminiscencias de su horrible sueño.

—¿Hay gente que piensa que un autocar es un hogar?

Dayan se giró para poder mirarle la cara, mientras le acariciaba los hombros.

—Vivimos sobre todo en la carretera, de modo que estos autocares no tardan en convertirse en nuestra casa. He observado que los gatos te ponen muy nerviosa.

Dayan le acarició suavemente el labio inferior, hasta que Corinne tuvo leves estremecimientos que le llegaron hasta la base de la columna. Con Dayan siempre era muy consciente de las diferencias de sus cuerpos. Él era de músculos duros, huesos gruesos y sólidos. En cambio, a ella su propio cuerpo le parecía muy suave y femenino en comparación con el de él, aunque sus músculos eran bastante firmes. Ahora se deleitaba con aquella nueva fuerza. Aún así, Dayan siempre le recordaba que él era un hombre y ella una mujer.

—*Mi mujer* —le recordó él, siempre presente como una sombra en su pensamiento.

—¿Gatos? ¿Así llamas a esas cosas? No son gatos, Dayan, son animales salvajes. Animales salvajes de verdad. Los leopardos se comen a los bebés. La pequeña Jennifer sería todo un bocado para ellos.

—¿Un buen bocado? Me gusta. —Dayan le acarició el cuello al inclinarse para tomar posesión de su boca. Un lento remolino de fuego. Cuando se apartó, con aquellos ojos brillantes negros de deseo, buscó sus pechos generosos—. Todos necesitamos un buen bocado de vez en cuando. —Al inclinar la cabeza, su pelo largo se derramó sobre ella como hebras de seda, excitando hasta el último nervio con el calor del deseo. El aliento de Dayan era cálido, y Corinne se tensó, expectante.

Luego sonrió, relajó aquella parte de su conciencia donde todavía reverberaban los ecos de su pesadilla. Jennifer ya estaba fuera de la incubadora y dormía apaciblemente en la pequeña cuna que Dayan había diseñado para su caravana. Faltaba una semana para que comenzara la gira y tendrían que empezar a moverse. Jennifer era tan pequeña que Corinne y Dayan apenas se atrevían a cogerla, así que siempre les daba seguridad tener a otros miembros del grupo cerca para echarles una mano. Gary Jansen había decidido viajar con ellos hasta que Jennifer ya no necesitara de sus cuidados o hasta que Cullen y Lisa vinieran para acompañarlos.

—¿Qué hora es? —preguntó Corinne, de pronto preocupada.

Dayan se había desplazado hasta un punto clave, y su boca rozaba aquella piel cremosa de Corinne, de modo que los pensamientos de ésta volaron en todas direcciones. Apretó los puños y tiró de su pelo color carbón, y luego atrajo su cabeza hacia ella, llena de deseo.

—Deja de jugar conmigo —dijo—. No tenemos toda la noche. Él la acarició con la lengua.

—Me gusta tomarme mi tiempo. Hasta el último rincón de tu piel merece mi atención.

—Claro que sí —convino ella—, y resulta que en este caso tenemos un poco deprisa, así que si estás pensando en prestarme la atención que me merezco, venga ya, ¡y deja de volverme loca! —La estaba volviendo loca, y lo sabía. Teniéndolo tan cerca, se sentía caliente y doliente de deseo.

Corinne percibió la risa ligeramente burlona de Dayan cuando por fin cedió a sus demandas y le cogió un pecho en la cavidad templada y húmeda de su boca. Ella respondió con una descarga impregnada de deseo que lo llamaba. Dayan se tomó su tiempo en una exploración larga y perezosa, acariciando hasta la última curva y hondonada, hasta el último de sus secretos en la sombra. Con las manos y la lengua fue convirtiendo sus venas en calor líquido, despertando una urgencia que Corinne no podía ignorar. Estaba ardiendo por dentro y por fuera. En lo más profundo de ella se había declarado una conflagración, una tormenta de fuego que quemaba con tal intensidad que temía explotar en cualquier momento. El mero contacto con él le hacía perder el sentido y a duras penas lograba recuperar el aliento.

En un movimiento perverso, sus manos lo encontraron. Al adentrarse en su conciencia, descubrió hasta la última de las caricias secretas que lo volvían loco. Su boca buscó el cuello de Dayan, lo mordisqueó y jugó con su pulso. Sintió el eco que dejaba la explosión del corazón. Le acarició las nalgas, duras, y se demoró en sus músculos, siguió sus líneas mientras le dejaba un reguero de besos en los duros pectorales. Ahora que Dayan estaba grueso y duro y tenía la piel caliente, Corinne se deslizó hacia su vientre liso. Él jadeaba y en su mente se agitaba un torbellino de deseo incandescente.

Con la lengua, Corinne le dejó una huella en el hueso de la cadera, mientras las manos seguían hacia las columnas de sus muslos. Dayan tensó los músculos, expectante. Corinne dejó que su aliento bañara la punta de su poderosa erección, a la vez que la cogía con ambas manos, con dedos que bailaban y jugaban. Siguió sin parar hasta que él dejó escapar un gemido y le cogió la cabeza con las dos manos y la atrajo hacia él. Su boca estaba apretada y caliente, su lengua era una llama viva. Dayan avanzó las caderas compulsivamente e inició un duro y rítmico movimiento que era incapaz de detener.

Murmuró unas palabras, un ruido espeso y ronco de puro placer, y de pronto recurrió a su fuerza descomunal para volver a tomar la iniciativa. La empujó hasta que cayeron sobre la maraña de sábanas y le cogió las dulces caderas mientras se arrodillaba por encima de ella. De un tirón la trajo hasta sí y su miembro, duro y palpitante, buscó la entrada. Corinne tenía la entrepierna bañada por una humedad acogedora, y su apretada hendidura lo envolvió con una ardiente señal de bienvenida. Él la penetró, duro y fuerte, más salvaje, casi un poco descontrolado, mientras observaba cómo se acoplaban, como unidos en un tango compuesto sólo para los dos, mientras que en su cabeza las notas musicales ascendían en un *crescendo* de calor y luz y puro placer erótico.

Corinne observaba su cara mientras se movía con él. Amándolo. Amando lo que le hacía. Lo que ella le hacía a él. El fuego seguía concentrándose, y ella oía su música, las notas salvajes y libres que bailaban como llamas en su interior. Su alma. O el alma de ella.

—*¡Nuestra alma!* Las palabras se deslizaron en su mente y se fragmentaron al unísono, palabras lanzadas hacia los mares tormentosos y ascendiendo como un rayo hacia la luz de las estrellas. Se aferraron el uno al otro mientras la tierra se remecía y la naturaleza salvaje de ambos comenzaba a aplacarse.

Dayan nunca le quitó del rostro la dura mirada. Se inclinó para besarla, para volver a saborearla, queriendo más, pero sabiendo que el tiempo ya se les iba.

—Nuestras almas, Corinne. La música nace de nosotros dos. Sin ti yo jamás sería capaz. —Volvió a besarla—. ¿Por qué estás ahí tendida sin decir nada? ¿Acaso no eres la dama de honor en esta boda? Yo sé que soy el padrino. Se supone que tendríamos que haber llegado hace cinco minutos. A Lisa le habrá entrado el pánico.

—¡Me había olvidado! Dios mío, Dayan, siempre haces lo mismo. Borra esa sonrisa indolente de tu cara. —A Corinne le fascinaba su mirada indolente. Se incorporó y le cogió la cabeza con ambas manos porque tenía que besarlo, así de desbordante era su felicidad.

—Solo quería demostrarte que esto es la realidad, no un sueño. Deberías estar agradecida —dijo Dayan, sonriendo burlonamente.

Un fuerte golpe en la puerta de la caravana los obligó a separarse. Corinne se echó a reír, no podía evitarlo. Estaba completamente vestida, mientras que Dayan permanecía sentado en el borde de la cama completamente desnudo.

—Vosotros dos, acabad de una vez —ordenó Darius, desde el exterior de la caravana—. Todos están esperando. Si no venís, no puede empezar el espectáculo.

—Gracias por el vestido —dijo Corinne, con un murmullo de voz, pero muy seria—. Ha sido muy atento de tu parte.

—Shh, Darius tiene un oído muy fino —le advirtió Dayan, lanzándole una mirada furibunda.

Ella se encogió de hombros, pero siguió riendo en silencio.

—Entonces, esperemos que sea muy discreto —dijo, y miró furtivamente en el espejo para ver su ceñido vestido. Le daba un aire sensual, elegante y femenino. Diferente. Ella era una mujer diferente. Ella era entera. Corinne sonrió al espejo cuando Dayan, ya totalmente vestido y muy atractivo con su traje, se acercó por detrás y la cogió por el talle con ambos brazos. Se inclinó para besarla en la sien, y Corinne vio el amor que brillaba en sus ojos.

—Cogeré a Jennifer —dijo, sintiendo que la bañaba en su calidez. Su mundo era más perfecto de lo que jamás había imaginado—. Hablaremos de esos leopardos que tenéis como mascotas camino de la iglesia. Lisa también piensa que estáis todos locos, aunque, claro, he visto a la muy traidora acariciando a uno con Syndil.

Dayan la observó mientras cogía a Jennifer. Se las quedó mirando un buen rato, a su mujer, bella, risueña y cálida, y a su pequeña hija, un milagro para todos los suyos. Durante mucho tiempo, una eternidad infinita, su vida había sido una melodía oscura. Ahora se había esfumado en un instante, y hasta el final de los tiempos quedaría en su lugar la melodía del amor.

www.titania.org

Visite nuestro sitio web y descubra cómo ganar
premios leyendo fabulosas historias.

Además, sin salir de su casa, podrá conocer
las últimas novedades de
Susan King, Jo Beverley o Mary Jo Putney,
entre otras excelentes escritoras.

Escoja, sin compromiso y con tranquilidad,
la historia que más le seduzca
leyendo el primer capítulo de cualquier libro
de Titania.

Vote por su libro preferido y envíe su opinión
para informar a otros lectores.

Y mucho más…